2026年度版

TAC出版編集部 編著

警視庁

警察官I類

科目別・テーマ別過去問題集

は じ め に

　近年就職環境が大きく変化している中で、まだまだ多くの若者が「やりがい」や「安定」を求めて公務員試験に挑戦しています。出題科目が非常に広範な公務員試験で効率的に学習を進めるためには、志望試験種の出題形式を的確に捉え、近年の出題傾向をつかむ必要があります。

　このシリーズは、受験先ごとに公務員試験の過去問演習を十分に行うために作られた問題集です。

　公務員試験対策は「過去問演習」なしに語ることはできません。試験ごとの出題傾向が劇的に変化することは稀であり、その試験の過去の出題を参考にすることで、試験本番に向けた対策をほぼカバーすることができるためです。

　また、過去問を眺めると、試験ごとに過去の出題分布がだいぶ異なっていることに気づきます。公務員試験対策を始めたばかりのころは、なるべく多くの受験先に対応できるよう幅広い範囲の知識をインプットしていくことが多いですが、ある程度念頭においた受験先が見えてきたら、その受験先の出題傾向を意識した対策が有効になります。

　本シリーズは、択一試験の出題を科目ごと、出題テーマごとに分類して配列した過去問題集です。このため、インプット学習と並行しながら少しずつ取り組むことができます。また、1冊取り組むことによって、受験先ごとの出題傾向を大まかにつかむことができるでしょう。

　公務員試験はいうまでもなく就職試験です。就職試験に臨む者は皆、人生における大きな岐路に立ち、その目的地であるゴールを目指しています。公務員として輝かしい一歩を踏み出すためには、合格というスタートラインが必要です。本シリーズを十分に活用された方々が、合格という人生のスタートラインに立ち、公務員として各方面で活躍されることを願ってやみません。

2024年11月　TAC出版編集部

本書の特長と活用法

本書の特長　〜　試験別学習の決定版書籍です！

◍ 科目別・テーマ別に演習できる！

本書は警視庁（警察官Ⅰ類）採用試験における択一試験の過去問（2020〜2023年度）から精選し、学習しやすいよう科目別・テーマ別に収載しています。科目学習中の受験生が、試験ごとの出題傾向をつかむのに最適な構成となっています。

◍ TAC生の正答率つき！　丁寧でわかりやすい解説！

TAC生が受験した際のデータをもとに正答率を掲載しました（各年度の初回の試験のみ）。また、解答に加えて、初学者の方でもわかりやすい、丁寧な解説を掲載しています。実際に問題を解き、間違ったときはもちろん、正解だったときでも、しっかりと解説を確認することで、知識を確固たるものにすることができます。

◍ 最新年度の問題も巻末に収録！　抜き取り式冊子なので使いやすい！

最新の2024年度第1回の問題・解説は巻末にまとめて収録しており、抜き取って使用することができます。本試験の制限時間を参考にチャレンジすることで、本試験を意識した実戦形式でのトレーニングが可能です。

◍ 受験ガイド・合格者の体験記を掲載！

受験資格や受験手続の概要をまとめた「受験ガイド」を掲載しています。過去の採用予定数や受験者数、最終合格者数といった受験データもまとめています。また、合格者に取材して得た合格体験記も掲載していますので、直前期の学習の参考にしてください（合格者の氏名は仮名で掲載していることがあります）。

◍ 記述式試験の模範答案も閲覧可能！

2020〜2024年度の記述式試験について、問題と答案例をWeb上でダウンロード利用できます。詳しくはご案内ページをご確認ください。

問題・解説ページの見方

◯◯ 問題

● 科目名　　　　● 出題テーマ

● 出題詳細
出題年度、回と種目、問題
番号を示しています。

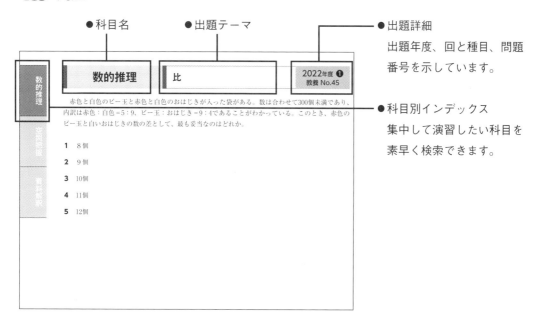

| 数的推理 | 比 | 2022年度 ❶ 教養 No.45 |

● 科目別インデックス
集中して演習したい科目を
素早く検索できます。

◯◯ 解説

● 正答番号

● TAC生の正答率
実施当時の報告に基づい
て、TAC受験生の正答率
を掲載しています。問題の
難易度の目安にしてくださ
い。

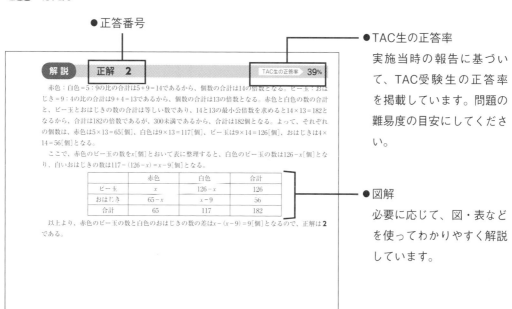

● 図解
必要に応じて、図・表など
を使ってわかりやすく解説
しています。

警視庁（警察官Ⅰ類）受験ガイド

(1) 警視庁（警察官Ⅰ類）試験とは

　警視庁（警察官Ⅰ類）試験は大卒程度の学力を有する受験者から警察官を採用する目的で実施される試験です。男性と女性を別枠として試験が実施され、年に複数回行われます。合格者は警視庁巡査として採用され、全寮制の警察学校での研修ののち、首都東京の安全を守る種々の業務に従事することとなります。

(2) 受験資格＆申込み方法

　2024年度の試験では、1989年4月2日以降に生まれた方が受験可能でした。

　採用試験案内は都内の各警察署・交番・駐在所や警視庁採用センターで入手できるほか、郵送での請求、Webサイトからのダウンロードも可能です。原則的にインターネットを通じて申込みを行います。

(3) 試験日程＆採用になるまで

　2024年度の試験日程は以下のとおりです。

申込みから最終合格までの流れ

	第1回試験		第2回試験		第3回試験	
	男性	女性	男性	女性	男性	女性
申込期間	3/11(月)〜3/25(月)		8/13(火)〜8/23(金)		11/29(金)〜12/10(火)	
第1次試験日	4/13(土)		9/15(日)		2025/1/12(日)	
第1次合格発表日	第1次試験から約2週間後		第1次試験から約2週間後		第1次試験から約2週間後	
第2次試験日	5/11(土)、5/18(土)、5/19(日)	5/25(土)	10/5(土)、10/6(日)	10/12(土)	2024/2/1(土)	2025/2/2(日)
最終合格発表日	第2次試験から約70日後		第2次試験から約70日後		第2次試験から約70日後	

(4) 試験内容（2024年度）

試　験　種　目		内　　　　　容	時　　　間
第1次試験	国　語　試　験	職務に必要な国語力、50題	20分
	教　養　試　験	五肢択一式、50題	2時間
	論　文　試　験	課題式、1題	1時間20分
	資格経歴等の評定	所持する資格経歴等についての評定	
	第1次適性検査	警察官としての適性についての記述式検査	
第2次試験	面　接　試　験	人物についての個別面接	
	身　体　検　査	視力検査、レントゲン検査、医師の診察、色覚検査、聴力検査、運動機能検査、血液検査、尿検査、身長測定、体重測定	
	第2次適性検査	警察官としての適性についての記述式検査	
	体　力　検　査	腕立て伏せ、バーピーテスト、上体起こし、反復横跳び	

　なお、2025年度より採用試験の変更が発表されており、現時点で明らかになっている変更点は以下のとおりです。

変更内容	2024年度まで		2025年度以降
国語試験	50題・20分	➡	〈廃止〉
教養試験	50題・2時間	➡	30題・1時間10分
知識分野の出題科目	人文科学、社会科学、自然科学、一般科目（国語、英語、数学）	➡	社会科学（政治、社会、法律、経済）、一般科目（国語、英語）、時事問題
論文試験	1題、1時間20分	➡	1題、1時間

(5) 実施状況

年度	種別	採用予定数	受験者数	最終合格者数	受験倍率
2023年度	男性	570	4,978	824	6.0
	女性	230	1,737	304	5.7
2022年度	男性	570	5,379	886	6.1
	女性	230	1,942	261	7.4
2021年度	男性	700	5,845	1,027	5.7
	女性	200	1,874	303	6.2
2020年度	男性	720	2,960	643	4.6
	女性	120	906	165	5.5

※　採用予定数は共同試験による採用を含みます。

合格体験記

藤田 胡桃 さん
（ふじた くるみ）

2023年度　警視庁、神奈川県警 合格

事件・事故を未然に防ぎたい思いから警察官志望に

　高校生のころ、将来どんな職業を選んだら大きなやりがいを感じられるだろうと考えていました。自分にとって、それは人の命を助ける仕事だと気づいた私は、救急救命士の資格を取得できる大学に入学しました。

　そこでは元消防士の方など、実際に救命の現場で働いていた先生方から、現実に起こった凄惨な事件、事故などの話を聞く機会が多くありました。そのうち、人がそうした事件、事故により危機に瀕した後に現場に駆け付ける仕事より、その原因となる出来事を未然に防ぐことで人の命を助けることに貢献したい、という気持ちが大きくなりました。

　こうして大学2年生のときに警察官志望に改め、私の新しいゴールは交通違反を毅然と取り締まる白バイ隊員になりました。

教材の問題を何度も繰り返し解いて実力を付ける！

　当初は予備校に通うつもりはなかったので、大学2年生の9月くらいに数的処理の参考書を書店で入手し、独学で警察官の試験対策をスタートしました。その本は初学者向けだったものの、どうしても自分ひとりで問題が解けるようになるのは難しそうだったので、それから半年ほど経った3年生の春ごろ、TACへの入会を決めました。

　高校では「保健体育科」というところにいて学力テストもなく、硬式野球の部活動に明け暮れていたうえ、大学にも指定校推薦枠で進学した自分にとっては、警察官の試験で必要な科目はほぼすべて初めて接するものでした。それでも、人文科学や社会科学は暗記なので、じっくり対策すればそれなりに頭に入ってきます。ただ数的処理にはどうしても苦手意識が勝ってしまっていたため、かなり時間をかけて対策しなければなりませんでした。

　教材に載っている数的処理の問題は、初見では解けないものの、何度か繰り返して取り組むと、時間はかかっても何とか解けるようになります。そうしたら、次は解答時間の短縮を目指します。さらに何度も繰り返していると、問題を見たときに、どの解法を使えばよいかパッと閃くようになります。私は数的処理の問題集を10周以上繰り返していましたが、とにかく何度も何度も繰り返して克服していくしかないと思います。

　それと、私が受験した回から国語の試験がリニューアルされ、熟語の読み書きについての選択式の試験になりました。

論文に盛り込む過去の経験を準備しておこう

　大学受験で小論文を経験していなかった私にとって、論文試験も初めてのチャレンジでしたが、文章を書くことは教養試験対策に比べれば取り組みやすい課題でした。本番で課されたテーマは「これまで最も苦労した経験に触れ、そこから学んだことをどのように警察官の仕事に活かしてい

きたいか述べなさい」というものですが、このように面接の場で問われるようなことがテーマになります。

　自分の過去の出来事と、将来仕事をしている自分とを結びつけて書くことが重要なので、「このタイプのテーマが来たらこのエピソードを出そう」などと、いくつか論述のネタを準備しておくといいと思います。また、自分ひとりでがんばったエピソードよりは、周りの人との関わりのあるエピソードを挙げるといいと思います。私の場合は高校時代の部活動での経験や、アルバイト先での失敗などのエピソードを温めていました。

直前期の過ごし方

　右のスケジュールの前半は、実際の1次試験のタイムテーブルに合わせて過去問を1セット解くというものです。国語→教養→（休憩）→論文という順序で進むので、このとおりこなして慣れるようにしました。

　その後休憩を挟んでその問題の復習や、科目ごとの問題演習に時間を使っていました。

■直前期の1日のスケジュール例

6:30	起床、朝食、移動
8:30	国語、教養
12:00	休憩、昼食
13:00	論文
13:30	休憩
14:00	午前中解いた過去問の復習
16:00	休憩
16:30	数的処理、社会科学、日本史・世界史、漢字
21:30	帰宅、夕食、お風呂等
23:00	暗記科目の問題集を解く
24:00	就寝

グループ面接練習で、面接官の視点にも触れる

　2023年のはじめごろから、警察官・消防官を目指す仲間と4人くらいのグループを作って、週1回くらい面接練習をするようになりました。受験生役1人と面接官役3人に分かれ、面接官からの質問に受験生が答え、終わったらフィードバックをしたうえでローテーションする、というものです。面接官役を経験することで、どんなことを聞きたいか、受験生のどのような振る舞いが目に付くのか少しわかるようになります。また、グループのメンバーと各受験先についての情報交換をする場にもなっていました。2023年の4月、私の目指している白バイ隊を含む警視庁の交通機動隊が22年ぶりに組織再編されるというニュースがあったのですが、このような話もその場でシェアしました。

　本番は道場でたくさんの面接が同時進行しておりガヤガヤした雰囲気なので、面接官の声が聞き取れない場面があると思います。申しわけないと思っても、聞こえなかった質問に対し適当に答えるよりは、きちんと質問を聞き直すほうがいいと思います。

　それと体力試験は、特に女性にとって腕立て伏せが鬼門になると思いますが、3か月くらい前からきちんと対策すればそれなりにこなせるようになります。実際の試験では、数回でつぶれてしまった受験生も近くにいたので、きちんと対策すると差をつけられる種目だと思います。

受験生へのメッセージ

　私の場合、特に大きかったのはいっしょに合格を目指していた仲間の存在でした。数的処理で行き詰まったら得意な人に解法を教えてもらったり、面接で言おうとしている志望動機の内容を聞いてもらったり、たくさん助けてもらいました。どの科目もほとんど学習経験がなく、右も左もわからない状態から私が合格できたように、公務員試験は何度も何度も繰り返し過去問に取り組めば少しずつ成果が上がってくる試験です。ぜひ、苦しい受験時代を助け合える仲間といっしょに、あきらめずに合格を勝ち取ってください。

合格体験記

能登 大樹 さん
（のと　ひろき）

2022年度　警視庁（警察官Ⅰ類）、千葉県警（警察官Ａ）合格

事件報道をきっかけに警察官志望に

　当時メディアでも大きく報道されたので覚えている方もいると思うのですが、私が中学生のときに「朝霞少女監禁事件」がありました。中学生の女の子が誘拐され、2年間にもわたって監禁されていたという事件だったのですが、加害者が私の暮らしている県の大学に通う学生だったこと、被害者が自分とほぼ同年齢だったことから衝撃を受けたと同時に、このような人の暮らしの安心・安全を損なう出来事に対して何もすることができないことに無力感を感じ、このときから将来は警察官になって人々の安全を自分の手で守っていく仕事をしたいと考えていました。

　警視庁はドラマや映画などの作品の舞台になりやすいこともあり、警察官になりたいと思い始めた中学生のころから漠然と志望する気持ちがあったのですが、実際に説明会に参加するようになったとき、説明に当たってくださった警視庁警察官の言葉が印象深く、改めて志望動機を強くするきっかけになりました。それは東日本大震災の直後、被災された方々の救助活動に当たったときの話だったのですが、警視庁という組織は人員が充実していることで、単なる救助活動にとどまらず被災者の話を聞いて寄り添い、心のケアまですることができた、と語ってくれました。市民1人1人に寄り添うという、私が理想とする警察官像がここにあると感じ、警視庁を真剣に目指したいと感じました。

きちんと向き合えば伸びると信じて取り組んだ苦手科目

　私が試験対策を始めたのは大学3年になったばかりの2021年4月でした。感染症の影響で大学も対面授業を行っておらず、当初はもっぱら自宅で、独学に近いような状態でひたすらインプット・アウトプットを繰り返していました。

　もともと文系ではあるものの、大学受験のときには数学を受験科目にしていたこともあってか、数的処理のうち数的推理はあまり苦労しなかったのですが判断推理が苦手でした。教養科目は範囲が広いので、どんな受験生にもうまく点が取れない科目があると思いますが、私は問題を解きまくることで克服できると考え、とにかく毎日苦手な判断推理に向き合うようにしました。結果的に数的処理全般が得意科目といえるようになったので、逃げずにきちんと向き合ってよかったと思います。

　ほかに世界史や、学習経験のなかった日本史も点数が伸び悩んでいたのですが、やはり時間をかけて取り組むことによって、最終的には本試験でもきちんと得点することができました。知識系の科目については、苦手な科目を捨ててしまう決断をする方も多いと思うのですが、個人的には「全く何もしない」という選択はせず、少しでも得点を伸ばす努力をしたほうがいいと思いました。

　国語試験対策としては、教材のほかに漢字検定準2級・2級の問題集に取り組みました。出題の程度もこれと近く、実際これだけで9割方は手堅く得点できました。

論文添削を受けたら、きちんと今後の答案に活かす

　最初の論文対策を始めたのは6月と早い時期でした。まずはきちんとした文章の書き方などから始めるのですが、このころから答案を書き、添削を受けるといったこともしていました。

　論文は漫然と進めていると、自分の答案が改善されているのかどうか自覚するのが難しいと思うので、添削の評価だけに一喜一憂せず、どういうところを直せばよい答案になるのか、というのをしっかり受け止める必要があると思います。

　答案を組み立てるとき、「まずどのように口火を切り、次にどんなことを書き、どのように締めくくるか」といった構成面のバランス感覚や、大まかなテーマ別にどういったことに力点を置いて書けばいいのかなど、添削から学び取ったことが多くありました。

直前期の過ごし方

　直前期は、例えば右のようなスケジュールで、1日12時間くらいを学習に充てていました。自習室のような集中できる場所に身体を移したほうがはかどる方も多いと思うのですが、私はほぼ自宅学習でした。

　朝一番の気力が充実している段階でみっちりと3時間数的処理に取り組み、得意科目をより盤石にします。その後のスケジュールはどこかに特別な偏りがないように、筆記試験対策をまんべんなく行うようにしていました。

■直前期の1日のスケジュール例

6:00〜7:00	起床・朝食
7:00〜10:00	数的処理
10:00〜10:30	休憩
10:30〜11:30	社会科学
11:30〜12:00	漢字
12:00〜14:00	昼食・自由時間
14:00〜16:00	論文対策
16:00〜16:30	休憩
16:30〜18:00	自然科学
18:00〜19:00	何かやり足りない科目
19:00〜21:00	夕食・自由時間
21:00〜24:00	社会科学、面接対策
24:00	就寝

面接では部分的な失敗を引きずらないほうがいい

　年が明けて2月になったころから、同じく警察官を目指す受験仲間と定期的に集まる時間を持ち、本格的な面接対策を始めました。まずは、面接での定番質問（志望動機など）の答えと、それに対してさらに予想される追加質問・回答を2セットほど考えて、みんなの前で話す練習から始めます。ほかに、想定質問を仲間と出し合ったり、模擬面接を繰り返したりしました。大人に面接官役をしてもらうと仲間同士でするのとは違った緊張感があり、本番に向けた心の準備ができます。

　ただ、やはり想定外の事態は起こるものです。私は併願先についての意表を突いた問いかけに面くらい、いま思い返せば最悪な受け答えをしてしまいました。ただそれでも結果的には合格することができました。面接で部分的にでも失敗してしまうと受験者側にはその印象だけが強く残りがちですが、採用側は面接の時間全体のことを総合的に見て判断していると思うので、局所的な失敗をあまり引きずらないほうがいいと思います。

モチベーションを保つ工夫をして、努力を続ければ結果はついてくる

　警察官・消防官の試験は科目が多く、疲れたりやる気がなくなったりすることがあると思います。そのようなときには周りの友人や先生に相談したり、説明会や1日体験などのイベントに参加したりして警察官・消防官になりたいという気持ちを思い出し、モチベーションを復活させてください。そうして最後まで努力を続けることができれば自ずと結果はついてくると思います。最終合格を目指して頑張ってください。

合格体験記

小川 純乃 さん
（おがわ じゅんの）

2021年度　警視庁（警察官Ⅰ類）、神奈川県警（警察官A）、皇宮護衛官（大卒程度）合格

身近な人の被害が公安職志望のきっかけに

　高校生のとき、身近な友だちがストーキング行為の被害に遭ったことがありました。彼女からそのことで相談を受けたことをきっかけに、「普通の人が安心して暮らしていく」という、いわば当たり前のようにも思えることを陰で支えている、警察官という仕事に意識が向きました。

　もともと両親とも行政職の公務員として勤めていたので、小さいころから“公務員”という仕事や存在は何となく目に見える形で片隅にはありました。ただ、自分の将来の仕事を真剣に考えるきっかけになったのは、やはり高校生のときの出来事だったと感じます。

教養科目、何を捨てて何をがんばるか？

　私は大学受験をAO入試で済ませてしまっており、警察官の試験対策をするまでほぼまともな学習経験がありませんでした。特に英語が全くできないので、警視庁の4問分の出題を正解できるようになるのは絶望的だと思い、その他の科目を落とさない方針で取り組みました。

　もともと通っている大学が、公務員として就職を希望する学生の支援に熱心で、1年生のころから大学が用意してくれた公務員試験対策のカリキュラムに参加していました。本格的に警察官としての試験対策を始めたのは3年生の8月（2020年8月）なのですが、早い時期からそれなりに対策を重ねていたことが役立ち、数的処理、社会科学、現代文を得意科目にすることができました。

　教養試験は範囲が広いので、苦手分野が全くない人はいないと思います。その苦手科目について、時間をかけて対策するか、私のようにスッパリ諦めてそれ以外をがんばるか、は重要なポイントだと思います。試験での出題数がどれくらいか、学習に時間を費やすことで伸びそうかどうか、といったことを考えながら、対策するか諦めるかを決めるといいと思います。

　私は英語の4問と、自然科学のうち物理と地学の2問を捨てましたが、それ以外の科目はきちんと対策し、6割5分くらいの得点で1次試験をパスすることができました。

国語試験対策

　国語試験の60問の中には、一般的な学生の国語力では正解できないような出題があります。私はもともと漢字検定2級の取得を狙っていたのですが、それとは別に『7日で完成! 警察官採用試験 漢字・国語 集中特訓!』（TAC出版）を使って対策していました。

　それでも実際の試験では解答できない問題も出るのですが、きちんと本1冊分の対策さえしておけば、合格が危うくなるような点数にはならないと思います。

論文試験対策

　論文は、❶書く内容と、❷論文という形式に整える、という2方面の対策が必要になります。

　❶内容面でいうと、警視庁に限らず公安職の論文では、「自分自身」のことを問われることが多くあります。面接対策にも通じると思うのですが、事前に採用機関のHPなどを見ておくと、求められている人物像が何となくつかめます。その人物像と自分自身を照らし合わせ、何をアピールするとよさそうか、と考えてみましょう。

　❷形式面は、とにかく答案を作って、人に評価して

もらう、ということを繰り返すのが大事です。最初は、何がよくて何が悪いのかわからないけれど、上手な答案を真似したり、アドバイスを受けて自分の答案の変化を観察したりすると、文章の構成が整って読みやすくなっていることに気づきました。変に難しい言葉を使わずに、読みやすく簡潔な文章を心掛けることも大事だと思います。

2次試験対策

　面接対策も、❶内容を練り上げる、❷面接という形式じたいに慣れる、という両面の対策が必要です。私は12月ぐらいから、まず想定される質問を自分で立てて、それに対する答えをノートに書き出してみる、ということから始め、自分のアピールポイントを徐々に組み立てていきました。

　ただ頭の中でまとめたことを「面接」という場で普段どおりに実践できるかどうかは全く別です。本番で無意識に目線がぶれたり、手が動いたりしないよう、誰かに指摘してもらいましょう。

　私の本番の面接では、一つの話題を深く掘り下げる質問があまりなく、どんどん話題が移り変わっていきました。質問に答えながら自己PRを狙う場合、チャンスを逃すと別の話題に移ってしまうことがありますから、このようなスタイルを想定して練習しておくことも大事だと思いました。

　体力試験については、個人的には普段から柔道で体を作っているのでほぼ不安はなかったのですが、特に女性の受験者の中には腕立て伏せの回数をこなせない方が多いと思います。「1秒で下ろして1秒で上げる」、というのを1分間繰り返すのですが、本番で周りを見ても、ほとんどの受験生が途中で脱落していました。2秒で1回のペースで30回、どんなに苦手でも20回はペースを落とさず続けられるように準備しておいたほうがいいと思います。

おわりに

　ずっと「勉強する必要」に迫られず大学まで進んだ私にとって、長い時間をかけて積み重ねていく公務員試験の学習はとても難しいものでした。それでも、合格するのにいちばん大事なのは「合格したい」という気持ちの強さと、それを自分が絶対に叶えられる、と信じることだと思います。

　気持ちを強く持って、それに必要なことをやる。そう考えて毎日8時間、年明けからは10時間を学習に費やしてきましたが、もちろん挫けそうになることもあります。周りに同じようにがんばっている友だちがいれば励まし合ったり、アドバイスを求められる人がいれば相談したりと、周囲の人間を頼りながら、なんとか最後まで走り切ってください。皆さんの合格をお祈りしています。

CONTENTS

2024年度第1回　問題・解説（取り外し式）

教養科目

法律

法律　日本国憲法

2023年度 ❶
教養 No.2

政治

経済

社会

国語

英文法

英文

現代文

判断推理

日本国憲法に関する記述として、最も妥当なのはどれか。

1　憲法第10条は、日本国民たる要件は、法律でこれを定めると規定するが、ここにいう法律の一例として戸籍法がある。

2　憲法第17条は、何人も、公務員の不法行為により、損害を受けたときは、法律の定めるところにより、国又は公共団体にその賠償を求めることができると規定しているが、ここにいう法律の一例として刑事補償法がある。

3　憲法第26条第2項は、すべて国民は、法律の定めるところにより、その保護する子女に普通教育を受けさせる義務を負うとしているが、ここにいう法律の一例として、教育基本法がある。

4　憲法第27条第2項は、賃金、就業時間、休息、その他の勤労条件に関する基準は、法律でこれを定めると規定するが、ここにいう法律の一例として、生活保護法がある。

5　憲法第44条は、両議院の議員及びその選挙人の資格は、法律でこれを定めると規定するが、ここにいう法律の一例として、国会法がある。

1　×　「戸籍法がある」という部分が妥当でない。戸籍法は、各人の身分関係を明らかにするための戸籍の作成、手続について定めた法律であり、憲法10条にいう法律の一例ではない。憲法10条にいう法律の一例としては、日本国民の要件について定めた国籍法がある。

2　×　「刑事補償法がある」という部分が妥当でない。刑事補償法は、刑事裁判において無罪の判決を受けた者が、抑留又は拘禁による補償を国に対して請求する手続きについて定めた法律であり、「適法な公権力の行使」による個人の損失を補償する損失補償制度の1つである。憲法17条は、公務員の「不法行為」による損害の賠償についての規定であり、憲法17条にいう法律の一例としては、公務員の故意又は過失による違法行為に対する損害賠償について定めた国家賠償法がある。

3　○　条文により妥当である。教育基本法は、教育の目的・目標など、教育についての基本原則について定めた法律であり、その前文において、「ここに、我々は、日本国憲法の精神にのっとり、我が国の未来を切り拓く教育の基本を確立し、その振興を図るため、この法律を制定する」としている。したがって、教育基本法は、教育の義務について規定した憲法26条2項にいう法律の一例といえる。

4　×　「生活保護法がある」という部分が妥当でない。生活保護法は、生活に困窮する国民について必要な保護を行い、最低限度の生活を保障することを目的とする法律であり（生活保護法1条）、憲法27条2項にいう法律の一例ではない。憲法27条2項にいう法律の一例としては、勤労条件（労働条件）の最低基準について定めた労働基準法がある。

5　×　「国会法がある」という部分が妥当でない。国会法は、国会の権能や、組織・運営などについて定めた法律であり、憲法44条にいう法律の一例ではない。憲法44条にいう法律の一例としては、両議院の議員などの選挙人資格、被選挙人資格をはじめとする選挙制度について定めた公職選挙法がある。

法律

政治

経済

社会

国語

英文法

英文

現代文

判断推理

法律	憲法の概念	2022年度 ❷ 教養 No.1

憲法の概念に関する記述として、最も妥当なのはどれか。

1　形式的意味の憲法とは、憲法という名前で呼ばれる成文の法典（憲法典）を意味するが、現代において形式的意味の憲法を有しない国家は存在しない。

2　日本国憲法は、国民によって制定された民定憲法であるが、憲法第96条第2項は、憲法改正手続を経た場合、天皇は、天皇の名で、直ちにこれを公布しなければならないと規定する。

3　立憲的意味の憲法とは、自由主義に基づいて定められた国家の基礎法を意味し、「権利の保障が確保されず、権力の分立が定められていない社会は、すべて憲法をもつものではない」と規定するワイマール憲法の条文がその趣旨を端的に示している。

4　硬性憲法とは、憲法改正で、通常の法律改正より厳しい改正手続きが必要な憲法を意味する。日本国憲法は、憲法改正において各議院の出席議員の過半数の賛成で発議され、国民投票で3分の2以上の賛成が必要であり、硬性憲法に分類される。

5　固有の意味の憲法とは、国家の統治の基本を定めた法としての憲法を意味し、いかなる時代のいかなる国家にも存在する。

1　✕　「現代において形式的意味の憲法を有しない国家は存在しない」という部分が妥当でない。憲法はいくつかの観点から分類することができ、形式的意味の憲法とは憲法の意味による分類の中の1つであり、憲法という名前で呼ばれる「成文」の法典（憲法典）をいう。この他に、憲法の形式による分類があり、憲法典として成文化（文章化）されている成文憲法と、憲法典として成文化されていない不文憲法に分けられるところ、不文憲法の例としてイギリスの憲法が挙げられる。したがって、形式的意味の憲法を有しない国家も存在する。

2　✕　「天皇の名で」という部分が妥当でない。憲法改正について国民の承認を経た場合、天皇は、国民の名で、この憲法と一体をなすものとして、直ちにこれを公布する（日本国憲法96条2項）。なお、日本国憲法は、国民によって制定された民定憲法であるとの点は正しい（日本国憲法前文1項前段）。

3　✕　「ワイマール憲法の条文」という部分が妥当でない。憲法の意味による分類において、自由主義に基づいて定められた国家の基礎法を立憲的意味の憲法という。立憲的意味の憲法は、立憲主義の思想（権力を制限し、国民の権利を保障する）に基づくものであり、「権利の保障が確保されず、権力の分立が定められていない社会は、すべて憲法をもつものではない」とする1789年のフランス人権宣言16条がその趣旨を示している。

4　✕　「憲法改正において各議院の出席議員の過半数の賛成で発議され、国民投票で3分の2以上の賛成が必要であり」という部分が妥当でない。硬性憲法とは、憲法を改正する手続が、通常の法律を改正する手続よりも厳格である憲法をいう。日本国憲法は硬性憲法に分類され、その改正手続は、各議院の「総議員の3分の2以上」の賛成で国会がこれを発議し、国民投票により「過半数」の賛成を得ることを要する（日本国憲法96条1項）。

5　○　通説により妥当である。憲法の意味による分類では、まず形式的意味の憲法と、成文の憲法典の形をとるか否かにかかわらず、ある特定の内容を持った法を意味する実質的意味の憲法に分けられる。さらに実質的意味の憲法は、国家統治の基本を定めた法である固有の意味の憲法と、自由主義に基づいて定められた国家の基礎法である立憲的意味の憲法に分けられる。国家のあるところには、国を治めるために必ず統治の仕組みが存在することから、固有の意味の憲法は、いかなる時代のいかなる国家にも存在するといえる。

日本国憲法前文に関する記述として、最も妥当なのはどれか。

1　日本国憲法は、三権分立、基本的人権の尊重、平和主義の3つを基本原理としており、これらの原理が明確に宣言されているのが憲法前文である。

2　日本国憲法前文は、その目的や精神を述べており、近代憲法に内在する価値・原理を確認している重要なものであるが、本文と同じ法的性質を持つものではなく、法的拘束力はないと解されている。

3　日本国憲法前文第1項では、「主権が国民に存すること」、および日本国民が「この憲法を確定する」と規定し、国民主権の原理および国民の憲法制定の意思（民定憲法性）を表明している。

4　日本国憲法前文第1項では、「日本国民は、正当に選挙された国会における代表者を通じて行動し」と規定し、間接民主制を採ることを宣言しており、本文中に直接民主制的な権利を定めた条文はない。

5　日本国憲法前文第2項では、「日本国民は、恒久の平和を念願」するとして、平和主義への希求を述べ、平和主義をうたっているが、平和のうちに生存する権利には言及していない。

解 説　　正解　**3**

1　**✕**　「三権分立」という部分が妥当でない。日本国憲法（以下、憲法とする）は、国民主権、基本的人権の尊重、平和主義の３つを基本原理としている。まず、国民主権は、「ここに主権が国民に存することを宣言し」（憲法前文１項）、次に、平和主義は、「日本国民は、恒久の平和を念願し」（憲法前文２項）、そして、基本的人権の尊重は、「わが国全土にわたつて自由のもたらす恵沢を確保し」（憲法前文１項）と規定し、これらを「人類普遍の原理」（憲法前文１項）としており、これらの原理が明確に憲法前文に宣言されている。

2　**✕**　「本文と同じ法的性質を持つものではなく、法的拘束力はないと解されている」という部分が妥当でない。憲法の前文は、**1**解説で挙げられているような憲法の基本原理を宣言しているものであり、憲法本文と同じ法的性質を持つと解されている。したがって、憲法前文も法的拘束力があると解されている。例えば、憲法前文１項の、「これは人類普遍の原理であり、この憲法は、かかる原理に基くものである。われらは、これに反する一切の憲法、法令及び詔勅を排除する。」という規定は、憲法改正の限界を画し、憲法改正権を法的に拘束することとなる。

3　**◯**　前文により妥当である。憲法前文１項では、「ここに主権が国民に存することを宣言し、この憲法を確定する。」と規定し、「ここに主権が国民に存することを宣言し」において国民主権の原理を、日本国民が「この憲法を確定する」において国民の憲法制定の意思（民定憲法性）を表明している。なお、民定憲法とは、憲法の制定権者に着目した分類の１つで、国民が制定権力となって制定された憲法のことをいう。これに対し、君主が制定権力となって制定された憲法を欽定憲法といい、明治憲法（大日本帝国憲法）は、欽定憲法に分類される。

4　**✕**　「本文中に直接民主制的な権利を定めた条文はない」という部分が妥当でない。憲法前文１項は、「日本国民は、正当に選挙された国会における代表者を通じて行動し」と規定し、間接民主制を取ることを宣言しているが、憲法の本文中には、①憲法改正の国民投票（憲法96条）、②最高裁判所裁判官の国民審査（憲法79条２項、３項、４項）、③一の（特定の）地方公共団体にのみ適用される特別法の住民投票（憲法95条）を置き、国の政治のあり方を最終的に決定する権力を国民自身が行使するという性格を持つ直接民主主義的な権利を定めた条文がある。

5　**✕**　「平和のうちに生存する権利には言及していない」という部分が妥当でない。憲法前文２項では、「日本国民は、恒久の平和を念願」するとして平和主義への希求を述べ、平和主義をうたうとともに、「平和のうちに生存する権利を有することを確認する。」と規定して、平和のうちに生存する権利にも言及している。

| 法律 | 幸福追求権 | 2023年度 ❸
教養 No.2 |

我が国の新しい人権に関する記述として、最も妥当なのはどれか。

1　環境権とは、自然環境の破壊や生活環境の悪化を防止し、よりよい環境を享受する権利であり、基本的人権の享有（憲法第11条）を法的根拠としている。

2　プライバシーの権利は、当初、私生活をみだりに公開されない権利として主張されたが、現在では、自分に関する情報をみずから管理する権利を含むものと考えられている。

3　知る権利とは、国民が行政機関に対して積極的に情報の公開を求める権利のことをいい、政府が国民の活動を監視し民主的にコントロールするためには必要不可欠である。

4　アクセス権とは、自己の意見が報道されなかったと感じる者が、マス・メディアに対して意見広告や反論記事の掲載を求める権利のことをいい、最高裁判所もアクセス権を認めている。

5　自己決定権とは、個人が自己の生き方を他者の介入を受けずに決定する権利であるが、自己決定権として認められている内容は医療の分野に限定される。

解 説 　**正解　2**

1　✕　「基本的人権の享有（憲法第11条）を法的根拠としている」という部分が妥当でない。環境権とは、一般には、健康で快適な生活を維持する条件としての良い環境を享受し、これを支配する権利と理解されている。環境権は憲法13条後段（幸福追求権）や憲法25条（生存権）を根拠として、主張されている新しい人権である。

2　○　通説により妥当である。「私生活をみだりに公開されない法的保障ないし権利」と理解されてきたプライバシーの権利は、情報化社会の進展にともない、現在では、「自己に関する情報をコントロールする権利」（情報プライバシー権）と捉えられている。

3　✕　「政府が国民の活動を監視し民主的にコントロールするためには必要不可欠である」という部分が妥当でない。知る権利は、国民が情報を収集することを国家によって妨げられないという自由権としての性格を有するにとどまらず、国家に対して積極的に情報の公開を要求する請求権的性格を有し、さらには、個人はさまざまな事実や意見を知ることによって、はじめて政治に有効に参加することができるという意味で参政権的な役割を演ずる権利として位置づけられている。これらの点からすると、国民が政府の活動を監視し民主的にコントロールするためには必要不可欠な権利であるといえる。

4　✕　「最高裁判所もアクセス権を認めている」という部分が妥当でない。自民党がサンケイ新聞に掲載した意見広告が共産党の名誉を毀損したとして、共産党が同じスペースの反論文を無料かつ無修正で掲載することを要求した訴訟で、最高裁は、このような反論権の制度は、民主主義社会において極めて重要な意味をもつ新聞等の表現の自由に重大な影響を及ぼすので、名誉が毀損され不法行為が成立する場合は別論として、具体的な成文法の根拠がない限り、認めることはできないとしている（最判昭62.4.24、サンケイ新聞事件）。アクセス権を認める判例は、存在しない。

5　✕　全体が妥当でない。自己決定権とは、自己の個人的な事柄について、公権力から干渉されずに自ら決定する権利とされている。自己決定権は、①自己の生命、身体の処分に関わる事柄（自殺・安楽死・治療拒否など）、②家族の形成、維持に関わる事柄（結婚・離婚など）、③リプロダクションに関わる事柄（妊娠・出産・妊娠中絶など）などに関して認められると一般に解されている。そのため、自己決定権として認められている内容は医療の分野に限定されるわけではない。

日本国憲法の定める表現の自由に関する記述として、最も妥当なのはどれか。

1　表現の自由を支える価値として、言論活動によって国民が政治的意思決定に関与するという、民主政に資する社会的価値を自己実現の価値という。

2　憲法第21条第1項は、集会、結社及び言論、出版その他一切の表現の自由を保障しているが、他人の名誉やプライバシーとの調整が必要であり、同条同項において公共の福祉による制約を明文で規定している。

3　最高裁判所は、教科書検定は憲法第21条第2項で禁止する検閲にあたるが、検定で合格しなくても一般図書として発売することはできるので、例外的に合憲であると判示した。

4　憲法第21条第2項は、通信の秘密は、これを侵してはならないと規定しているが、ここにいう通信とは、はがきや手紙といった郵便物に限定される。

5　最高裁判所は、報道機関の報道は国民の「知る権利」に奉仕するものであり、報道のための取材の自由も、憲法第21条の精神に照らし、十分尊重に値するとした。

1　✕　「自己実現の価値という」という部分が妥当でない。憲法で保障されている表現の自由（憲法21条1項）を支える価値には、個人が表現活動を通じて自己の人格を成長発展させるという、個人的な価値である自己実現の価値とともに、言論活動によって国民が政治的意思決定に関与するという、民主政に資する社会的な価値である自己統治の価値という2つの価値がある。本記述は、自己統治の価値の説明となっている。

2　✕　「同条同項において公共の福祉による制約を明文で規定している」という部分が妥当でない。**1**の解説で述べたように、重要な価値を有する表現の自由（憲法21条1項）といえども、表現行為という外部的行為を伴うことから、他人の名誉やプライバシー権との調整は必要となる。したがって、表現の自由は絶対無制約のものではなく、公共の福祉による制約に服する（検閲の禁止を除く）。しかし、このことは、憲法21条1項において明文で規定しているわけではない。

3　✕　「検閲にあたるが」、「例外的に」という部分が妥当でない。教科書検定が憲法21条2項で禁止する検閲にあたるかが争われた事件において、判例は、一般図書としての発行を何ら妨げるものではなく、発表禁止目的や発表前の審査などの特質がないから、教科書検定は検閲に当たらず、合憲であるとしている（最判平5.3.16、第一次教科書訴訟）。また、判例は、検閲の禁止は公共の福祉を理由とする例外を認めない絶対的なもの（絶対的禁止）としている（最大判昭59.12.12、税関検査訴訟）ので、検閲に当たるときは例外なく違憲になる。

4　✕　「はがきや手紙といった郵便物に限定される」という部分が妥当でない。憲法21条2項は、「通信の秘密は、これを侵してはならない。」と規定し、通信の秘密を保障している。ここでいう通信とは、はがきや手紙といった郵便物に限らず、電話や電子メールなどを含めた一切の通信方法を意味する。

5　〇　判例により妥当である。判例は、報道機関の報道は、民主主義社会において、国民が国政に関与するにつき、重要な判断の資料を提供し、国民の「知る権利」に奉仕するものであるとして、事実の報道の自由は、表現の自由を規定した憲法21条の保障のもとにあるとしつつ、このような報道機関の報道が正しい内容をもつためには、報道の自由とともに、報道のための取材の自由も、憲法21条の精神に照らし、十分尊重に値するものとしている（最大決昭44.11.26、博多駅事件）。

法律　精神的自由権

日本国憲法における精神的自由権に関する記述として、最も妥当なのはどれか。

1 思想・良心の自由の保障に関し、最高裁判所は私企業の雇用に対する契約の自由を認めるが、私企業が労働者の思想を理由に本採用を拒否することは違憲無効であると判示した。

2 日本国憲法では信教の自由を保障し、政治と宗教を分離する政教分離の原則を定めており、国家の宗教活動を禁じている。

3 学問の自由を担保するために大学の自治が保障されており、この大学の自治には人事の自治や大学の施設管理の自治が含まれるが、学生の管理の自治は含まれないと解されている。

4 表現の自由にも一定の制約があるが、特定の表現内容につき刑罰を設けて禁止することは一切許されない。

5 地方公共団体が集団行進や集団示威運動について公安委員会の許可を要すると定めることは、表現の自由の保障に反し許されない。

解 説　　**正解　2**　　　　　　　　　　　　TAC生の正答率　**71%**

1　×　「違憲無効であると判示した」という部分が妥当でない。判例は、使用者は、広く経済活動
の自由の一環として契約締結の自由を有し、自己の営業のための労働者の採用について、法律その
他による特別の制限がない限りいかなる者をいかなる条件で採用するかを原則として自由に決定す
ることができるとしたうえで、企業者が、雇用の自由を有し、思想、信条を理由として雇入れを拒
んでもこれを違法とすることができないと判示している（最大判昭48.12.12、三菱樹脂事件）。

2　○　日本国憲法の条文により妥当である。日本国憲法は、信教の自由は、何人に対してもこれを
保障するとして信教の自由を保障し（憲法20条1項前段）、信教の自由の保障を強化するために政
治と宗教を分離する政教分離の原則を定めており（憲法20条1項後段、3項、89条）、この原則の
政治面の現れとして、国及びその機関は、宗教教育その他いかなる宗教的活動もしてはならないこ
とを規定し、国家の宗教活動を禁じている（憲法20条3項）。

3　×　「学生の管理の自治は含まれないと解されている」という部分が妥当でない。判例は、大学
における学問の自由を保障するため、伝統的に大学の自治が認められるとしたうえで、この自治は、
とくに大学の教授その他の研究者の人事に関して認められ、また、大学の施設と学生の管理につい
てもある程度で認められるとしている（最大判昭38.5.22、東大ポポロ事件）。したがって、学生の
管理の自治も含まれると解されている。

4　×　「一切許されない」という部分が妥当でない。判例は、憲法の下における表現の自由といえ
ども、常に公共の福祉によって調整されなければならないとしたうえで、憲法の保障する表現の自
由の限界を逸脱するものにつき、これを犯罪として処罰する法規は憲法第21条に反するものではな
いとしている（最大判昭24.5.18、旧食糧管理法事件）。

5　×　「表現の自由の保障に反し許されない」という部分が妥当でない。地方公共団体が集団行進
や集団示威運動について公安委員会の許可を要すると（条例で）定めていることについて判例は、
行列行進又は公衆の集団示威運動は、本来国民の自由であり、一般的な許可制を定めることは、憲
法の趣旨に反し許されないとしつつ、公共の秩序を保持し、又は公共の福祉が著しく侵されること
を防止するため、特定の場所又は方法につき、合理的かつ明確な基準の下に、予め許可を受けしめ
る旨の規定を条例に設けても、これをもって直ちに憲法の保障する国民の自由（表現の自由）を
不当に制限するものと解することはできないとしている（最大判昭29.11.24、新潟県公安条例事件）。

法律 | 経済的自由権

日本国憲法に定める経済的自由権等に関する記述として、最も妥当なのはどれか。

1 憲法第22条第1項は職業選択の自由を規定しており、これには営業の自由も含まれるが、職業を許可制にすることは認められていない。

2 憲法第22条第1項は居住・移転の自由を保障し、同条第2項は外国に移住する自由を保障しているが、外国に一時旅行する自由もまた、同条第2項によって保障されているとするのが判例の立場である。

3 憲法第29条第1項は、財産権はこれを侵してはならないと規定しているが、これは私有財産制の保障を定めたものであり、個人の具体的な財産に関する権利まで保障するものではない。

4 憲法第29条第3項は、何人も公務員の不法行為により、個人の具体的な財産に損害を受けたときは、損失補償請求をすることができる旨を規定している。

5 憲法第84条は、租税法律主義を定めており、法律上は課税できる物品であるにも関わらず、非課税として取り扱われてきた物品を、通達によって新たに課税物件として取り扱うことは認められず、法律の改正が必要であるとしているのが判例の立場である。

1　×　「職業を許可制にすることは認められていない」という部分が妥当でない。憲法22条１項は、「公共の福祉に反しない限り」と留保をつけて職業選択の自由を保障しており、公共の福祉の内容としては、社会生活における安全保障や秩序維持のための消極的な内在的制約と、経済の調和的発展を確保するための積極的な政策的制約がある。そして、規制（制約）の態様としては、①届出制、②許可制、③資格制、④特許制、⑤国家独占などがあるところ、飲食業、風俗営業、古物営業等は許可制が採られている。

2　○　判例により妥当である。判例は、外国へ一時旅行する自由の憲法上の根拠規定について、憲法22条２項の「外国に移住する自由」には外国へ一時旅行する自由を含むものと解すべきであるとしている（最大判昭33.9.10、帆足計事件）。

3　×　「個人の具体的な財産に関する権利まで保障するものではない」という部分が妥当でない。判例は、憲法29条１項は、私有財産制度を保障しているのみでなく、社会的経済的活動の基礎をなす国民の個々の財産権につきこれを基本的人権として保障するものであるとしている（最大判昭62.4.22、森林法事件）。

4　×　全体が妥当でない。憲法29条３項は、私有財産は、正当な補償の下に、これを公共のために用いることができるとして、損失補償について規定している。損失補償制度は、「適法な」公権力の行使により生じた損失を個人の負担とせずに、平等原則に基づき国民一般に転嫁することを目的とするものである。公務員の「不法行為（違法な公権力の行使）」に対する損害賠償については、憲法17条が規定しており、これを受けて国家賠償法が制定されている。

5　×　「通達によって新たに課税物件として取り扱うことは認められず、法律の改正が必要であるとしているのが判例の立場である」という部分が妥当でない。判例は、法律上課税の対象であったが、実際には非課税として取り扱われてきた物品を通達によって課税物件とすることが憲法84条の規定する租税法律主義に反しないかという点について、課税がたまたま通達を機縁として行われたものであっても、通達の内容が法の正しい解釈に合致するものである以上、課税処分は法の根拠に基づく処分と解するに妨げがないとしている（最判昭33.3.28、パチンコ球遊器事件）。

人身の自由に関する記述として、最も妥当なのはどれか。

1　何人も、いかなる奴隷的拘束も受けず、いかなる場合もその意に反する苦役に服させられることはない。

2　ある行為を犯罪として処罰するには、犯罪とされる行為の内容やそれに対する刑罰が、法律で明確に規定されていなければならず、適法であった行為を事後に制定された法律で罰せられることはない。

3　あらゆる逮捕、住居や所持品などの捜索・押収には裁判官による令状が必要であり、これを令状主義という。

4　刑事被告人は、国選弁護人を付することができるが、被疑者の段階では、国選弁護人を付することはできない。

5　何人も、自己に不利益な供述を強要されないが、本人の自白がある場合には、それだけで有罪とされ、又は刑罰を科せられる。

解説　　正解　**2**

1　✕　「いかなる場合もその意に反する苦役に服させられることはない」という部分が妥当でない。犯罪による処罰の場合を除いては、その意に反する苦役に服させられない（憲法18条後段）。なお、前半部分は、憲法18条前段が、「何人も、いかなる奴隷的拘束も受けない。」と規定している通りである。

2　〇　条文・通説により妥当である。何人も、法律の定める手続によらなければ、その生命若しくは自由を奪われ、又はその他の刑罰を科せられない（憲法31条）。憲法31条は、手続の法定のみならず、手続の適正、実体の法定、実体の適正まで保障していると解されているため、犯罪とされる行為の内容や犯罪に対する刑罰が、法律で明確に規定されていなければならない（通説）。また、何人も、実行の時に適法であった行為については、刑事上の責任を問われない（憲法39条前段前半）。

3　✕　「あらゆる」という部分が妥当でない。何人も、現行犯として逮捕される場合を除いては、権限を有する司法官憲が発し、かつ理由となっている犯罪を明示する令状によらなければ、逮捕されない（憲法33条）。したがって、現行犯として逮捕する場合には、令状は不要である。また、何人も、その住居、書類及び所持品について、侵入、捜索及び押収を受けることのない権利は、憲法33条の場合を除いては、正当な理由に基づいて発せられ、かつ捜索する場所及び押収する物を明示する令状がなければ、侵されない（憲法35条）。したがって、逮捕に伴う侵入、捜索及び押収には、令状は不要である。

4　✕　「国選弁護人を付することはできない」という部分が妥当でない。刑事被告人は、いかなる場合にも、資格を有する弁護人を依頼することができる。被告人が自らこれを依頼することができないときは、国でこれを附する（憲法37条3項、被告人の国選弁護）。また、被疑者に対して勾留状が発せられている場合において、被疑者が貧困その他の事由により弁護人を選任することができないときは、裁判官は、その請求により、被疑者のため弁護人を付さなければならない（刑事訴訟法37条の2第1項本文、被疑者の国選弁護）。

5　✕　「それだけで有罪とされ、又は刑罰を科せられる」という部分が妥当でない。何人も、自己に不利益な供述を強要されない（憲法38条1項）。また、自己に不利益な唯一の証拠が本人の自白である場合には、有罪とされ、又は刑罰を科せられない（憲法38条3項）。

法律 ｜ 請求権

日本国憲法における請求権に関する記述として、最も妥当なのはどれか。

1 憲法第16条は、日本国民に限定して請願権を認めており、請願を受けた国又は地方公共団体には、請願の内容を審理・判定する法的拘束力が生じる。

2 憲法第17条は、公務員の不法行為により損害を受けたとき、公務員個人のみならず国又は公共団体に対して賠償を求めることを認めている。

3 憲法第29条第3項は、私有財産は、正当な補償の下に、これを公共のために用いることができる旨を定めているが、強制的に財産権を制限したり収用したりすることはできない。

4 憲法第32条は、裁判を受ける権利を定めているが、この権利は、民事事件、刑事事件だけでなく、行政事件についても保障される。

5 憲法第40条は、刑事補償請求権を定めているが、公務員による自由の拘束に故意・過失がある場合に限り刑事補償請求権が認められている。

解説　正解 **4**　TAC生の正答率 **52%**

1 ✕ 全体が妥当でない。憲法16条前段は、何人も、損害の救済、公務員の罷免、法律、命令又は規則の制定、廃止又は改正その他の事項に関し、平穏に請願する権利を有するとしており、この請願権は外国人にも保障されると一般に解されている。また、請願を受けた国又は地方公共団体には、請願を誠実に処理する義務が生じるのみで、請願の内容を審理・判定する法的拘束力は生じないと一般に解されている。

2 ✕ 「公務員個人のみならず」という部分が妥当でない。憲法17条は、何人も、公務員の不法行為により、損害を受けたときは、法律の定めるところにより、「国又は公共団体に」、その賠償を求めることができるとしているので、公務員個人には賠償を求めることは認められていない。

3 ✕ 「強制的に財産権を制限したり収用したりすることはできない」という部分が妥当でない。憲法29条3項は、私有財産は、正当な補償の下に、これを「公共のために用いる」ことができるとしている。これは、正当な補償をする限りにおいて強制的に財産権を制限したり収用したりすることができることを規定したものであり、土地収用法などで具体化されている。

4 〇 日本国憲法の条文・通説により妥当である。憲法32条は、何人も、裁判所において裁判を受ける権利を奪はれないと規定し、他方、裁判所が扱う事件には、民事事件、刑事事件だけでなく、行政事件も含まれると一般に解されていることから、このような事件における裁判を受ける権利は保障される。

5 ✕ 「公務員による自由の拘束に故意・過失がある場合に限り」という部分が妥当でない。憲法40条は、何人も、「抑留又は拘禁された後、無罪の裁判を受けたときは」、法律の定めるところにより、国にその補償を求めることができるとしており、刑事補償請求が認められる要件として、公務員による自由の拘束に故意・過失があることは求められていない。

社会権に関する記述として、最も妥当なのはどれか。

1 生存権について法的な拘束力を持たないとするプログラム規定説は、憲法第25条第1項に生存権が国民の権利として明記されていないことを根拠の1つとしている。

2 生存権に関する訴訟として朝日訴訟や堀木訴訟があげられるが、これらはいずれも生活保護基準の設定の是非について争われている。

3 憲法は、すべての国民に、その能力に応じて、ひとしく教育を受ける権利を保障しているが、義務教育の無償については明記されていない。

4 最高裁判所は、家永教科書訴訟において、教科書検定制度は検閲に該当し、教育を受ける権利を侵害するものとして違憲であると判示した。

5 憲法は、勤労者の団結権・団体交渉権・団体行動権（争議権）を保障しているが、公務員の団体行動権（争議権）は法律により認められていない。

解 説　　正解　**5**

1 ✕ 「憲法第25条第1項に生存権が国民の権利として明記されていないことを根拠の1つとしている」という部分が妥当でない。憲法25条1項は、「すべて国民は、健康で文化的な最低限度の生活を営む権利を有する。」としており、国民の権利として明記されている。そのため、プログラム規定説も、生存権が国民の権利として明記されていないという点を根拠とすることはできない。

2 ✕ 「これらはいずれも生活保護基準の設定の是非について争われている」という部分が妥当でない。朝日訴訟（最大判昭42.5.24）や堀木訴訟（最大判昭57.7.7）はいずれも生存権に関する訴訟であるが、朝日訴訟では生活保護法に基づく生活保護基準の設定の是非が問題となったのに対し、堀木訴訟では国民年金法に基づく障害福祉年金と児童扶養手当法に基づく児童扶養手当との併給禁止規定の是非が問題となっている。

3 ✕ 「義務教育の無償については明記されていない」という部分が妥当でない。憲法26条2項後段は、「義務教育は、これを無償とする。」と規定している。

4 ✕ 全体が妥当でない。判例は、教科書検定制度に関して不合格となった書籍も一般図書としての発行は妨げられないから、発表禁止目的や発表前審査の特質はなく、検閲（憲法21条2項前段）には当たらないとしている。また、教育を受ける権利（憲法26条）についても、教科書検定は子どもが自由かつ独立の人格として成長することを妨げるような内容を含むものではないとして、憲法26条に反せず合憲としている（最判平5.3.16、第一次家永教科書訴訟）。

5 ◯ 条文により妥当である。勤労者の団結する権利及び団体交渉その他の団体行動をする権利は、これを保障する（憲法28条）。もっとも、公務員の団体行動権（争議権）は法律により認められていない（国家公務員法98条2項、3項、地方公務員法37条1項、2項）。

法律	国会	2023年度 ❸ 教養 No.1

我が国の国会に関する記述として、最も妥当なのはどれか。

1 常会は、毎年１回、１月に召集され、予算や法律案を中心に会期を定めず審議する。

2 臨時会は、内閣が必要と認めた場合でも、いずれかの議院の総議員の４分の１以上の要求がなければ召集されない。

3 衆議院が解散されると、40日以内に衆議院議員総選挙が実施されるが、その総選挙の日から30日以内に召集される国会を特別会という。

4 参議院の緊急集会は、衆議院の解散中、国に緊急のことが生じた際に、参議院議員の求めで開かれるが、ここでの議決は、次の国会開会の後10日以内に衆議院の同意がなければ失効する。

5 衆議院の優越の一つに法律案の先議権があり、衆議院で可決した法律案を参議院が否決した場合に衆議院の出席議員の３分の２以上の多数で再可決すれば、法律案が成立する。

解 説　　**正解　3**

1　✕　「会期を定めず」という部分が妥当でない。常会は毎年１回、１月に召集するのを常例とする（憲法52条、国会法２条）。また、常会の会期は150日間と決まっている（国会法10条本文）。

2　✕　「いずれかの議院の総議員の４分の１以上の要求がなければ召集されない」という部分が妥当でない。内閣は、国会の臨時会の召集を決定することができる（憲法53条前段）。いずれかの議院の総議員の４分の１以上の要求があれば、内閣は、その召集を決定しなければならない（憲法53条後段）。したがって、内閣が必要と認めた場合には、議員の要求がなくても臨時会を召集することができる。

3　○　条文により妥当である。衆議院の解散による総選挙後に召集されるのが特別会である。そして、憲法54条１項は、「衆議院が解散されたときは、解散の日から40日以内に、衆議院議員の総選挙を行ひ、その選挙の日から30日以内に、国会を召集しなければならない。」と規定している。

4　✕　「参議院議員」という部分が妥当でない。内閣は、国に緊急の必要があるときは、参議院の緊急集会を求めることができ（憲法54条２項但書）、緊急集会を求めるのは内閣である。また、緊急集会において採られた措置は、臨時のものであって、次の国会開会の後10日以内に、衆議院の同意がない場合には、その効力を失う（憲法54条３項）。

5　✕　「法律案の先議権があり」という部分が妥当でない。予算は、さきに衆議院に提出しなければならないとの点は正しい（憲法60条１項、予算先議権）。しかし、法律案についての先議権の規定はない。また、衆議院で可決し、参議院でこれと異なった議決をした法律案は、衆議院で出席議員の３分の２以上の多数で再び可決したときは、法律となる（憲法59条２項）が、これは議決の効力に関して衆議院の優越を認めるものであり、法律案の先議権ではない。

法律 | 内閣

内閣のしくみと機能に関する記述として、最も妥当なのはどれか。

1 日本は議院内閣制を採用しており、内閣は、国会に対して連帯して責任を負い、内閣総理大臣は国会議員の中から国会の議決により指名される。

2 内閣は、衆議院で内閣不信任案が可決されるか、信任案が否決された場合、10日以内に衆議院を解散するか総辞職する。その際、内閣は新たに内閣総理大臣が任命されるまで不在となる。

3 内閣の主な権限は、一般行政事務のほか、法律の執行、外交関係の処理、条約の締結、予算の作成と国会への提出、政令の制定、恩赦の決定、国政調査権がある。

4 軍国主義的な政治を防止するため、内閣総理大臣は文民でなければならないと規定されている。ただし、各国務大臣は国会議員であれば、文民に限らない。

5 内閣総理大臣は、旧憲法下では「同輩中の首席」とされ他の国務大臣より上の立場であったが、現憲法下では内閣の首長として、他の国務大臣の任命・罷免をおこなうなど、その権限は強化された。

解 説　　**正解　1**　　　　　　　　　　　　　　TAC生の正答率　**75%**

1 ○　条文により妥当である。日本は議院内閣制を採用しており、内閣総理大臣と国務大臣の国会への出席（憲法63条）、国務大臣の過半数は国会議員であること（憲法68条1項但書）、内閣の不信任決議が可決された場合における内閣総辞職又は衆議院の解散（憲法69条）など、憲法上複数の条文に表れている。そして、内閣総理大臣は国会議員の中から国会の議決で指名されること（憲法67条1項前段）、内閣が行政権の行使について国会に対して連帯して責任を負うこと（憲法66条3項）も日本が議院内閣制を採用していることの憲法上の表れである。

2 ×　「内閣は新たに内閣総理大臣が任命されるまで不在となる」という部分が妥当でない。総辞職した内閣が直ちに職務を離れることは、国政運営に重大な支障をきたすので、内閣は、あらたに内閣総理大臣が任命されるまで引き続きその職務を行う（憲法71条、総辞職後の内閣）。

3 ×　「国政調査権」という部分が妥当でない。国政調査権とは、両議院（衆議院、参議院）が国政に関する調査を行い、証人の出頭・証言や記録の提出を求める権限をいう（憲法62条）。議院がその権能を有効、適切に行使するために必要な情報を収集するために認められたものであり、内閣の権限ではない。なお、本記述にあるその他の権限については憲法73条に規定されており、正しい。

4 ×　「各国務大臣は国会議員であれば、文民に限らない」という部分が妥当でない。内閣総理大臣その他の国務大臣は、文民でなければならない（憲法66条2項）。そして、内閣総理大臣の場合（憲法67条1項前段）と異なり、国会議員であることは国務大臣の在職要件ではない。国会議員であることは、国務大臣の過半数が国会議員であることとする内閣総理大臣の国務大臣任命権に対する制約にすぎない（憲法68条1項但書）。

5 ×　「他の国務大臣より上の立場であったが」という部分が妥当でない。明治憲法（旧憲法）下において、内閣総理大臣は、「同輩中の首席」とされ、他の国務大臣と対等の立場にあるにすぎなかった。これに対して、日本国憲法（現憲法）下においては、内閣総理大臣に首長としての地位を認め、その権限を強化するために、国務大臣の任免権（憲法68条）、議案提出権・行政各部の指揮監督権（憲法72条）などが規定されている。

法律

政治

経済

社会

国語

英文法

英文

現代文

判断推理

司法権に関する記述として、最も妥当なのはどれか。

1　司法権はすべて最高裁判所と下級裁判所に属するが、下級裁判所には、高等裁判所、地方裁判所、簡易裁判所の３つがあり、下級裁判所の裁判官は、最高裁判所の指名した者の名簿によって、内閣でこれを任命する。

2　裁判が公正に行われるためには、司法権の独立のみならず、裁判官の独立も必要であり、これは、個々の裁判官が裁判所以外の国家機関からの干渉を受けることなく裁判を行わなければならないことを意味する。

3　日本国憲法は、明治憲法下の行政裁判所のような特別裁判所を禁止しており、司法裁判所以外の裁判は一切許されないが、行政機関が前審として裁判を行うことは許される。

4　最高裁判所は長たる裁判官とそれ以外の14名の裁判官で構成されるが、長たる裁判官は、内閣の指名に基づいて天皇が任命し、それ以外の裁判官は、内閣が任命する。

5　最高裁判所の裁判官は、任命後初めて行われる衆議院議員総選挙の際の国民審査制度により、投票者の過半数が罷免を可としたときは罷免される。

1　✕　「3つがあり」という部分が妥当でない。すべて司法権は、最高裁判所及び法律の定めるところにより設置する下級裁判所に属する（憲法76条1項）。この規定を受けて、裁判所法2条1項は、高等裁判所、地方裁判所、家庭裁判所、簡易裁判所の4つが下級裁判所であると規定している。なお、下級裁判所の裁判官は、最高裁判所の指名した者の名簿によって、内閣でこれを任命するとの点は正しい（憲法80条1項前段）。

2　✕　「裁判所以外の国家機関」という部分が妥当でない。すべて裁判官は、その良心に従い独立してその職権を行い、憲法及び法律にのみ拘束される（憲法76条3項、裁判官の職権行使の独立）。ここにいう「独立してその職権を行い」とは、裁判官が裁判所（司法部内の上司や管理者等）も含んだ外部から、指示・命令及び事実上重大な影響を受けないことをいう。したがって、裁判官の職権行使の独立には、裁判官が裁判所から干渉を受けないことも含まれる。

3　✕　「司法裁判所以外の裁判は一切許されないが」という部分が妥当でない。特別裁判所は、これを設置することができない（憲法76条2項前段）。もっとも、憲法が明文をもって認めた例外があり、①裁判官の弾劾裁判を国会の設ける弾劾裁判所で行うこと（憲法64条）、②国会議員の資格争訟についての裁判を当該議員の所属する議院で行うこと（憲法55条）がこれに当たる。なお、行政機関が前審として裁判を行うことは許されるとの点は正しい（憲法76条2項後段参照）。

4　○　条文により妥当である。最高裁判所は、その長たる裁判官（最高裁判所長官）と、14名のその他の裁判官（最高裁判所判事）で構成される（憲法79条1項、裁判所法5条3項）。長たる裁判官は、内閣の指名に基づき天皇が任命し（憲法6条2項）、その他の裁判官は内閣が任命する（憲法79条1項）。

5　✕　「投票者の過半数が罷免を可としたときは罷免される」という部分が妥当でない。国民審査において、投票者の多数が罷免を可とするときは、その裁判官は罷免される（憲法79条3項）。そして、国民審査に関する事項は法律で定められ（憲法79条4項）、これを受けて最高裁判所裁判官国民審査法32条は、罷免を可とする投票数が罷免を可としない投票数より多い裁判官は、罷免を可とされたものとすると規定しているところ、同法15条は、国民審査の投票について、罷免を可とする裁判官については投票用紙の当該裁判官に対する記載欄に✕の記号を記載し、罷免を可としない裁判官については投票用紙の当該裁判官に対する記載欄には何らの記載もしないで投票しなければならないと規定する。したがって、投票用紙の記載欄に、①✕の記号を記載→罷免を可とする投票、②何も記載しない→罷免を可としない投票、③✕以外の文字・記号等を記載→無効投票（同法22条1項）となるため、最高裁判所裁判官が罷免されるのは、投票者（①＋②＋③）の過半数が罷免を可としたときではなく、有効投票数（①＋②）の過半数が罷免を可としたときである。

法律	裁判所	2022年度 ❸ 教養 No.1

違憲審査制や最高裁判所が下した判決に関する記述として、最も妥当なのはどれか。

1 違憲判断の方法には、法令そのものを違憲とする法令違憲のほかに、法令自体は合憲でも、その事件に具体的に適用されるかぎりにおいて違憲とする適用違憲があり、最高裁判所はいずれの方法も認めている。

2 統治行為論とは、統治事項に関して、一見明白に違憲・違法と認められないかぎり司法審査の範囲外にあるとする理論であり、最高裁判所はこの理論を採用していない。

3 尊属殺重罰規定は普通殺人の刑と比べて著しく不合理な差別的取り扱いであるとして、憲法第14条の法の下の平等に反し違憲と判示され、その結果、刑法の尊属殺重罰規定は同判決を受けて、その翌年、最高裁判所により削除された。

4 共有森林の持分の過半数を有する者でなければ分割請求ができないとする森林法の規定の合憲性が争われた事案で、最高裁判所は、森林の細分化を防止することによって森林経営の安定を図る目的を重視し、合憲であると判断した。

5 公職選挙法が、在外日本国民に在外選挙制度を認めず、公職選挙法改正後も、比例代表選出議員選挙に限定したことについて、最高裁判所は、「やむを得ない事由」として合憲とした。

解説 　　**正解　1**

1　○　判例により妥当である。違憲審査権は、具体的な訴訟の解決に必要な限りにおいてのみ行使されるのが原則であるが（最大判昭27.10.8、警察予備隊事件）、裁判所が違憲判断をする場合、当該事件におけるその具体的な適用だけを違憲と判断する方法（適用違憲判決）のみならず、当該事件に適用される法令そのものを違憲と判断する方法（法令違憲判決）が認められている。判例も、尊属殺重罰規定事件（最大判昭48.4.4）において、（旧）刑法200条を憲法14条１項に反するとし、薬事法事件（最大判昭50.4.30）では、（旧）薬事法６条２項、４項が、憲法22条１項に反するとした。この他、議員定数不均衡事件（最大判昭51.4.14）、森林法共有林分割制限事件（最大判昭62.4.22）も挙げられる。

2　×　全体が妥当でない。統治行為論とは、統治行為（直接国家統治の基本に関する高度に政治性のある国家行為）については、法律上の争訟であっても、その事柄の性質上司法審査の対象とならないとする考え方をいう。判例では、衆議院の解散の効力が争われた事案において、統治行為論を正面から採用して、衆議院の解散は司法審査の対象とならないとしたものや（最大判昭35.6.8、苫米地事件）、日米安全保障条約の合憲性が争われた事案において、統治行為論を修正する形で採用して、一見極めて明白に違憲無効と認められない限りは司法審査の対象とならないとしたものがある（最大判昭34.12.16、砂川事件）。

3　×　「その翌年、最高裁判所により削除された」という部分が妥当でない。判例は、（旧）刑法200条（尊属殺の規定）は、尊属殺の法定刑を死刑または無期懲役刑のみに限っている点において、その立法目的達成のため必要な限度を遥かに超え、普通殺に関する刑法199条の法定刑に比し著しく不合理な差別的取扱いをするものと認められ、憲法14条１項に違反して無効であるとした（最大判昭48.4.4、尊属殺重罰規定事件）。この判決後も（旧）刑法200条は残っていたが、1995年の刑法改正により削除された。

4　×　「森林の細分化を防止することによって森林経営の安定を図る目的を重視し、合憲であると判断した」という部分が妥当でない。判例は、民法所定の分割請求権を否定する森林法の規定の立法目的は、公共の福祉に合致しないことが明らかであるとはいえないが、当該規定が共有森林につき持分価額２分の１以下の共有者に分割請求権を否定しているのは、立法目的との関係において、合理性と必要性のいずれをも肯定することのできないことが明らかであって、この点に関する立法府の判断は、その合理的裁量の範囲を超えるものであるといわなければならないとし、当該規定は、憲法29条２項に違反し、無効というべきであるとしている（最大判昭62.4.22、森林法共有林分割制限事件）。

5　×　「『やむを得ない事由』として合憲とした」という部分が妥当でない。判例は、在外国民による投票を可能にするための法律案が廃案となった後、10年以上の長きにわたって国会が何らの措置も執らなかった立法不作為は、在外国民の選挙権を制限するやむを得ない事由があったとはいえないので、違憲であるとしている（最大判平17.9.14）。

法律　財政

日本国憲法における財政に関する記述として、最も妥当なのはどれか。

1　国の財政を処理する権限は、内閣の行政に関わるものであるため、国会の議決に基づくことを必要としないと定められている。

2　国の収入支出の決算は、すべて毎年会計検査院が検査し、内閣は、次の年度にその検査報告とともに国会に提出しなければならないと定められている。

3　皇室財産は全て国に属するため、皇室の費用については、国会の議決を必要としないと定められている。

4　予見し難い予算の不足に充てるために予備費が設けられているが、すべての予備費の支出に関しては、事前に国会の承認が必要であると定められている。

5　国費を支出し、又は国が債務を負担するには、内閣の承認に基づくことを必要とすると定められている。

解説　　**正解　2**

1　✕　全体が妥当でない。国の財政を処理する権限は、国会の議決に基づいて、これを行使しなければならない（憲法83条、財政民主主義）。国の財政活動は国民生活に重大な影響を及ぼすことから、国民が直接選出した代表者である国会議員で構成された国会の議決に基づかせることにより、財政の民主的コントロールを確保する趣旨である。

2　◯　条文により妥当である。国の収入支出の決算は、すべて毎年会計検査院がこれを検査し、内閣は、次の年度に、その検査報告とともに、これを国会に提出しなければならない（憲法90条1項）。現実の収入支出が予算に沿って行われたかを検討し、予算執行者である内閣の責任を明らかにすることを趣旨とする。

3　✕　「国会の議決を必要としないと定められている」という部分が妥当でない。すべて皇室財産は、国に属する。すべて皇室の費用は、予算に計上して国会の議決を経なければならない（憲法88条）。戦前のように皇室に財産が集中することを防ぐため、皇室財産や皇室費用に対して民主的コントロールを及ぼすことを趣旨とする。

4　✕　「事前に国会の承認が必要であると定められている」という部分が妥当でない。予見し難い予算の不足に充てるため、国会の議決に基づいて予備費を設け、内閣の責任でこれを支出することができる（憲法87条1項）。すべて予備費の支出については、内閣は、事後に国会の承諾を得なければならない（憲法87条2項）。予期せぬ事態により予算不足などが生じた場合に、内閣の責任において機動的な対応をとることを可能とするとともに、財政民主主義の観点から事後的に国会による民主的コントロールが及ぶようにしたものである。

5　✕　「内閣の承認に基づくことを必要とすると定められている」という部分が妥当でない。国費を支出し、又は国が債務を負担するには、国会の議決に基づくことを必要とする（憲法85条）。国費の支出や国の債務負担行為は国民全体の財産の減少を意味することから、これらに対して民主的コントロールを及ぼす必要があることを趣旨とする。財政民主主義を支出面から具体化した規定である。

| 法律 | 法学 | 2022年度 ❸
教養 No.3 |

国家と法に関する記述として、最も妥当なものはどれか。

1 法とは社会の秩序を維持するためにつくられた社会規範であるが、国家が権力を強制するものであり、主として人々の内面的行為を規制するという点で、道徳などの他の社会規範と同じである。

2 国家の法は国の基本法である憲法と、国や国民相互の関係などを規律するために制定される省令が中心となっている。

3 近代国家では、個人の自由と権利を保障するために、憲法によって政治権力を規制し、その濫用を防止する人治主義に基づく政治が行われている。

4 我が国の国内法では、国家や地方公共団体に関することや、これらと私人との公的な関係を規律するものを公法、私人相互の私的な関係を規律するものを私法という。

5 法律のように成文化された制定法は法の一種とされるが、慣習法のような不文法は法とみなされない。

解説　　**正解　4**

1　✕　「主として人々の内面的行為を規制するという点で、道徳などの他の社会規範と同じである」という部分が妥当でない。法とは、社会の秩序維持のために人の行動（外面的行為）を規制する社会規範であり、この点が、人の内心のあり方（内面的行為）を規制する社会規範である道徳と異なる。また、法は、公権力（国家権力）による強制力を伴うものであるから、この点においても道徳などの他の社会規範とは異なる。

2　✕　「省令が中心となっている」という部分が妥当でない。国や国民相互の関係などを規律するために制定されるものは法令（法律・命令）である。省令は命令の一つにすぎない。

3　✕　「人治主義」という部分が妥当でない。個人の権利・自由を保障するために、憲法によって国家権力（政治権力）を制限するという考え方は立憲主義である。

4　○　通説により妥当である。国や地方公共団体と私人との関係や、国や地方公共団体同士の関係を規律する法を公法といい、例として、憲法、刑法、行政法、刑事訴訟法、民事訴訟法がある。これに対して、私人間の関係を私法といい、例として、民法、商法がある。

5　✕　「慣習法のような不文法は法とみなされない」という部分が妥当でない。成文法（制定法）とは、文章の形で表現された法をいい、不文法とは、文章の形で表現されていない法のことをいう。成文法、不文法はともに法（法の根源又は存在形式という意味で、法源ともいう）であり、不文法には、慣習法、判例法、条理がある。

衆議院と参議院に関する記述として、最も妥当なのはどれか。

1　国会は、衆議院及び参議院の両議院でこれを構成するが、かかる明文の規定は憲法にはなく、国会法で定められている。

2　衆議院と参議院の任期はそれぞれ4年・6年と異なるが、選挙権および被選挙権を有する年齢は両議院とも同一であり、選挙権は18歳以上、被選挙権は25歳以上である。

3　衆議院の選挙区制は、小選挙区と比例代表を合わせた小選挙区比例代表併用制を採用し、比例代表は非拘束名簿式を採用している。

4　参議院の比例代表では、投票用紙に候補者の個人名または政党名を記入し、ドント式によって各党に議席を配分するが、必ず得票が多い候補者から順に当選する。

5　衆議院では、小選挙区選挙の立候補者を比例代表選挙の名簿にも登載できる重複立候補制を採用しており、小選挙区で落選しても比例代表で当選する可能性がある。

解説　正解　5

1　×　憲法に明文規定があるので誤り。日本国憲法第42条では「国会は、衆議院及び参議院の両議院でこれを構成する」と衆議院と参議院による二院制をとることが明記されている。

2　×　被選挙権は同一ではないため誤りである。衆議院の被選挙権年齢は25歳以上だが、参議院の被選挙権は30歳以上に与えられる。したがって、被選挙権を有する年齢は同一ではない。なお、地方自治においては、市町村長や地方議会議員の被選挙権年齢は25歳以上、都道府県知事の被選挙権年齢は30歳以上となっている。

3　×　衆議院選挙における比例代表は非拘束ではなく拘束名簿式を採用しており、誤り。また、選挙区に関しても、小選挙区比例代表並立制であるため、誤りとなる。併用制はドイツなどで採用されている仕組みで、並立制が基本的に小選挙区と比例代表をそれぞれ独立に実施するのに対し、併用制は比例代表の結果（政党への議席配分）と小選挙区の結果（優先当選者決定）の両者を組み合わせる方式である。

4　×　「必ず得票が多い候補者から順に当選する」というわけではない。参議院の比例代表では、基本的には候補者の個人得票数が多い順に当選者が決定されるが、2019年以降は特定枠制度が導入され、政党が指定する候補者を、その得票数に関わらず優先的に当選させることが可能となっている。

5　○　衆議院選挙では小選挙区と比例代表の重複立候補が可能である。このため、小選挙区で落選した人物が比例代表で復活当選を果たす場合がある。また、同一の名簿順位が付けられた複数の重複立候補者における当選は、小選挙区における惜敗率（当該候補者の得票数÷当選者の得票数）の高い者が優先となる。なお、重複立候補者が小選挙区で当選するとその時点で比例代表の名簿からは除外される。

法律　政治　経済　社会　国語　英文法　英文　現代文　判断推理

政治 | 行政機構

我が国の行政機構に関する記述として、最も妥当なのはどれか。

1 2001年に国の行政機構は1府12省庁体制に再編されたが、それらの長と内閣官房長官は国務大臣であり、その他の庁や委員会の長は全て国会議員である。

2 東日本大震災からの復興を迅速に進めるために、2012年に長を内閣総理大臣とする復興庁が創設された。

3 官僚主導の行政を政治主導へと転換するため、事務次官制度を廃止し、副大臣・大臣政務官制度が導入された。

4 行政委員会とは合議制の行政機関であり、内閣からある程度独立して活動するが、裁決・審判や規則の制定を行うことはできない。

5 内閣府は内閣の補助機関であるとともに、内閣の長である内閣総理大臣を直接に補佐、支援する機関であり、その内閣府の長である内閣官房長官は国務大臣が就く。

解説　　正解　2　　TAC生の正答率　34%

1 ✕　1府12省庁以外の組織のうち、庁の長官は主に官僚が担当する（スポーツ庁や文化庁のように民間人が登用されることもある）。また、行政委員会の委員長は原則として民間人が担当する。ここで、2001年時点での「1府12省庁」とは、内閣府、総務省・法務省・外務省・財務省・文部科学省・厚生労働省・農林水産省・経済産業省・国土交通省・環境省、国家公安委員会・防衛庁（2007年からは防衛省）を指す。

2 〇　復興庁には復興大臣が置かれているものの、復興庁の長は内閣総理大臣である。

3 ✕　事務次官制度は廃止されていない。2001年には、政務次官制度を廃止し、副大臣・大臣政務官制度が導入された。

4 ✕　行政委員会の中には、裁決・審判を行う準司法権や、規則の制定を行う準立法権を有しているものもある。

5 ✕　これは内閣府ではなく内閣官房に関する記述である。それに対して、内閣府は内閣官房を助ける機関であり、内閣府の長は内閣総理大臣である。

各国の政治体制に関する記述として、最も妥当なのはどれか。

1　イギリスは議院内閣制を採用しており、下院で多数を占める政党の党首が首相となる。

2　アメリカは大統領制を採用しているが、大統領は議会に政治上の意見書を送ることまでは認められていない。

3　ドイツやイタリアは、いずれも議院内閣制を採用しており、大統領は存在しない。

4　日本は議院内閣制を採用しており、憲法上、内閣総理大臣は衆議院議員の中から指名される。

5　フランスは、大統領が直接選挙によって選ばれており、議院内閣制は採用していない。

解説　　正解　**1**

1　○　イギリスの首相は国王によって任命されるが、国王による任命は形式的なものであり、下院の第一党の党首が慣例で首相に任命される。国会で首相の指名選挙を行う日本と異なる点に注意。

2　×　アメリカの大統領は、議会に対して政治上・立法上の意見書である「教書」を提出することができる。ただし、法案提出権はない。

3　×　ドイツとイタリアには大統領が存在する。たとえばドイツの大統領は、国家元首として連邦議会の招集や解散、首相や大臣の任免などを行うが、その役割は形式的で象徴的な存在である。

4　×　憲法上、内閣総理大臣は国会議員の中から国会の議決で指名し、天皇が任命することになっており、衆議院議員に限定してその中から指名するという規定はない。

5　×　フランスの政治体制は、大統領制と議院内閣制の要素を併せ持つ半大統領制である。慣習上、内閣が国政、大統領が外交を担う。

政治 | フランスの政治制度

フランスの政治制度に関する記述として、最も妥当なのはどれか。

1 フランスの大統領は連邦集会で選出され、議院内閣制の下で政治的な実権は首相にあり、大統領は儀礼的な存在である。

2 フランスの首相は、国民の直接選挙により選出され、内閣の閣僚を任命する権限を有している。

3 フランスの下院（国民議会）は解散されることがあり、解散権は大統領ではなく首相が有している。

4 フランスの議会は、国民の直接選挙により選出される上院（元老院）と、国民の間接選挙により選出される下院（国民議会）の二院制である。

5 フランスでは、大統領制と議院内閣制を組み合わせた政治体制がとられており、半大統領制とよばれている。

解説 **正解 5** TAC生の正答率 **81%**

1 ✕ これは、フランスではなくドイツの政治制度に関する記述である。なお、ドイツの連邦集会は連邦会議とも訳されることが多いが、議会下院にあたる連邦議会とは全く性質が異なり、連邦大統領選出のために役割を限定された非常設の機関である。

2 ✕ フランスの首相は、国民の直接選挙ではなく、大統領によって選出される。また、閣僚の任命に関しても、首相の提案に基づき、大統領が行う。

3 ✕ 下院である国民議会の解散権は、首相ではなく大統領にある。

4 ✕ 上院と下院の選出方法が逆になっている。すなわち、直接選挙で選出されるのが下院であり、選挙人による間接選挙となるのが上院である。

5 ◯ フランスの政治制度に関する記述として妥当である。議院内閣制の要素を持つフランスでは、首相を中心とする内閣が議会（下院）に対して責任を負うことから、大統領は議会を無視して首相を任命することが困難である。このため、大統領が自身とは異なる立場の政治勢力から首相を選ぶ場合もある（コアビタシオン）。

| 政治 | 政治思想 | 2023年度 ❸
教養 No.3 |

政治思想に関する記述として、最も妥当なのはどれか。

1 古代ギリシャの哲学者プラトンは、主著『政治学』で「人間はポリス的動物である」と述べた。

2 イギリスの裁判官エドワード・コークは、「王は何人の下にも立つことはない。しかし、神と法の下には立たなければならない」という国王の言葉を引用し、絶対主義を強調した。

3 アメリカの初代大統領ワシントンの「人民の人民による人民のための政治」という言葉は、民主主義の考え方を端的に表している。

4 イギリスの政治家ブライスが述べた「地方自治は民主主義の学校」とは、住民が地域の自治に参画することにより、主権者としての自覚を高めてきたことを意味している。

5 フランスの思想家ボーダンは、国家の主権は絶対かつ永久・不可分であるとし、君主が主権を握り、あらゆる分野で絶大な権力を行使する法治主義を批判した。

解説 **正解 4**

1 **×** 本選択肢は、プラトンの弟子であるアリストテレスの説明である。プラトンは、主著『ポリティア（国家）』において、正義の支配する完全な国家を実現するという理想的国家を論じた。

2 **×** これは国王ではなく13世紀イギリスの裁判官ブラクトンの言葉であり、17世紀にエドワード・コークが引用し、国王よりもコモン・ロー（慣習法）が優位すると捉える、法の支配を説いた。

3 **×** これはワシントンではなく、南北戦争中にペンシルベニア州ゲティスバーグにおいて演説した、アメリカの第16代大統領エイブラハム・リンカーンによる言葉である。

4 **○** 地方公共団体では、議決機関としての議会と、執行機関としての長が設置されており、いずれも住民の直接選挙で選出される二元代表制の仕組みを採用している。

5 **×** J.ボーダン（ボダン）は、ユグノー戦争によるフランス国内の無秩序な状況において、宗教に依存することなく国内の秩序を確立する手段として主権の概念を初めて提唱した。最終的に君主主権を主張し、この主権論は絶対王政を理論づけることにつながった。

政治　近現代の政治家・思想家

次の人物に関する記述のうち、最も妥当なのはどれか。

1　ドイツの社会学者マックス゠ウェーバーは、「非合法的支配・カリスマ的支配・社会的支配」という支配の形式の３類型を示した。

2　アメリカ大統領ワシントンは、国民主権を「人民の、人民による、人民のための政治」という言葉で簡潔かつ明確に表現した。

3　ドイツの社会主義者ラッサールは、当時の国家が最低限の治安維持しかしないとして、「夜警国家」という言葉を用いて批判した。

4　アメリカ大統領フランクリン゠ローズヴェルトは、「言論・表現の自由」「信仰の自由」「思想・良心の自由」「経済の自由」からなる「４つの自由」を提唱した。

5　アメリカ大統領トルーマンは、演説の中で「鉄のカーテン」という言葉を用いて、東西両陣営を隔てる対決の境界線があることを表明した。

解説　　正解　**3**

TAC生の正答率　**60%**

1　✕　「非合法的」、「社会的」が誤りとなる。マックス゠ウェーバーの「支配の３類型」（支配の正当性の３類型）とは、伝統的・カリスマ的・合法的の３つの形式を指す。例えば、近代官僚制は合法的支配の典型例とされる。

2　✕　これはワシントンではなくリンカーンの表現である。「人民の、人民による、人民のための政治」は、アメリカ南北戦争中の1863年11月に戦没者慰霊の式典での演説（ゲティスバーグ演説）において用いられたもので、民主主義政治の理念を示す言葉としてよく知られている。

3　○　ドイツの社会主義者ラッサールは、最低限の機能しか果たそうとしない当時の自由主義国家に対して、反自由主義の立場から「夜警国家」として批判した。

4　✕　「思想・良心の自由」、「経済の自由」が誤りとなる。アメリカ大統領フランクリン゠ローズヴェルト（ルーズベルト）は、1941年の一般教書の中で表現の自由、信仰の自由、欠乏からの自由、恐怖からの自由からなる「４つの自由」を表明した。この理念は後に大西洋憲章や国連憲章へと引き継がれている。

5　✕　これはトルーマンではなくチャーチルが用いたことで知られる表現である。1946年にアメリカのミズーリ州での演説において「バルト海のシュテッティンからアドリア海のトリエステまでヨーロッパ大陸を横切る鉄のカーテンが降りている」として、欧州での東西両陣営の分断を述べている。なお、第二次世界大戦中に英国の首相を務めたチャーチルは1945年の下院総選挙で労働党に敗れ、当時は野党党首という立場になっていた。

我が国の行政に関する記述として、最も妥当なのはどれか。

1 行政国家とは、行政機能の拡大した国家のことをいい、我が国では階統制を特徴とする官僚制が発達した第一次世界大戦以降に顕著にみられるようになった。

2 国会において、政府（内閣）が提出する法案（閣法）は、議員提出法案（議員立法）にくらべてその数が少ないのが現状である。

3 行政委員会とは、一般の行政機関からある程度独立した合議制の機関であるが、準立法的機能や準司法的機能は与えられていない。

4 内閣が制定する命令のことを政令といい、罪刑法定主義の観点から、いかなる場合も政令に罰則を設けることは許されていない。

5 オンブズマン制度は、行政機関の活動を調査・勧告等するものであり、地方公共団体での導入が進んでいるものの、国政ではまだ導入されていない。

解 説　　正解　**5**

1 ✕　行政国家は、第二次世界大戦以降に顕著に見られた現代国家の特徴である。官僚制については、一種の身分制（階級制）という点では戦前日本の官吏制からその特徴をみることができるが、一元的な指揮命令系統（階統制）が確立されていったのは第二次世界大戦後とみるのが一般的である。

2 ✕　国会に提出される法案のうち、議員提出法案（議員立法）の数は内閣が提出する法案（閣法）よりも少ない。また、法案の成立率では、議員立法が2割程度、閣法が8割程度であり、重要法案のほとんどが閣法である。

3 ✕　行政委員会は、所属する行政機関の指揮監督からある程度独立した合議制の機関であり、行政権の行使を行うほか、準立法的機能（規則を制定する機能）や準司法的機能（裁決を行う機能）を有するという特徴がある。

4 ✕　日本国憲法73条6号において、「但し、政令には、特にその法律の委任がある場合を除いては、罰則を設けることができない」と規定されている。したがって、法律の委任がある場合には、政令に罰則を設けることができるとされている。

5 〇　1990年に全国で初めて川崎市、中野区（福祉分野に限定したオンブズマン制度）で導入され、都道府県レベルでは1995年に沖縄県が導入した。しかし、国レベルではオンブズマン制度は実現していない。

政治　選挙制度

我が国の選挙に関する記述として、最も妥当なのはどれか。

1　選挙の基本原則のうち、選挙権の資格を年齢以外の要件で制限しないことを平等選挙という。

2　選挙制度のうち、大選挙区制は死票が多いという短所がある。

3　比例代表制における各政党の獲得議席の配分方法は、衆議院と参議院とで異なる。

4　衆議院議員総選挙では、小選挙区と比例代表の両方に立候補する重複立候補が認められている。

5　参議院議員通常選挙では、都道府県ごとに必ず1つの選挙区が設けられる。

解 説　　正解　4

1　✕　本肢の説明は、平等選挙ではなく普通選挙である。平等選挙とは、一人一票を原則とし、その一票の価値が平等である制度をいう。

2　✕　死票とは当選に結びつかない票のことであるから、大選挙区制ではなく、選挙区の定数が1人である小選挙区制における短所である。

3　✕　比例代表制における各政党の獲得議席の配分方法については、衆議院と参議院で同じドント式を採用している。衆議院と参議院で異なるのは、当選者の決定方法である。

4　○　重複立候補者が、小選挙区制で落選したものの、比例代表制で当選する場合があり、これを復活当選という。

5　✕　かつて参議院の選挙区選挙は、47都道府県で行われていたが、2016年の参議院議員通常選挙より、鳥取県と島根県、徳島県と高知県それぞれが合区となり、45選挙区となっている。

地方公共団体における住民の直接請求権に関する記述として、最も妥当なのはどれか。

1 議員、首長の解職請求については、原則として有権者の3分の1以上の署名が必要とされ、選挙管理委員会に請求したのちに、有権者の投票に付され過半数の同意で職を失う。

2 近年は、住民の意思を問う方法として、住民投票条例による住民投票の動きが活発になってきており、この住民投票の結果には法的拘束力が発生する。

3 議会の解散請求については、原則として有権者の50分の1以上の署名が必要とされ、選挙管理委員会に請求することで、直ちに地方議会は解散される。

4 直接請求権には、有権者の一定以上の署名をもって条例の制定・改廃を請求するリコールや、首長や議員の解職を請求するレファレンダムなどがある。

5 副知事、副市町村長の解職請求については、原則として有権者の3分の1以上の署名が必要とされ、地方公共団体の長に請求したのちに、有権者の投票に付され過半数の同意で職を失う。

解 説　　正 解　**1**

1 ○　住民が地域の政治に直接参加する方法の一つとして、地方自治法によって直接請求権が定められている。署名の要件、請求先、請求後の流れについては押さえておきたい。

2 ✕　条例に基づく住民投票は、自治体が住民の意向を直接確認するために用いられるが、首長や議会がその投票結果を参考にするというものであり、法的拘束力は伴わない。

3 ✕　議会の解散請求は、原則として有権者の3分の1以上の署名を集めることによって、選挙管理委員会に対して請求することができる。請求後、有権者の投票に付され過半数の同意で解散する。

4 ✕　条例の制定・改廃を請求することをイニシアティブ、首長や議員の解職を請求することをリコールと表現する。なお、レファレンダムは住民投票のことを指す。

5 ✕　副知事、副市町村長といった主要公務員の解職請求は、有権者の3分の1以上の署名を集めることによって、地方公共団体の長に請求することができる。請求後、議会において議員が3分の2以上出席し、4分の3以上の同意で職を失う。

政治	地方自治	2021年度 ❷ 教養 No.3

地方自治に関する記述として、最も妥当なのはどれか。

1　地方自治は、民主政治の基礎となるものといえるが、これに関しては「地方自治は民主主義の学校である」とするトクヴィルの言葉が有名である。

2　地方公共団体には、普通地方公共団体と特別地方公共団体があり、普通地方公共団体の例としては、都道府県・市町村・東京23区が挙げられる。

3　地方公共団体の議会には議員の3分の2以上が出席し、その4分の3以上の賛成により首長の不信任を議決する権限があり、首長はこれに対し議会解散権が認められている。

4　不信任決議を受けた首長は30日以内に議会を解散できるが、解散しなければ30日を過ぎた時点で自動的に失職する。

5　現行の地方自治法において、地方公共団体の「地域における事務」には、自治事務・法定受託事務・機関委任事務の3種類がある。

1　✕　「トクヴィル」という部分が妥当でない。地方自治は、地域住民がその地域の課題を自主的に解決していくことで、市民としての自覚と公共精神が涵養され、国政や社会全体の民主化にも貢献する点において民主政治の基礎を成すものである。このことを端的に表すものとして、「地方自治は民主主義の学校である」という言葉があるが、これはジェームズ・ブライス（イギリスの法学者・歴史学者・政治家）の言葉である。

2　✕　「・東京23区」という部分が妥当でない。地方公共団体には、普通地方公共団体と特別地方公共団体がある（地方自治法１条の３第１項）。そして、普通地方公共団体は、都道府県と市町村のみであり（同法１条の３第２項）、東京23区（特別区）は、特別地方公共団体の例として挙げられる（同法１条の３第３項）。

3　◯　条文により妥当である。地方公共団体の議会には、首長（地方公共団体の長）の不信任を議決する権限があり、その議決要件として、議員の３分の２以上が出席し、その４分の３以上の賛成が必要である（地方自治法178条１項前段、３項）。この不信任の議決に対し、当該首長は議会解散権が認められている（同法178条１項後段）。

4　✕　「30日」（２か所）という部分が妥当でない。地方自治法は、議会が首長の不信任の議決をした場合、直ちに議長からその旨を当該首長に通知しなければならず（地方自治法178条１項前段）、この通知を受けた場合、首長は、その通知を受けた日から10日以内に議会を解散することができる（同法178条１項後段）。しかし、議会を解散しない場合、首長は、10日の期間が経過した日においてその職を失う（同法178条２項）。

5　✕　「・機関委任事務の３種類がある」という部分が妥当でない。現行の地方自治法において、地方公共団体は「地域における事務」及び「その他の事務で法律又はこれに基づく政令により処理することとされるもの」を処理するが（地方自治法２条２項）、「地域における事務」には、自治事務（同法２条８項）のみならず、法定受託事務（同法２条９項）も含まれると解されている。なお、本記述の「機関委任事務」は、地方公共団体の長などの執行機関に対し、国又は他の地方公共団体から法律または政令によって委任された事務であるが、1999年に成立した地方自治法の改正により2000年４月に廃止されている。

政治　住民の権利

　我が国の住民の権利に関する記述中の空所A～Eに当てはまる語句の組合せとして、最も妥当なのはどれか。

　日本国憲法第95条では、「一の地方公共団体のみに適用される特別法は、法律の定めるところにより、その地方公共団体の住民の投票においてその（　A　）の同意を得なければ、国会は、これを制定することができない」と規定されている。

　さらに（　B　）では、直接民主制の理念に基づいて、直接請求権が定められている。このうちの1つである（　C　）は、有権者の50分の1以上の署名が必要であり、請求先は、監査委員である。また、議員の解職請求は、原則として有権者の3分の1以上の署名が必要であり、請求先は（　D　）である。そして、（　E　）、過半数の同意があれば当該議員は職を失う。

	A	B	C	D	E
1	過半数	公職選挙法	事務の監査請求	首長	住民投票に付し
2	過半数	地方自治法	事務の監査請求	選挙管理委員会	住民投票に付し
3	過半数	地方自治法	住民監査請求	首長	議会にかけ
4	3分の2	公職選挙法	住民監査請求	選挙管理委員会	住民投票に付し
5	3分の2	地方自治法	住民監査請求	首長	議会にかけ

解説　　　**正解　2**　　　　　　　　　　　　　　　　　TAC生の正答率　**46%**

A　「過半数」が該当する。なお、日本国憲法第95条に基づくこの住民投票は、1952年を最後に実施されていない。

B　「地方自治法」が該当する。公職選挙法は、衆議院議員、参議院議員並びに地方公共団体の議会の議員及び長の選挙について適用される法律であり、直接請求権を定めるものではない。

C　「事務の監査請求」が該当する。それに対して、住民監査請求とは、地方公共団体の住民が当該団体の執行機関又は職員の違法又は不当な財務会計上の行為又は怠る事実について、これを予防し又は是正することで住民全体の利益を守ることを目的とする制度であり、法律上行為能力を認められている限り、自然人でも法人でも１人でも住民監査請求が可能である。

D　「選挙管理委員会」が該当する。国では行政の長である内閣総理大臣は立法府の信任に基づいて選出されるため、立法府と行政府が対立することは少ない。しかし地方公共団体では、行政府の長である首長と、立法府の成員である議員がそれぞれ別々に住民から直接選出されるため、立法府と行政府が対立することも見られる。過去には、首長が主導して議会の解散請求運動を展開したこともあり、議員の解職を首長に請求するのは中立性を欠く。

E　「住民投票に付し」が該当する。地方公共団体における解職請求のうち、住民自身が直接選出した役職（首長・議員）の解職については、住民投票で可否を判断する。それに対して、住民自身が直接選出していない主要公務員（副知事・副市町村長、選挙管理委員など）の解職については、議会にかけて、議員の３分の２以上が出席して、その４分の３以上の同意があれば、当該の主要公務員は職を失う。

政治	政党政治	2021年度 ❶ 教養 No.3

我が国の政党政治に関する記述として、最も妥当なのはどれか。

1 55年体制は二大政党制の期待をもって出発したが、実際には自民党が政権を握り、「1と2分の1政党制」ともいわれるほど政権交代の可能性の極めて低い一党優位の体制であった。

2 帝国議会開設以前に多くの政党が結成・活動していたが、我が国で初めて本格的な政党内閣が成立したのは、第二次大戦後の吉田内閣である。

3 2000年代に入り自民党が打ち出した「構造改革」路線に対する批判が高まり、2009年の衆議院議員選挙の結果、維新の党を中心とした菅内閣が成立した。

4 1955年、左右に分裂していた自由民主党の統一に続き、保守合同で社会党が結成されたことにより、その二党を中心とする二大政党制が誕生した。

5 1993年、自由民主党が分裂し、衆議院の解散を経て総選挙が実施され、その結果、非自民7党1会派連立による村山内閣が誕生し、55年体制が崩壊した。

解説　正解　1　TAC生の正答率　67%

1 ○　55年体制の説明として妥当である。1955年に左右に分裂していた社会党が統一したことに危機感を抱き、保守政党の自由党と日本民主党が合併し（保守合同）、自由民主党が結党された。しかし、その後は1993年に下野するまで自民党が常に首相を輩出し続け、社会党の議席数はその半分程度に過ぎなかった（1と2分の1政党制）。

2 ×　我が国初の本格的政党内閣は、第二次世界大戦前の原敬内閣とされる。政党内閣とは、議会多数派の政党を中心として組閣される内閣を指す概念で、戦前の日本では帝国議会の開設後も藩閥政治の影響下で政党を軽視する内閣（超然内閣）が存在していた。

3 ×　2009年の衆議院議員選挙の結果成立したのは、民主党を中心とした鳩山由紀夫内閣である。民主党政権は、当初は社会民主党および国民新党との連立政権として発足し（民社国連立。その後、社会民主党は離脱）、2012年に第二次安倍内閣が誕生するまで続いた。

4 ×　自由民主党と社会党に関する記述が逆になっている。また、正解の**1**にあるように、55年体制下では常に自民党が優位にあり政権交代は一度も生じなかったため、「二大政党制が誕生した」という記述も誤り。そもそも社会党は革新政党であるため、「保守合同で社会党が結成」というのは不自然である。

5 ×　1993年に成立した非自民7党1会派連立による内閣は、村山内閣ではなく細川内閣である。村山内閣は、55年体制を崩壊させた細川・羽田の非自民政権が倒れた後に1994年に発足した自民党・社会党・新党さきがけによる連立（自社さ連立）政権であり、議会第一党の自民党ではなく、社会党の党首であった村山富市が首班指名を受けることによって成立した。

国際法における人権保障に関する記述中の空所A〜Dに当てはまる語句の組合せとして、最も妥当なのはどれか。

第二次世界大戦後には人権を国際的に保障する取組が始まった。そのきっかけとなったのが、アメリカのフランクリン＝ローズベルト大統領が提唱した「4つの自由」の理念であった。この理念とは、言論と表現の自由、信仰の自由、欠乏からの自由、（　A　）のことである。

その後、1948年には、国連総会において（　B　）が、1966年には（　C　）が採択された。

なお、国際連合では、（　D　）が各国政府に対して人権状況の改善を勧告している。

	A	B	C	D
1	恐怖からの自由	世界人権宣言	国際人権規約	人権理事会
2	恐怖からの自由	国際人権規約	世界人権宣言	安全保障理事会
3	国家からの自由	世界人権宣言	国際人権規約	人権理事会
4	国家からの自由	国際人権規約	世界人権宣言	安全保障理事会
5	国家からの自由	世界人権宣言	国際人権規約	安全保障理事会

解 説　　**正解　1**

A　「恐怖からの自由」が該当する。世界人権宣言の前文では、「言論及び信仰の自由が受けられ、恐怖及び欠乏のない世界の到来が、一般の人々の最高の願望」と言及されている。

B　「世界人権宣言」が該当する。人権及び自由を尊重し確保するために、「すべての人民とすべての国とが達成すべき共通の基準」を宣言したものが世界人権宣言であるが、法的拘束力がない。

C　「国際人権規約」が該当する。世界人権宣言の内容を基礎として、条約化して法的拘束力を持たせたものが国際人権規約である。

D　「人権理事会」が該当する。人権問題への対処能力強化のため、従来の人権委員会に替えて新たに国連総会の下部機関としてジュネーブに設置された。

以上の組合せにより、**1**が正解となる。

国際社会と国際法に関する記述のうち、最も妥当なのはどれか。

1　18世紀から19世紀にかけて、ヨーロッパでは市民革命を経ることにより、国民主権に基づく国民国家が形成されるようになった。国民国家においては、人々は国家に帰属する国民として統合され、みずからが属する国家や民族に高い価値を見いだそうとするナショナリズムが広まるようになった。

2　各国家はそれぞれ平等な立場に立つ主権国家として、国際社会を構成している。ヨーロッパにおいて、これらの主権国家が国際社会を構成するようになったのは、フランスを中心におこった宗教対立や王室の覇権争いによるクリミア戦争終結の発端となったアミアンの和訳締結以降である。

3　オランダの法学者デカルトは自然法の立場から、三十年戦争終結後に「戦争と平和の法」（1625年）を著し、国際社会において平和な秩序を樹立することを目指す国際法の基礎を築いた。

4　国際慣習法は、大多数の国家の一般慣行である条約と、国家間の意思を明文化した国内法から成り立ち、国家の権利・義務・行動の基準などを定めることによって、国際秩序の維持をはかっている。

5　国際法は、主権平等、領土不可侵、内政不干渉などを原則とする主権国家を規制し、個人、NGO、企業など主権国家以外の国境を越えた活動は規制の対象となっていない。

1 〇　主権者を国民とする国家体制を国民国家という。イギリスやフランスにおける市民革命を経て、絶対王政に対する批判として形成された。また、ナショナリズムとは「自分が属していると意識しているネーション（国民・民族）について、その独立、統一、発展を最上の価値と考える思考や運動のこと」である。

2 ×　主権国家が国際社会を構成するようになったのは、近世ヨーロッパでの三十年戦争を終結させたウェストファリア会議において、各国の主権の独立が確認されて以降である。

3 ×　デカルトではなく、グロティウスが正しい。また、グロティウスは三十年戦争（1618〜1648）の最中に『戦争と平和の法』（1625）を著し、近代国際法の確立に貢献した。そのことから国際法の父と呼ばれる。

4 ×　国際慣習法は、国家間における過去の慣習が法として認められたものである。他方で、条約とは二国間・多国間での合意を成文化したものである。なお、国内法は国内において行われる法のことなので、国際法の分類には該当しない。

5 ×　かつては主権国家を規制の対象としてきたが、現代では個人や国際組織、企業なども規制の対象となっている。例えば、国際人道法に則って紛争当事者の行為を規制することが挙げられる。

政治　情報公開法

　我が国の情報公開制度に関する記述として、最も妥当なのはどれか。ただし、文中の「情報公開法」とは、「行政機関の保有する情報の公開に関する法律」のことである。

1　我が国では、先に中央官庁などに行政文書の原則公開を義務付ける国の情報公開法が成立した後、地方公共団体でも情報公開条例が制定されるようになった。

2　情報公開法には、情報公開が国民の知る権利を実現するための制度であることは明記されていない。

3　情報公開法に基づく情報公開請求に対して非公開となった場合、開示請求者は行政不服審査法に基づき、審査請求ができるが、裁判所に提訴することはできない。

4　情報公開法は、請求権者の範囲につき有権者たる日本国民に限定しており、法人は請求権者として認めていない。

5　情報公開法において、国の行政機関は原則として情報公開の対象となるが、独立性の高い会計検査院や、防衛・外交・犯罪捜査に関わる情報は除外されている。

1 ✕　全体が妥当でない。情報公開制度が日本で最初に制定されたのは山形県金山町である（1982年4月施行）。その後、国の情報公開法が1999年に制定され、2001年4月に施行され、国の行政機関に対しても情報公開請求ができるようになった。なお、情報公開法が中央官庁などに行政文書の原則公開を義務付ける点は妥当である（情報公開法5条）。

2 〇　条文により妥当である。情報公開法1条は、「この法律は、国民主権の理念にのっとり、行政文書の開示を請求する権利につき定めること等により、行政機関の保有する情報の一層の公開を図り、もって政府の有するその諸活動を国民に説明する責務が全うされるようにするとともに、国民の的確な理解と批判の下にある公正で民主的な行政の推進に資することを目的とする。」と規定しており、国民の知る権利を実現するための制度であることは明記していない。知る権利が憲法上確立した権利であるかについては議論がある段階だからである。

3 ✕　「裁判所に提訴することはできない」という部分が妥当でない。情報公開法に基づく情報公開請求に対して非公開となった場合、行政不服審査法に基づき、審査請求ができるし（情報公開法18条1項参照）、審査請求を行うことなく直ちに裁判所に提訴することもできる（行政事件訴訟法8条1項、自由選択主義）。情報公開法には、審査請求を行ったうえでなければ裁判所に提訴することができないとする規定がないからである。

4 ✕　「有権者たる日本国民に限定しており、法人は請求権者として認めていない」という部分が妥当でない。情報公開法3条は、何人も、この法律の定めるところにより、行政機関の長に対し、当該行政機関の保有する行政文書の開示を請求することができると規定している。したがって、自然人か法人か、国内に居住するか否か、日本国籍を有するか否かによって区別されることなく、行政文書の開示を請求することができる。

5 ✕　「独立性の高い会計検査院や、防衛・外交・犯罪捜査に関わる情報は除外されている」という部分が妥当でない。情報公開法の適用対象は国の行政機関なので、国の行政機関が情報公開の対象となり（情報公開法2条1項各号）、会計検査院も明文で情報公開の対象とされている（同条項6号）。また、防衛・外交・犯罪捜査に関わる情報は、国の安全等に関する情報（同法5条3号）、公共の安全等に関する情報（同条4号）等の非開示情報に該当すると、情報公開の対象外となる。もっとも、防衛・外交・犯罪捜査に関わる情報というだけで、直ちに情報公開の対象外となるわけではない。

国民経済の指標に関する記述として、最も妥当なのはどれか。

1　一国の経済力を表す指標の概念として、国内総生産に代表される一定期間の経済活動を示すフローと、国富に代表される一時点での蓄積された資産を示すストックとがある。

2　GNI（国民総所得）は、国内の外国人が生産した付加価値を含むが、国外にいる自国民の生産は含まない。

3　GDP（国内総生産）は、一国内で新たに生産された付加価値の総計を意味する指標であり、これから海外からの純要素所得を控除するとGNI（国民総所得）になる。

4　GDPは、余暇や家事労働、自然環境などの豊かさや幸福の概念をはかる指標としても機能している。

5　生産されたものが誰かに需要された結果、必ず何らかの形となって供給されることから、国民所得は生産面、需要面、供給面において等しくなる。

解 説　　**正解　1**　　TAC生の正答率　**68%**

1　○　一定期間の経済活動の成果をフロー、フローの蓄積をある一時点で測ったものをストックと呼ぶ。

2　×　GNIには、国内の外国人の付加価値を含まないが、国外の自国民の付加価値を含む。

3　×　GDPに海外からの純要素所得を加えるとGNIになる。前半部分は正しい。

4　×　GDPには、余暇や家事労働を含まないため、豊かさや幸福の概念をはかる指標とは必ずしもいえない。

5　×　GDPは、生産面・支出面・分配面の3面から見たとき、事後的に等しくなる。これを三面等価の原則という。

我が国の市場と競争に関する記述として、最も妥当なのはどれか。

1　企業どうしが価格や生産量について協定を結ぶカルテルを消費者保護法によって禁止しており、消費者庁がその監視に当たっている。

2　巨大な設備を用いる産業では、生産量を増やすことによって生産コストが高くなるので、トラストなど合併による独占形態が出現するようになった。

3　寡占・独占化が進むと、価格が下方には変化するが上方には変化しない場合が多くなり、これを「価格の上方硬直性」と呼ぶ。

4　寡占市場でプライス・リーダーが一定の利潤を確保できる価格を設定し、他の企業もそれに追従するような価格を均衡価格という。

5　公的機関の定めた標準規格ではなく、既成事実的に市場を支配するようになった規格のことをデファクト・スタンダードという。

解 説　　正解　**5**

1　✕　カルテルの禁止等は独占禁止法によって定められており、公正取引委員会によって運用されている。

2　✕　巨大な設備を要する産業は、規模の経済性により、自然に独占が成立しやすい（自然独占、平均費用逓減産業）。

3　✕　この場合、価格は上昇しやすく、下落しにくい（価格の下方硬直性）。

4　✕　これを管理価格と呼ぶ。

5　◯

我が国の市場に関する記述として、最も妥当なのはどれか。

1 産業の中心が軽工業から重化学工業へと転換し、大型設備が使われるようになるとともに、設備投資が増大し製品単価が上昇することを規模の経済という。

2 寡占市場において、優位にある企業がプライスリーダーとなり、その価格に他社も従うことによって固定的になった価格を管理価格という。

3 寡占下においては、広告・宣伝や、付属サービスの違いなどに競争の主力をおく非価格競争が強化されるため、価格は下落する傾向にある。

4 教育や警察、消防などのサービスは、民間企業が行った方が効率的に提供し続けることが可能になるため、政府が市場に介入する必要はないと考えられている。

5 市場の外部で生じる経済問題を外部性問題といい、外部性は環境破壊などの不利益が発生する場合に限定され、利益が発生する場合に外部性はない。

解 説　　正解　**2**

1 ✕　規模の経済とは、生産規模を拡大するほど平均費用が低下していくことをいう。

2 ◯

3 ✕　寡占市場において、非価格競争が激しくなる特徴があることは正しいが、価格は下がりにくいという下方硬直性がある。

4 ✕　警察、消防などのサービスは、公共財として政府が公的に供給することで資源配分機能を果たしている。なお、教育は私的に供給することが可能であるが、公的供給に価値があるサービスであり、価値財（メリット財）と呼ばれる。

5 ✕　外部性のうち、市場外の第三者にプラスの影響（利益）を与える場合を外部経済といい、マイナスの影響（不利益）を与える場合を外部不経済という。

金融政策と金融行政に関する記述として、最も妥当なのはどれか。

1　日本銀行の行う金融政策として公開市場操作がある。日本銀行が市中金融機関との間で公債など を売買して政策金利を誘導し、景気の安定をはかるものである。現在は政策金利として、公定歩合 が用いられている。

2　市中銀行が預金のうち日本銀行に預けなければならない一定の割合を預金準備率といい、現在は 景況に応じて預金準備率操作が行われている。

3　金融機関が破綻した際に、預金者に対して預金の一定額のみを保証する制度をペイオフという。 1990年代に金融不安からペイオフを凍結し、破綻した金融機関の預金は全額保護されるようにな り、現在もペイオフは凍結されている。

4　近年の金融政策としては、政策金利を０％に誘導するゼロ金利政策や、誘導目標を金利ではなく 日銀当座預金残高とする量的緩和政策が実施され、2016年には日銀当座預金の一部にマイナスの金 利を適用するマイナス金利政策も導入された。

5　1990年代後半には、フリー・フェア・グローバルを掲げる日本版金融ビッグバンが行われた。ま た、1998年には大蔵省から金融機関への検査や監督を移管した金融庁が設置され、その後2000年に 改組され金融監督庁となった。

解 説　　**正解　4**　　　TAC生の正答率　**50%**

1　✕　現在、政策金利として用いられているのは、無担保コールレート（オーバーナイト物）であ る。公定歩合は現在、基準貸付利率と呼ばれ、コールレートの上限を画する役割を担うようになっ た。

2　✕　短期金融市場が発達したため、預金準備率操作は1991年10月の準備率の引下げを最後に現在 まで行われていない。

3　✕　ペイオフは1996年に凍結され、2005年４月から全面解禁された。その結果、元本1,000万円 とその利息までしか払戻し保証されないこととなった。

4　○

5　✕　1998年に総理府の外局として金融監督庁が設置され、2000年に金融庁に改組された。

経済	景気変動	2021年度 ❶ 教養 No.5

景気変動に関する記述として、最も妥当なのはどれか。

1 景気循環の過程を4つの局面に分けると、一般に好況、後退、不況、恐慌となる。

2 キチンの波は、設備投資の変動に起因する景気循環であり、周期は約40か月である。

3 コンドラチェフの波は、技術革新に起因する景気循環であり、周期は約50年である。

4 クズネッツの波は、在庫投資の変動に起因する景気循環であり、周期は約20年である。

5 ジュグラーの波は、建設需要に起因する景気循環であり、周期は約10年である。

解説　　**正解 3**　　　　　　　　TAC生の正答率　**73%**

1 ×　景気循環の4つの局面は好況、後退、不況、回復である。

2 ×　キチンの波は、在庫の変動に起因する景気循環で、周期は約4年である。

3 ○　コンドラチェフの波は長期波動と呼ばれることもある。

4 ×　クズネッツの波は、建設需要に起因する景気循環で、周期は約20年である。

5 ×　ジュグラーの波は、設備投資の変動に起因する景気循環で、周期は約10年である。

GATT（関税及び貿易に関する一般協定）に関する記述として、最も妥当なのはどれか。

1　GATTは、第二次世界大戦前の平価切下げ競争を防止し、為替相場の安定のために加盟国に為替制限の撤廃を促すことを目的として発足した。

2　GATTでは、貿易における「自由・平等・無差別」を原則とし、このうち「無差別」は、非関税障壁の廃止や関税率の削減などにより貿易を推進することをいう。

3　第7回目の多角的貿易交渉である東京ラウンドでは、農業分野にも交渉対象を広げたほか、知的財産権（知的所有権）についても新たなルールを確立した。

4　1995年、GATTの後継機関として設立されたWTO（世界貿易機関）では、紛争処理の決定方法として、全加盟国の反対がない限り採択されるネガティブ・コンセンサス方式が取り入れられた。

5　GATTでは、一時的な緊急輸入制限であるセーフガードは認められていないが、国内市場よりも低い価格で輸出するダンピングは認められている。

解 説　　**正解　4**

1　✕　GATTは、貿易の自由化（関税引下げ、非関税障壁の撤廃）を目的としたものである。為替制限の撤廃や国際収支不均衡の調整を目的として発足したのはIMFである。

2　✕　GATTの理念は、自由、無差別、多角主義である。このうち無差別には、最恵国待遇や内国民待遇があり、ある国や自国民に与えた待遇がすべての加盟国に対して同様に適用されなければならないというものである。

3　✕　ウルグアイラウンド（第8回）で農業分野、サービス、知的財産権などの課題が取り上げられた。

4　○

5　✕　GATTは貿易の自由化を目的としたもので、ダンピング（不当廉売）は認められず制裁対象となる。ただし、貿易の自由化によって輸入が急増した場合の国内産業の被害を軽減するためのセーフガード（一時的な緊急輸入制限）は認められている。

経済　地域的経済統合

　地域的経済統合等に関するA～Eの記述のうち、正しいものの組合せとして、最も妥当なのはどれか。

A　アジア太平洋経済協力（APEC）とは、域内貿易・投資の自由化、保護主義的な貿易ブロックの反対などを目的に発足した、西側資本主義国の集まりである。

B　経済協力開発機構（OECD）とは国連の専門機関の1つであり、発展途上国への経済援助を目的としている。

C　環太平洋パートナーシップ協定（TPP）は合計12か国による署名後、アメリカが離脱を表明したことから、アメリカを除く11か国によりTPP11協定が発効した。

D　地域的な包括的経済連携（RCEP）協定は、2022年に我が国を含めて12か国について発効していたところ、本年に入り、さらにインドが加わった。

E　我が国では、当初は地域間経済協力に向けた対応を慎重に進めていたが、シンガポールとの間で経済連携協定（EPA）を締結し、それ以降、さまざまな国・地域との交渉を続けている。

1　A、B

2　A、E

3　B、C

4　C、E

5　D、E

A　✕　アジア太平洋経済協力（APEC）は、貿易と投資の自由化、経済・技術協力などを進め、保護貿易や経済ブロックの形成に反対する立場から「開かれた地域主義」を標榜している。同枠組には日本、アメリカ、中国、ロシア、ASEAN諸国などが参加しており、「西側資本主義国の集まり」という点が誤り。

B　✕　経済協力開発機構（OECD）は、1961年にヨーロッパ経済協力機構（OEEC）を改組して設立された国際機関であり、国連の専門機関ではない。加盟国の経済成長、発展途上国への援助、自由貿易の拡大を目的としている。

C　○　環太平洋パートナーシップ（TPP）は、2016年に日本を含む12か国間で署名したが、翌年アメリカが交渉から離脱を表明した。結果、アメリカを除いた11か国で協定発効に大筋合意し、新名称を「包括的および先進的なTPP（CPTPP）」とした。「TPP11協定」とも呼ばれる。

D　✕　地域的な包括的経済連携（RCEP）は、ASEAN10か国に日本、中国、韓国、オーストラリア、ニュージーランドの15か国が参加する広域経済連携である。2012年の交渉がスタートした時点では、インドも加えた16か国だったが、2019年にインドが交渉から離脱し、2022年に批准済の10か国で先行して発効した。

E　○　経済連携協定（EPA）は、貿易の自由化に加え、投資、人の移動、知的財産の保護や競争政策におけるルール作り、様々な分野での協力の要素等を含む、幅広い経済関係の強化を目的とする協定である。2002年にシンガポールとの間でEPAを締結して以来、EU、イギリス、TPP11、RCEPなど様々な国・地域との間でも協定を結んでいる。

以上により、CとEが正しい記述となり、**4**が正解である。

法律

政治

経済

社会

国語

英文法

英文

現代文

判断推理

我が国の財政に関する記述として、最も妥当なのはどれか。

1 財政の機能の1つとして資源配分機能があるが、これは累進課税制度や社会保障制度によって所得格差の縮小を図るものである。

2 財政投融資は、「第二の予算」とも呼ばれ、現在郵便貯金や年金積立金から義務預託された資金を原資として行われている投融資活動である。

3 年度途中で当初の予算通りに執行できない場合に、国会の議決を経て修正された予算を補正予算という。

4 租税には、国に納める国税と、地方公共団体に納める地方税とがあるが、固定資産税は国税であり、酒税は地方税である。

5 国債には、公共事業費などの経費を賄うための建設国債と、その他の一般的な経費を賄うための赤字国債とがあるが、いずれも財政法に基づいて発行される。

解説　　正解　3

1 ✕ （過度な）所得格差の縮小を図るのは、所得再分配機能である。

2 ✕ 平成13年度の財政投融資改革により、郵便貯金や年金積立金からの義務預託（預託義務）は廃止されている。

3 ○

4 ✕ 固定資産税は地方税であり、酒税は国税である。

5 ✕ 財政法に基づいて発行されるのは建設国債であり、赤字国債（特例国債）は特別の法律（財政運営に必要な財源の確保を図るための公債の発行の特例に関する法律）に基づいて発行される。

我が国の財政に関する記述として、最も妥当なのはどれか。

1　ビルトイン・スタビライザーとは、政府が行う裁量的財政政策のことをいい、景気安定化のための人為的な政策である。

2　ポリシー・ミックスとは、政府が不況時において、減税と公共事業の拡大を同時に行う財政政策のみで政策目的を実現することをいう。

3　資源配分機能とは、累進課税制度や社会保障給付を用いて、極端な所得格差を是正することをいう。

4　政府の収入を歳入、支出を歳出といい、歳入・歳出のうち、政府の一般的な活動にあてる部分を一般会計、特定の事業にあてる部分を特別会計という。

5　所得税などで採用されている累進課税制度は、所得の多い人ほど税を多く負担させて公共事業を増やすなど、総需要を拡大させることで景気回復をはかる政策である。

解　説　　正解　**4**

1　✕　ビルトイン・スタビライザーとは、自動安定化装置のことをいい、累進課税制度や社会保障制度など制度として既に備わっており自動的に機能するものをいう。政府が行う人為的な裁量的財政政策はフィスカル・ポリシーである。

2　✕　ポリシー・ミックスとは、政策目標を達成するために、いくつかの政策（例えば、財政政策と金融政策など）を組み合わせて実施することをいう。

3　✕　資源配分機能とは、市場の失敗を補完するため、政府が公共財・サービスの供給を行うことなどである。所得格差を是正するのは、所得再分配機能である。

4　○

5　✕　累進課税制度は、高所得者から低所得者への所得再分配機能と景気の自動安定化装置であるビルトイン・スタビライザーの機能を併せ持つ。

我が国の地方財政に関する記述として、最も妥当なのはどれか。

1 「三位一体の改革」とは地方財政の立て直しと、地方分権の推進を目指して、地方交付税の見直し、国庫支出金の削減、機関委任事務の廃止の3つを同時に進めたものである。

2 地方債とは地方公共団体が財政上の理由で発行する公債で、地方債の発行は2006年度以降、国の許可制から国との事前協議制になった。

3 地方交付税とは、所得税・法人税・酒税等を財源にして国から地方公共団体に交付されるものである。地方交付税は使途が予め指定されて交付される。

4 国庫支出金とは国が補助率を定め交付するものである。国庫支出金は使途が定められておらず、地方公共団体が自主的に決定できる。

5 特定財源とは地方歳入のうち、地方税収など使途が定められている財源を指す。一方で地方債など使途が定められていない財源のことを一般財源と呼ぶ。

解 説　　正解　2　　　　　　　　TAC生の正答率 **38%**

1 ✕　機関委任事務の廃止ではなく、国から地方への税源移譲である。税源移譲とは、納税者（国民）が国へ納める税（国税）を減らし、都道府県や市町村に納める税（地方税）を増やすことで、国から地方へ税源を移すことである。

2 〇

3 ✕　地方交付税は、国税のうち、所得税、法人税、酒税、消費税の一定割合及び地方法人税の全額が国から地方に交付されるもので、使途が指定されない一般財源である。

4 ✕　国庫支出金は、国が地方に対して支出する負担金、委託費、特定の施策の奨励又は財政援助のための補助金等の総称で、使途が特定されている特定財源である。

5 ✕　使途が定められていない一般財源には、地方税、地方譲与税、地方特例交付金等、地方交付税などがある。一方、使途が定められている特定財源には、国庫支出金、地方債などがある。

地方公共団体の財政に関する記述として、最も妥当なのはどれか。

1 「3割自治」とは地方公共団体の自主財源が少ないことを意味し、自主財源の1つである地方税は、住民税・相続税・固定資産税などの直接税と不動産取得税・印紙税などの間接税からなる。

2 地方交付税は、国からその使途を特定されて地方公共団体に交付されるもので、各自治体は独自の事業に自主的に使用することができない。

3 国庫支出金は、国から地方公共団体に交付される補助金のことで、使途を特定されていない一般財源である。

4 2003年、地方政府が財政面でも自立した運営が行えるように、①国からの補助金の削減、②地方交付税（交付金）の見直し、③地方への税源移譲という、「三位一体の改革」と呼ばれる三つの改革が行われた。

5 2005年度に地方債の協議制度が廃止され、2006年度から地方債の発行に総務大臣や都道府県知事の同意が必要である許可制度に移行した。

解説　　正解　4

1 ✕　相続税は国税、不動産取得税は直接税である。

2 ✕　地方交付税は、使途が特定されない一般財源である。

3 ✕　国庫支出金は、国が使途を特定して交付する特定財源である。

4 ○

5 ✕　2005年度に許可制度が廃止され、2006年度から事前許可制度に移行した。

法律　政治　経済　社会　国語　英文法　英文　現代文　判断推理

次の記述中の空所A～Dに当てはまる語句の組合せとして、最も妥当なのはどれか。

　本年（編者注：2022年）6月、アメリカ合衆国の（　A　）に当たる連邦準備制度理事会は（　B　）で、（　C　）％の利上げを決めた。予想外に上昇した本年5月の消費者物価指数を受けて、前回の会合で実質的に予告していた引き上げ幅を上回り、27年7ヶ月ぶりの引き上げ幅となった。予想を上回る（　D　）を制御するためだが、世界経済への影響は大きい。

	A	B	C	D
1	中央銀行	連邦公開市場委員会	0.75	インフレーション
2	中央銀行	連邦公開市場委員会	0.25	デフレーション
3	連邦貯蓄金融機関	連邦公開市場委員会	0.25	インフレーション
4	連邦貯蓄金融機関	連邦取引委員会	0.75	デフレーション
5	連邦貯蓄金融機関	連邦取引委員会	0.5	インフレーション

解説　　正解　1

A　「中央銀行」が該当する。
　アメリカ合衆国では連邦準備制度の統括機関である連邦準備制度理事会（FRB）が中央銀行の任務を担っている。

B　「連邦公開市場委員会」が該当する。
　アメリカの金融政策の一つである公開市場操作の方針を決定する委員会。

C　「0.75」が該当する。
　フェデラルファンド（FF）金利の誘導目標について、0.75％～1.00％から1.50％～1.75％へ引き上げることを決定した。利上げ幅は1994年11月以来、27年7か月振りの大きさとなった。

D　「インフレーション」が該当する。
　世界経済への影響や景気後退の懸念もある中、消費者の生活を圧迫するインフレの抑制を優先した。

経済	経済活動と経済主体	2022年度 ❸ 教養 No.6

経済活動と経済主体に関する記述として、最も妥当なのはどれか。

1 資本主義経済は、主に消費活動を行う家計、主に生産活動を行う企業、両者の調整・再分配や独自の生産・消費活動を行う社会の3つの経済主体から成り立っており、これら3つの経済主体が相互に結びついて、生産・分配・支出の経済循環が行われる。

2 経済の状態は、ある時点での経済的な蓄積の水準であるフローと、一定期間における取り引きの量であるストックの2つの側面から判断される。

3 ストックの代表的な指標は、国内に居住する経済主体が保有する資産の残高を示す国富であり、国富は実物資産と海外への貸付残高である架空資産で構成される。

4 国内総所得（GDI）は、景気の状態や経済規程などを知るうえで、最も重要視される指標であり、一定期間内に国内で生み出された付加価値の合計を表している。

5 実物資産は、工場や機械などの生産設備、石油・天然ガスなどの地下資源、土地や漁場の経済的な価値の合計のことをいう。

解説　　正解　**5**

1 × 経済主体は、家計・企業・政府である。

2 × 一定期間における取り引きの量がフロー、ある時点での経済的な蓄積の水準がストックである。

3 × 国富はストックの指標であり、国内の実物資産（金融資産を除く）と対外純資産の合計である。

4 × 国内総所得（GDI）は、1年間に国内で新たに生み出された付加価値の合計である国内総生産（GDP）を所得（分配）面から捉えたもので雇用者所得や営業余剰などの合計である。

5 ○

我が国の株式会社に関するA～Dの記述の正誤の組合せとして、最も妥当なのはどれか。

A　株主は、会社が倒産した場合、出資額以上に会社の負債を弁済する義務がない。

B　2005年に成立した会社法により、株式会社の最低資本金の規定が撤廃された。

C　株式会社の意思決定機関は株主総会であり、株主１人につき１票の議決権を持つ。

D　株主は、会社の利益が上がった場合に、所有する株式数に応じて配当を受け取る権利を持つ。

	A	B	C	D
1	正	正	正	誤
2	正	正	誤	正
3	正	誤	正	正
4	誤	正	正	誤
5	誤	正	誤	正

解説　　正解　2

A　○　条文により正しい。株主の責任は、その有する株式の引受価額を限度とする（会社法104条）。したがって、会社が倒産しても、出資額以上に会社の負債を弁済する義務がない。

B　○　条文により正しい。2005年に成立し、2006年に施行された会社法によって資本金の下限規定がなくなり、資本金が１円でも会社を設立できるようになった。

C　✕　「株主１人につき１票の議決権を持つ」という部分が妥当でない。株主総会は、議決権を有する全ての株主によって構成される意思決定機関である。もっとも、株主は、株主総会において、原則として、その有する株式一株につき一個の議決権を有する（会社法308条１項、一株一議決権の原則）。

D　○　条文により正しい。株主は、その有する株式について、剰余金の配当を受ける権利を有する（会社法105条１項１号、453条）。

以上より、A－正、B－正、C－誤、D－正となり、正解は**2**となる。

消費者問題と消費者保護に関する記述として、最も妥当なのはどれか。

1 アメリカのルーズベルト大統領は、消費者の４つの権利として、①安全である権利、②知らされる権利、③選択できる権利、④意見が聞かれる権利、を示した。

2 消費者といえども契約を一方的に解約することはできないのが原則であるが、一定期間内であれば自由に契約を解除できる制度があり、これをネガティブ・オプションという。

3 過剰包装や使い捨て商品を見直し、資源のリサイクルや環境保護に配慮した消費者のことをグリーン・コンシューマーという。

4 カナダの経済学者ガルブレイスは、消費者の欲望は企業の宣伝や販売活動に依存しており、自律的でないことをデモンストレーション効果とよんだ。

5 注文していない商品を一方的に送りつけ、消費者が支払わなければならないと勘違いして支払うことをねらった商法をアポイントメントセールスという。

解説　　正解　**3**　　　　　　TAC生の正答率 **64%**

1 ✕ 消費者の４つの権利を示したのは、ルーズベルト大統領ではなくケネディ大統領である。

2 ✕ これは、クーリングオフに関する記述である。ネガティブ・オプションとは、注文していない商品を勝手に送り付けて、その人が断らなければ買ったものとみなして代金を一方的に請求する商法を指す。商品を受け取った日から14日間経過したとき、または引き取りを請求してから７日間経過した場合は処分可能だが、期間経過前に商品を使用したり消費したりした場合は、購入を承諾したものとみなされる。

3 〇 グリーン・コンシューマーを直訳すると、「緑の消費者」となる。例えば、世界各国で結成されている環境主義の政党「緑の党」に代表されるように、「緑」は環境保護に積極的な立場を表す色とされる。

4 ✕ これは、デモンストレーション効果ではなく依存効果に関する記述である。デモンストレーション効果は、アメリカの経済学者デューゼンベリーが提唱した概念であり、周りの消費行動に影響されて当事者の消費行動が変化する効果を指す。

5 ✕ これは、**2**で説明したネガティブ・オプションに関する記述である。それに対してアポイントメントセールスとは、例えば家に電話をかけて「景品が当たったので事務所まで取りに来てください」と呼び出して、事務所の中で消費者に高額な商品やサービスを契約させる商法を指す。そもそもアポイントメントとは、面会や会合の約束を指す言葉であることから、一方的に送りつける商法と名称がずれていると気づけるはずである。

法律　政治　経済　社会　国語　英文法　英文　現代文　判断推理

社会　　感染症

次の記述に当てはまる語句として、最も妥当なのはどれか。

昨年（編者注：2021年）11月、南アフリカから世界保健機関（WHO）に報告された新型コロナウイルスの変異株で、「懸念される変異株（VOC）」に指定された。ウイルス表面から突き出たスパイクたんぱく質の変異がこれまでで最も多く、感染力の強さが特徴である。

1 オミクロン株

2 アルファ株

3 ベータ株

4 ガンマ株

5 デルタ株

解 説　　**正解　1**　　　　　　　　　　TAC生の正答率　**86%**

1 ○ 南アフリカから報告されたこの変異ウイルスは、2021年11月にWHOによって「懸念される変異株（VOC）」として命名された。我が国の国立感染症研究所においても、懸念される変異株として位置づけている。なお、オミクロンはギリシャアルファベットの15番目の文字である。

2 ✕ アルファ株はWHOによって2020年12月にVOCとされた変異株である。しかし、その後の状況を踏まえて2022年3月にはかつて流行していたVOCと位置づけが変更されている。この変異株は最初にイギリスで検出された。

3 ✕ ベータ株は上述のアルファ株と同様に2020年12月にVOCとされた変異株であり、2022年3月にはこちらもかつて流行していたVOCへと位置づけを変えられている。この変異株は最初に南アフリカで検出された。

4 ✕ ガンマ株は2021年1月にWHOによってVOCとされた変異株で、2022年3月にかつて流行していたVOCとなったものである。この変異株は最初にブラジルで検出された。

5 ✕ デルタ株は2021年5月にWHOによってVOCとされた変異株で、2022年6月にかつて流行していたVOCとなったものである。この変異株は最初にインドで検出された。

次の記述に該当する語句として、最も妥当なのはどれか。

　企業や自治体が、温室効果ガス排出量削減をはじめとした環境の改善や気候変動対策などに調達資金の使途を絞って発行する環境債のことをいう。国内では、2014年に日本政策投資銀行が初めて発行し、2017年には東京都が自治体として初めて発行している。

1 グリーンボンド

2 グリーンロジスティクス

3 グリーンコンシューマー

4 プロジェクトファイナンス

5 ロードプライシング

解説　　**正解　1**

1 〇 記述はグリーンボンドの説明として妥当である。問題文の例のほかにも、その後金融機関や自治体など様々な主体によってこうした債券が発行されている。

2 ✕ グリーンロジスティクスとは、環境に配慮した物流を指す用語である。輸送の際のCO_2排出を減らす取組みのほか、輸送ネットワークやサプライチェーンの効率化によって走行距離自体の削減なども目指されている。

3 ✕ グリーンコンシューマーとは、環境を意識して行動する消費者を指す用語である。環境負荷の少ない商品を選択するなど、買い物を通じた環境問題への貢献が想定されている。

4 ✕ プロジェクトファイナンスとは、特定の事業（プロジェクト）を単位として行う資金調達の手法を指す用語である。当該事業によって生み出されるキャッシュフローが返済の原資となる。企業の信用力や担保に依存せずに、事業自体の有望性によって資金調達が可能であり、電力事業やインフラ整備など国内外の大型事業で利用されている。

5 ✕ ロードプライシングとは、特定の道路・地域・時間帯などを走行する自動車に対する課金を指す用語である。例えば、交通渋滞や大気汚染の著しい地域に適用することで状況の改善が期待される。2021年の東京五輪の際は、日中の渋滞緩和のため首都高速道路の通行料が上乗せされた。

総務省が発表した2022年の人口移動報告に関する記述として、最も妥当なのはどれか。

1　東京圏（東京、埼玉、千葉、神奈川の1都3県）に隣接する茨城県と山梨県では、2021年は東京圏から「転入超過」であったが、2022年は一転して「転出超過」となった。

2　東京23区では、2021年、2022年と「転入超過」が続いた。2022年の「転入超過数」は、過去最少だった2021年の約7倍となった。

3　東京都は、2021年は転出者が転入者を上回る「転出超過」だったが、2022年には転入者が転出者を上回る「転入超過」に戻った。新型コロナウイルス感染症の流行で一旦弱まった東京一極集中の傾向が再び強まっている。

4　2022年は、「転出超過数」が2021年と比較して最も拡大したのは広島県で、2番目は長野県であった。

5　名古屋圏（愛知、岐阜、三重の3県）と大阪圏（大阪、兵庫、京都、奈良の2府2県）では、2022年はいずれも「転入超過」だった。

解説　　正解　**1**　　TAC生の正答率 **11%**

1　○　新型コロナウイルス感染拡大に伴い、2021年は茨城県、山梨県、沖縄県において東京圏からの転入超過が見られた。これらの県は全て2022年には再び転出超過となっている。

2　×　東京23区（特別区）では2021年は「転入超過」ではなく初の転出超過となった。したがって、記述にある「転入超過数」での2022年との比較も不可能である。なお、2022年は転出超過に戻っている。

3　×　東京都は2021年も「転出超過」ではなく転入超過となっている。ただし、これは5,433人と過去最小規模での転入超過であった。

4　×　転出超過数が最も拡大したのは愛知県であった。広島県は転出超過数は1位だったが、2021年との比較での転出超過の拡大幅は愛知や岡山に次いで3位であった。また、長野県は2021年の転出超過から2022年は転入超過に転じている。

5　×　名古屋圏、大阪圏ともに2022年は転出超過であった。どちらの圏も転入超過ではなく転出超過が長期的に続いている。

次の記述に当てはまる語句として、最も妥当なのはどれか。

雇用の機会均等や、多様な働き方を指す言葉。人種や性別、年齢、学歴、障害の有無などを問わずに積極的に採用し、ライフスタイルに合った働き方を認めようという考え方をいう。

1 ワーク・ライフ・バランス

2 ワークシェアリング

3 ダイバーシティ

4 ワーケーション

5 コンプライアンス

解 説　　**正解　3**　　　　　　　　　　　TAC生の正答率 **35%**

1 ✕　ワーク・ライフ・バランスは「仕事と生活の調和」を指す語である。従来は前者に比重が置かれることが多かったが、近年は子育てや介護などの生活にかける時間も充実させることの重要性が強調されるようになっている。

2 ✕　ワークシェアリングは雇用の維持・創出を目指し仕事を分け合う（＝シェアする）ことを指す語である。雇用量が一定の場合、労働時間を短縮することによって、より多くの労働者を抱えることが可能となる。不況下においても雇用を維持したオランダの事例がよく知られている。

3 ◯　ダイバーシティは「多様な人材」とも訳される。背景として、女性・高齢者・外国人など様々な属性を持つ人々の労働参加の増加によって、競争力強化や人手不足の解消が必要とされている事情がある。なお、一般的に「多様性」を指す語として用いられることもある。

4 ✕　ワーケーションは職場や自宅と異なる滞在先で仕事をこなすことを指す、ワークとバケーションを組み合わせた造語である。テレワークの普及拡大に伴い、こうした労働と余暇の新たな形態が注目されるようになった。

5 ✕　コンプライアンスは企業などの「法令遵守」を指す語である。広い意味では法律や規則に限らず、社会規範・マナーなども含まれる。こうしたルールを守る経営は「コンプライアンス経営」と呼ばれており、違反によって社会的信用を損なわないよう取組が進められている。

法律　政治　経済　社会　国語　英文法　英文　現代文　判断推理

社会	社会保障	2022年度 ❶ 教養 No.6

我が国の社会保障に関する記述として、最も妥当なのはどれか。

1 我が国の社会保障制度は、租税と社会保険料の両方を財源にしており、社会保険、公的扶助、社会福祉の3つの種類にわけられる。

2 すべての国民が、何らかの健康保険と年金保険に加入していることを国民皆保険・皆年金というが、我が国では、いまだ実現できていない。

3 社会保険は、医療、年金、雇用、労災、介護の5種類からなり、費用は、被保険者と事業主のみが負担する。

4 公的扶助は、生活に困窮している国民に対し、国が責任をもって健康で文化的な最低限度の生活を保障するもので、費用は税金でまかなわれる。

5 社会福祉とは、国民の健康の維持・増進を図ることを目的に、感染症予防、母子保健、公害対策など幅広い範囲にわたり、保健所を中心に組織的な取組を行うものである。

解説　　正解　4　　TAC生の正答率 72%

1 ✕　社会保障は3つではなく、一般に4つに分類される。具体的には、選択肢にある社会保険、公的扶助、社会福祉のほかに公衆衛生が含まれており、これらが「社会保障の4つの柱」と呼ばれている。

2 ✕　国民皆保険・皆年金は、すでに1961年に実現している。これは同年に国民健康保険および国民年金の両制度が本格的に始まったことによる。なお、それ以前の1950年代には農業従事者や零細企業の従業員など、多くの無保険者が存在していた。

3 ✕　「費用は、被保険者と事業主のみが負担する」という点が誤り。社会保険の費用は被保険者や事業主が負担する保険料だけで賄われているわけではない。例えば、基礎年金の給付費用の2分の1は国庫負担となっている。

4 ◯　公的扶助の説明として妥当である。労働者や事業主といった加入者が保険料を納めている社会保険と異なり、費用は税金によって賄われる（ただし、**3**の解説の通り、社会保険の財源には保険料だけでなく税金等の国庫負担も含まれる）。日本の公的扶助の典型例は生活保護制度である。

5 ✕　これは、社会福祉ではなく公衆衛生の説明である。社会福祉は様々な意味で用いられる多義的な概念だが、「社会保障の4つの柱」の1つとしての狭義の内容では、高齢者、障害者、母子家庭など社会的な立場が弱い人々に対する支援やそのための仕組みのことを指す。

次の記述に当てはまる制度の名称として、最も妥当なのはどれか。

本年（編者注：2023年）10月1日から消費税の仕入れ税額控除の方式として導入される制度。新制度の下では、事業者が、商品やサービスの買い手から受け取った消費税を納める際に、既に仕入れ業者に払った消費税の分を差し引くために、仕入れ業者から登録番号や品目ごとの税率（8％若しくは10％）など必要事項が記載された請求書の交付を受ける必要がある。

1 ベーシックインカム制度

2 インカムゲイン制度

3 インボイス制度

4 ステークホルダー制度

5 タックスフリー制度

解説　　正解　3

1 ✕ ベーシックインカムとは、就労や資産の有無にかかわらず、すべての個人に対して最低限の所得保障を現金給付で行う制度を指す。受給資格に条件がなく、個人単位で給付が行われる点に特徴がある。

2 ✕ インカムゲインとは、株式や債券などの資産を所有していることから生じる配当や利子を指し、資産価値の上昇による差益であるキャピタルゲインと対となる用語である。

3 〇 なお、インボイスとはこの制度において発行される適格請求書のことを指す。

4 ✕ ステークホルダーとは、広く利害関係者を指す用語である。例えば、企業に対しての株主、消費者、従業員、取引先、地域社会などが挙げられる。

5 ✕ タックスフリーとは、一般に税の免除や非課税を指し、特に観光客などの国外居住者に向けた消費税の免税店に関して使われる用語である。これに対し、関税の免除はデューティフリーと呼ばれる。

法律　政治　経済　社会　国語　英文法　英文　現代文　判断推理

次の記述に当てはまる語句として、最も妥当なのはどれか。

各地方自治体が独自にシステムを開発・運用、管理してきた住民情報をインターネットを通じて共通利用できるようにする国・地方自治体共通の情報システム基盤の呼称。住民基本台帳や国民年金など20分野の業務を対象に、国や地方自治体の基幹業務システムを標準化する取組が進められ、地方自治体のシステムを原則、2025年度までに移行することを目指している。

1 デジタルアーカイブ

2 ガバメントクラウド

3 データポータビリティ

4 データセンター

5 インフラストラクチャー

解説　**正解　2**

1　×　デジタルアーカイブとは、主に有形・無形の文化財をデジタル情報として記録・保存・提供する試みを指す用語である。この語は社会の情報化が急速に進んだ1990年代より使われ始め、博物館、図書館、公文書館、大学など様々な主体が担い手となり取組が進められている。

2　○　クラウドサービスの利点を活用し、「迅速、柔軟、かつセキュアでコスト効率の高いシステムを構築可能とし、利用者にとって利便性の高いサービスをいち早く提供し改善していく」ことが目指されている。

3　×　データポータビリティとは、個人が政府や企業に提供したデータを管理し「持ち運ぶ」ことができることを指す用語である。EUは個人情報保護に関する一般データ保護規則（GDPR）において個人のデータポータビリティの権利を設定している。

4　×　データセンターとは、サーバーやネットワーク機器を設置するために作られる施設のことを指す。クラウドサービスと比べ、迅速な復旧や専用回線による大容量・高速通信が可能となる点にメリットがあるとされる。

5　×　インフラストラクチャーとは、「基盤」や「下部構造」を指す語である。「インフラ」と略され、産業や生活を支える施設等を指す際に用いられることも多い。交通、電気、水道などの物理的環境のほか、制度やサービスに対して使われることもある（「法的インフラ」など）。

昨年（編者注：2023年）12月、ホテルや旅館が迷惑客の宿泊を拒めることを定めた改正旅館業法（生活衛生関係営業等の事業活動の継続に資する環境の整備を図るための旅館業法等の一部を改正する法律）が施行されたが、宿泊拒否事由に関する記述として、最も妥当なのはどれか。

1 宿泊拒否事由の見直しがなされたが、「宿泊しようとする者が伝染性の疾病にかかっていると明らかに認められるとき」については、要件として明確なことから、改正されなかった。

2 宿泊しようとする者が、新型コロナウイルス感染症の患者であるときは、宿泊拒否事由に該当する。

3 改正旅館業法には、新たに客からの従業員に対する過度な要求やクレームへの対応が盛り込まれたが、障害者の宿泊に関する要求は、求める内容如何にかかわらず宿泊拒否事由から除外される。

4 宿泊しようとする者が、ホテルや旅館の従業員に過度な負担を強いて、他の宿泊者へのサービス提供を阻害するおそれがある要求を行えば、ただちに宿泊を拒否できる。

5 自身の泊まる部屋の上下左右の部屋に宿泊客を入れないことを繰り返し求める行為や土下座など社会的相当性を欠く方法による謝罪を繰り返し求める行為は宿泊拒否事由となる。

解説　　正解　**5**

1 ✕ 従来の条文では「伝染性の疾病」の具体的な範囲が明確ではなかったことから見直され、「特定感染症の患者等」と改められた。

2 ✕ 新型コロナウイルス感染症は、2023年5月より五類感染症に移行したため、改正旅館業法における特定感染症には該当していない。

3 ✕ 社会の中にある障壁（バリア）の除去を求める場合など、障害を理由とした宿泊拒否は認められないが、あらゆる要求が宿泊拒否事由から除外されるわけではない。

4 ✕ ただちに宿泊が拒否できるわけではない。今回の改正法では、いわゆるカスタマーハラスメントへの対策として、営業者の過重な負担となる要求が「繰り返される」場合、宿泊拒否事由として認められることとなった。

5 〇 これらのような要求が繰り返された場合、「特定要求行為」として宿泊拒否が可能となる。

社会　近年の法改正

本年（編者注：2023年）5月に成立した改正刑事訴訟法に関する記述として、最も妥当なのはどれか。

1　被告人を保釈する際、海外逃亡や国内での所在不明を防止するため、法務省が必要と認めた場合はGPS端末の装着を命令することができる。

2　被告人の位置情報を常時確認し、空港・港湾施設の周辺といった「所在禁止区域」への立ち入りなどの事由の発生があった場合は、捜査機関が身柄を確保できるが、罰則までは設けられていない。

3　保釈中の被告人が、正当な理由がないのに公判期日に裁判に出頭しない場合に適用する「未出頭罪」や、裁判所の許可を得ずに保釈時に定められた住居に帰らない者を処罰する「制限住居離脱罪」を新設し、違反した場合にはいずれも1年以下の拘禁刑となる。

4　裁判所が被告人の親族らを監督者に選任して、「監督保証金」を納めさせ、被告人が逃亡した場合は保釈保証金と共に没収する「監督者制度」が導入された。

5　性犯罪の被害者など、裁判官や検察官が保護する必要があると判断した場合、再被害防止を目的として、加害者に被害者の氏名や住所が記載された逮捕状や起訴状を直接示さずに刑事手続きを進められるようになった。

解説　　正解　**4**

1　✕　2023年5月成立の改正刑事訴訟法では、法務省ではなく、裁判所が認めた場合にGPS端末の装着を命令することができるとされた。

2　✕　位置測定端末装着命令を受けた者が正当な理由が無く所在禁止区域に所在する場合、1年以下の拘禁刑が科される。

3　✕　今回の改正によって新設された「未出頭罪」および「制限住居離脱罪」はいずれも2年以下の拘禁刑とされた。

4　◯　選任された監督者には、被告人の逃亡防止や公判期日への出頭確保のための監督を行う法的義務が課され、違反した場合には納付した監督保証金が没収されることになる。

5　✕　今回の改正法では、検察官又は司法警察員が必要と判断した場合、裁判官に対し氏名等の記載がない逮捕状等の交付を請求できるとされている。

　本年（編者注：2022年）5月に成立した「困難女性支援法（困難な問題を抱える女性への支援に関する法律）」の説明として、最も妥当なのはどれか。

1　「困難女性支援法」では、「売春防止法」に基づく「婦人相談所」の名称を引き続き使用し、女性の立場に合わせた相談や一時保護を行い、医学・心理学的に援助する。

2　「困難女性支援法」は、DV（ドメスティックバイオレンス）や性被害、生活困窮に直面する女性への支援を強化する法律である。

3　「売春防止法」第二章の「刑事処分」を同法から切り離し、「困難女性支援法」に組み込むことで、人権が尊重され、安心して、かつ自立して暮らせる社会の実現を目指している。

4　「困難女性支援法」では、女性の福祉増進や人権擁護を目的として、都道府県は基本方針を定め、市町村は基本方針に則して基本計画を定めなければならないとしている。

5　「売春防止法」で執行猶予処分を受けた女性を、「婦人補導院」へ収容する補導処分を「困難女性支援法」に組み込み、保護更生を図る。

解説　　正解　**2**

1　✕　「婦人相談所」は「女性相談支援センター」に名称が変更された。同法は女性支援の根拠法であった売春防止法の枠組みを刷新する目的があり、他にも「婦人相談員」、「婦人保護施設」がそれぞれ「女性相談支援員」、「女性自立支援施設」に改称されている。

2　○　これらの様々な困難な問題を抱える女性を支援する上で、旧来の売春防止法を根拠とする枠組みの限界が指摘され、新たな枠組みが求められたという背景がある。

3　✕　売春防止法から第2章（刑事処分）は切り離されていない。売春防止法の第1章と第2章が存続する一方、第3章（補導処分）や第4章（保護更生）は廃止あるいは一部が困難女性支援法に改称の上で組み込まれることとなった。

4　✕　基本方針は国が、基本計画は主に都道府県が定める。都道府県は特に女性支援事業の中核的な役割を果たすものと位置づけられている。なお、市町村には最も身近な相談先としての役割が割り当てられる（市町村の基本計画策定は努力義務とされる）。

5　✕　売春防止法の補導処分は廃止されることとなり、困難女性支援法には組み込まれていない。これにより、婦人補導院も廃止される運びとなった。

本年（編者注：2022年）４月に改正された法制等に関する記述として、最も妥当なのはどれか。

1　「改正育児・介護休業法」では、本人または配偶者が妊娠または出産した旨の申し出をした従業員に、育児休業制度等について提示することを企業に義務づけられたが、個別に休業取得についての意向確認を行うことまでは義務づけられていない。

2　「年金制度改正法」では、66歳から70歳までとなっていた老齢年金の繰下げ受給について、受給の上限年齢が75歳まで繰り下げられるようになった。

3　「賃上げ促進税制」では、中小企業において雇用者全体の給与支給増加額に対して最大25％の税額控除だったものが、最大30％に引き上げられた。

4　「改正女性活躍推進法」では、労働者301人以上の事業主に女性が活躍するための行動計画を策定・公表するように義務づけられたが、労働者101人以上300人以下の事業主には義務づけられていない。

5　「プラスチック資源循環法」では、指定された使い捨てプラスチック製品を無償で配布している小売店や飲食店などに提供する量の削減を求め、削減対策として指定された使い捨てプラスチック製品をすべて有償で提供することを義務づけられた。

解説　　**正解　2**　　　　　　　　　　　　　　　TAC生の正答率　**30%**

1　×　個別に休業取得についての意向確認を行うことが義務づけられたので誤り。2021年6月成立の育児介護休業法改正（2022年4月施行）では、妊娠・出産の申出をした労働者に対して事業主が個別に①育児休業制度を周知し、②休業取得の意向を確認することが義務づけられることとなった。

2　○　2020年5月成立の年金制度改正法の成立により、従来66歳から70歳までの範囲で認められていた繰下げ受給の幅が拡大され、75歳まで遅らせることが可能となった。老齢年金は原則65歳から受給開始だが、60歳からの繰上げ受給（ただし、早く受け取るため減額される）や66歳以降の繰下げ受給（この場合は増額）ができる。

3　×　最大30%ではなく、最大40%なので誤りである。従来の控除が給与増加額に対して最大25%だったという点は正しい。なお、上限までの控除を適用されるためには、給与支給の前年度比増加（2.5%以上）に加えて、教育訓練費の増加（10%以上）も必要となる。

4　×　労働者101人以上300人以下の事業所についても義務づけられたので誤り。女性活躍推進法は2015年に10年間の時限立法として成立した。当初は常時雇用する労働者が301人以上の企業のみに女性活躍のための行動計画の策定・届出および情報公表が義務づけられていたが、2020年の改正法成立によって2022年4月からは300人以下の企業についても拡大された。

5　×　すべて有償で提供することは義務づけられていないので誤り。2021年に成立したプラスチック資源循環法では、消費者に無償で提供されるフォークやスプーンなどの特定プラスチック使用製品の提供事業者に使用合理化の取組による排出抑制を求めているが、その手段まで指定されているわけではない。環境省は提供方法の工夫として、有償提供のほかに消費者に意思を確認することや繰り返しの使用を促すことを例示している。

2021年のノーベル物理学賞がプリンストン大学上席研究員眞鍋淑郎氏に授与されたが、授賞理由として、最も妥当なのはどれか。

1 地球温暖化を予測する地球気候モデルの開発

2 半導体におけるトンネル効果の実験的発見

3 ニュートリノが質量を持つことの証拠であるニュートリノ振動の発見

4 中間子の存在の予想

5 明るく省エネルギーの白色光源を可能にした効率的な青色発光ダイオードの発明

解説　　**正解　1**

1 ◯　2021年の眞鍋淑郎氏のノーベル物理学賞授賞理由として妥当である。ノーベル委員会は授賞理由として「現代の気候の研究の基礎となった」としている。

2 ✕　これは1973年の江崎玲於奈氏のノーベル物理学賞授賞理由である。

3 ✕　これは2002年の小柴昌俊氏のノーベル物理学賞授賞理由である。

4 ✕　これは1949年の湯川秀樹氏のノーベル物理学賞授賞理由である。

5 ✕　これは2014年の赤﨑勇氏・天野浩氏・中村修二氏のノーベル物理学賞授賞理由である。

次の記述に当てはまるものの名称として、最も妥当なのはどれか。

平安時代前期に唐へ渡った僧が残した文書類で、その僧の出自や僧侶の身分に関する文書、自筆の書状、入唐求法に際して発行された日唐の公文書などで構成され、唐代中国の法制度や交通制度を知ることのできる貴重な史料群とされる。2021年11月、ユネスコ（国際連合教育科学文化機関）の「世界の記憶」に登録を申請していたところ、本年（編者注：2023年）5月、第216回ユネスコ執行委員会の審議を経て、登録されることが決定した。

1 智証大師円珍関係文書典籍

2 浄土宗大本山増上寺三大蔵

3 建礼門院右京大夫集

4 正法眼蔵随聞記

5 大乗院寺社雑事記

解説　**正解　1**

1 ○　ユネスコ「世界の記憶」は世界的に重要な記録物への認識を高め、保存やアクセスを促進する目的で1992年より始められた事業である。日本からは2017年の「朝鮮通信使に関する記録」以来の登録となった。

2 ✕　浄土宗大本山増上寺三大蔵は、徳川家康が日本全国から収集し増上寺に寄進した、三部の木版印刷の大蔵経の総称である。「世界の記憶」に申請されていたものの、2023年の登録には至らず、2024－2025登録サイクルでの登録が目指されることとなった。

3 ✕　建礼門院右京大夫集は、高倉天皇の中宮建礼門院に仕えた右京大夫による私家集である。鎌倉時代の成立で、自叙伝的な歌日記の性格をもつ。

4 ✕　正法眼蔵随聞記は、曹洞宗の開祖道元の法話を弟子の懐奘が筆録した鎌倉時代の仏書である。道元が宋から帰朝し開いた山城深草の興聖寺において門下に語った修行の心得が記録されている。

5 ✕　大乗院寺社雑事記は、興福寺大乗院門跡尋尊による室町時代の日記。応仁・文明の乱前後の社会情勢、土一揆、世相などを描写した、室町中・末期の重要史料とされる。

社会 | 無形文化財

次に記述中の空所A～Dに当てはまる語句の組合せとして、最も妥当なのはどれか。

昨年（編者注：2021年）10月、文化審議会は、「改正文化財保護法」で新設した（　A　）無形文化財に「（　B　）」と「伝統的酒造り」を（　A　）するように（　C　）に答申した。（　A　）制度は、既存の（　D　）制度より基準を緩やかにし、継承が危ぶまれる地域の祭りや郷土料理などを幅広く保護していくとしている。

	A	B	C	D
1	登録	書道	文部科学大臣	指定
2	登録	能楽	文部科学大臣	指定
3	登録	書道	経済産業大臣	指定
4	指定	能楽	経済産業大臣	登録
5	指定	書道	文部科学大臣	登録

解説　　正解　1

A 「登録」が該当する。登録無形文化財は、従来の「指定」に加えて、無形文化財の保存と活用を一層進める目的で新しく設けられた制度である。

B 「書道」が該当する。無形文化財には従来「芸能」と「伝統工芸」の2分野が存在していたが、日本の伝統文化の多様性を踏まえ、新たに「生活文化」も登録の対象となった。書道はその生活文化としての登録である。

C 「文部科学大臣」が該当する。文化財保護は文部科学省の外局である文化庁の所掌事務である。

D 「指定」が該当する。Aの解説にもあるように、文化財は有形・無形ともに従来指定制度によって保護されてきた。1996年の文化財保護法改正により、それを補完し緩やかな保護を行う登録制度が有形文化財に初めて導入され、今回の法改正では無形文化財にもそれが拡大された形となる。

2020年、国連教育科学文化機関（ユネスコ）により登録された我が国の無形文化遺産の名称として、最も妥当なのはどれか。

1 来訪神：仮面・仮装の神々

2 百舌鳥・古市古墳群－古代日本の墳墓群－

3 和紙：日本の手漉和紙技術

4 長崎と天草地方の潜伏キリシタン関連遺産

5 伝統建築工匠の技：木造建造物を受け継ぐための伝統技術

解説　　正解　5　　　　　　　　　　　　　　　　TAC生の正答率 **53%**

1 **×**　これは、2009年に登録された「甑島のトシドン」を拡張して2018年に登録された無形文化遺産の名称である。「来訪神：仮面・仮装の神々」は、仮面・仮装の異形の姿をしたものが、「来訪神」として正月などに家々を訪れ、新たな年を迎えるに当たって怠け者を戒めたり、人々に幸や福をもたらしたりする年中行事のことであり、「男鹿のナマハゲ」など10件の「来訪神」行事により構成される。

2 **×**　これは、2019年に登録された世界文化遺産の名称である。「百舌鳥・古市古墳群」は、4世紀後半から5世紀後半にかけて築造され、墳長500m近くに達する前方後円墳から200m台の墳墓まで、大きさと形状に多様性を示す古墳により構成されている。

3 **×**　これは、2014年に登録された無形文化遺産の名称である。「和紙：日本の手漉和紙技術」は、石州半紙（島根県）、本美濃紙（岐阜県）、細川紙（埼玉県）によって構成される。

4 **×**　これは、2018年に登録された世界文化遺産の名称である。「長崎と天草地方の潜伏キリシタン関連遺産」は、原城跡・大浦天主堂や潜伏キリシタンの各集落などによって構成される。

5 **〇**　「伝統建築工匠の技」は、国の選定保存技術に選定されている17件の伝統建築技術により構成される。

次の記述に当てはまる会議の名称として、最も妥当なのはどれか。

　非営利団体の世界経済フォーラムが毎年1月ごろに開く年次総会であり、世界から経営者、政治家、学者らが集まり、経済や環境、テロ、貧困など地球規模の問題解決に向け話し合う。本年（編著注：2020年）1月の会議では、複数のセッションで環境がテーマになり温暖化対策やプラスチックごみの問題などが議論された。

1　ミュンヘン安全保障会議

2　G20財務大臣・中央銀行総裁会議

3　アジア欧州会合

4　ダボス会議

5　国連気候変動枠組条約締約国会議

解説　　　**正解　4**　　　　　　　　　　　TAC生の正答率　**27%**

1　✕　ミュンヘン安全保障会議は民間主催の国際会議の一つであり、1962年から毎年開催されている。会議では各地域及びグローバルな安全保障問題について広く議論がなされているが、あくまで安全保障をメインテーマとした会議である。

2　✕　G20財務大臣・中央銀行総裁会議は、国際金融システム上重要な国々が、主要な国際経済問題について議論し世界経済の安定的かつ持続可能な成長の達成に向けて協力することを目的としたフォーラムで、1999年以降毎年開催されている。しかし、この場に集まるのは、経営者・政治家・学者ではなく、各国財務大臣・財務大臣代理・中央銀行総裁、IMFや世界銀行等の国際金融機関の代表である。

3　✕　アジア欧州会合は、合計51か国と2機関によって構成されている会合であり、1996年から実施されている。しかし、これは各国の首脳レベルが集まる会合である。

4　◯　なお、新型コロナウイルス感染症の感染拡大の影響により、2021年1月に予定されていた会議は、夏季への延期が決定されている。

5　✕　国連気候変動枠組条約締結国会議は、その名の通り、非営利団体の世界経済フォーラムではなく、国連が主催している会議である。

次の記述中の空所 A ～ E に当てはまる語句の組合せとして、最も妥当なのはどれか。

　昨年（編者注：2023年）8 月、（　A　）の無人探査機が同国初の月面着陸に成功した。月面着陸に成功した国は（　B　）カ国目となったが、水資源の存在が有望視される月の（　C　）付近への着陸は世界初であった。日本では、昨年 9 月に宇宙航空研究開発機構（JAXA）が開発した月探査機「（　D　）」を搭載した「（　E　）」ロケットが日本初の月面着陸を目指し、打ち上げられた。

	A	B	C	D	E
1	インド	4	南極	SLIM	H2A
2	カナダ	5	南極	SLIM	H3
3	中国	4	北極	SELENE	H2A
4	フランス	5	北極	SELENE	H3
5	イスラエル	5	南極	OMOTENASHI	H2A

解説　　正解　1

A　「インド」が該当する。同国の無人探査機「チャンドラヤーン 3 号」が2023年 8 月23日に月面着陸に成功した。

B　「4」が該当する。月面への軟着陸は旧ソ連、アメリカ、中国に続く 4 か国目となった。

C　「南極」が該当する。月の南極付近は水が氷の状態で存在する可能性が指摘されており、同地への着陸成功は世界で初めてであった。

D　「SLIM」が該当する。小型・軽量の探査機であるSLIM（Smart Lander for Investigating Moon）は月への高精度着陸技術の実証や探査の高頻度化を目指し打ち上げられ、その後2024年 1 月に世界初のピンポイント着陸に成功した（5 か国目）。

E　「H2A」が該当する。同ロケットは信頼性の高い大型主力ロケットとして2001年より運用が開始された。なお、日本では新たな基幹ロケットとしてH3ロケットが開発され、2024年 2 月には試作 2 号機の打ち上げに成功している。

　以上の組合せにより、**1** が正解となる。

社会 | 科学技術

次の記述に当てはまる電池の名称として、最も妥当なのはどれか。

　陽極と陰極間を無機系固体電解質のみが担う電池のこと。固体電解質の耐熱性の高さや電気化学的安定性から液体電解質では使えなかった高性能な電極材料も使うことが可能となる。日本のメーカーは自動車向けに開発する小型で高出力な次世代電池としてバイク向けの活用を模索しており、実現すれば、充電した電池を交換する不便さを解消し、電気自動車のように自宅などで充電できるようになり普及のきっかけとなる。

1 全固体電池

2 リン酸形燃料電池

3 レドックス・フロー電池

4 リチウムイオン電池

5 酸化銀電池

解説　　**正解　1**

1 ○　記述は全固体電池の説明として妥当である。2023年現在、バイク向けの活用の他にEV（電気自動車）への実用化も進められている。

2 ×　リン酸形燃料電池とは、燃料電池の電解質にリン酸水溶液を用いたものである。様々な燃料電池の方式の中で最も実績が長く、1980年代から実用化されている。

3 ×　レドックス・フロー電池とは、蓄電池の一種で、イオンの酸化還元反応を利用して充電や放電を行うものである（レドックスとは酸化と還元の省略語）。寿命の長さや安全性の高さなどに特長があると言われる。

4 ×　リチウムイオン電池とは、リチウムを用いた充電式の電池（二次電池）であり、大容量の電気を蓄えつつ小型化や軽量化が可能な点で利便性が高い。ノートパソコンやスマートフォンなどに用いられている。

5 ×　酸化銀電池とは、酸化銀を正極に使用した小型の一次電池で、大容量と安定した電圧に特長がある。医療器具や精密機器など、幅広い用途で使用されている。

社会　　人工知能

次の記述に当てはまる語句として、最も妥当なのはどれか。

　アメリカ合衆国の発明家レイ・カーツワイル氏が提唱した未来予測の概念であり、日本語で「技術的特異点」と訳され、「AIが人類の知性を上回る時点」を意味する。

1　ディープラーニング

2　シンギュラリティ

3　ターニングポイント

4　インテグリティ

5　ユビキタス

解説　　正解　**2**　　　　　TAC生の正答率　**31%**

1　**✕**　ディープラーニング（深層学習）とは、多数の層から成るニューラルネットワークを用いて、人間の学習に相当する仕組みをコンピューター等で実現する手法のことである。

2　**○**　1のディープラーニングの発達によりAIの学習能力が向上して利用範囲の拡大が期待されている一方で、シンギュラリティに警戒する議論もある。

3　**✕**　ターニングポイントとは、転換点・分岐点を意味する一般的な言葉であり、AIについての特別な専門用語としては用いられていない。

4　**✕**　インテグリティとは、一般性・誠実性・高潔性・完全性・全体性を意味する言葉である。情報処理の分野ではデータ・インテグリティ（データ完全性）で用いられることはあるが、AIについての特別な専門用語としては用いられていない。

5　**✕**　ユビキタスとは、「いたるところに遍在する」という意味のラテン語に由来した言葉である。情報通信の分野ではユビキタス・ネットワーク（有線・無線通信等を用いることで「いつでも、どこでも、何でも、誰でも」アクセスが可能なネットワーク環境）で用いられることはあるが、AIについての特別な専門用語としては用いられていない。

次に記述中の空所に当てはまる語句として、最も妥当なのはどれか。

（　　　　）とは、狩猟社会、農耕社会、工業社会、情報社会に続く、新たな社会を指すもので、サイバー空間（仮想空間）とフィジカル空間（現実空間）を高度に融合させたシステムにより、経済発展と社会的課題の解決を両立する、人間中心の社会である。

1 FinTech

2 IoT

3 SaaS

4 SDGs

5 Society5.0

解説　　**正解　5**　　　　TAC生の正答率　**61%**

1 ✕　FinTech（フィンテック）とは、金融（Finance）と技術（Technology）を組み合わせた造語で、金融サービスと情報技術を結びつけたさまざまな革新的な動きを指す。

2 ✕　IoTは、Internet of Thingsの略で、「様々な物がインターネットにつながること」、「インターネットにつながる様々な物」を指す。

3 ✕　SaaS（Software as a Service）とは、特定及び不特定ユーザが必要とするシステム機能を、ネットワークを通じて提供するサービス、あるいはそうしたサービスを提供するビジネスモデルのことであり、ASP（Application Service Provider）とも呼ばれる。

4 ✕　SDGsは、「持続可能な開発目標（Sustainable Development Goals）」の略称で、2001年に策定されたミレニアム開発目標（MDGs）の後継として、2015年9月の国連サミットで採択された「持続可能な開発のための2030アジェンダ」で記載された2030年までに持続可能でよりよい世界を目指す国際目標である。

5 〇　Industry4.0（第4次産業革命）と混同しないようにしよう。

次に記述中の空所A～Eに当てはまる語句の組合せとして、最も妥当なのはどれか。

　本年（編者注：2022年）4月、東京証券取引所は、これまでの5つの市場を3つの新たな市場に再編した。新たな市場は、グローバルな投資家との建設的な対話を中心に据えた企業向けの（　A　）市場、公開された市場における投資対象として十分な流動性とガバナンス水準を備えた企業向けの（　B　）市場、高い成長可能性を有する企業向けの（　C　）市場に分けられた。

　新規上場基準と上場維持基準は原則として共通になり、主な基準は、流通株式時価総額が（　A　）市場では、（　D　）以上、（　B　）市場では（　E　）以上、（　C　）市場では5億円以上となった。

	A	B	C	D	E
1	グロース	スタンダード	プライム	50億円	25億円
2	グロース	プライム	スタンダード	100億円	25億円
3	スタンダード	プライム	グロース	50億円	10億円
4	プライム	グロース	スタンダード	50億円	10億円
5	プライム	スタンダード	グロース	100億円	10億円

解説　　**正解　5**　　TAC生の正答率　43%

　2022年4月、東京証券取引所は、旧来の1部、2部、マザーズ、ジャスダックの4つの市場区分を「プライム」、「スタンダード」、「グロース」の3市場に再編した。

　上場基準の項目には、流動性やガバナンス、経営成績などがあるが、そのうち、流動性について、流通株式時価総額でプライム市場が100億円以上、スタンダード市場が10億円以上、グロース市場が5億円以上が基準となっている。

法律　政治　経済　社会　国語　英文法　英文　現代文　判断推理

社会　広告規制

いわゆる「ステルスマーケティング」の規制に関する記述として、最も妥当なのはどれか。

1　本年（編者注：2023年）3月、「ステルスマーケティング」は、公正取引委員会が所管する不当景品類及び不当表示防止法に不当な表示として追加され、本年10月から規制が始まることになった。

2　実際は事業者の広告であるのに、SNSで影響力のあるインフルエンサーなど第三者に依頼して、商品やサービスについての感想や意見のように見せかけて商品等を推奨する内容の投稿をさせる行為は「ステルスマーケティング」に該当するが、事業者が一般消費者になりすまして自らの商品等について感想を述べるような場合は該当しない。

3　規制の目的は、事業者による不当表示を禁止することによって、事業者間の競争の公正性を確保することにある。

4　事業者が「一般消費者が事業者の表示であることを判別することが困難である表示」に該当する不当表示をした場合には、直ちに刑事罰の対象となる。

5　規制は、不当景品類及び不当表示防止法の法律改正によって導入されるものではなく、内閣総理大臣によって告示として指定されるものである。

解説　正解 **5**　　TAC生の正答率　3%

1　✕　不当景品類及び不当表示防止法（景品表示法、景表法）の所管は消費者庁である。同庁は消費者行政を一元化する狙いで設置された機関で、景表法など消費者に身近な問題を扱う法律などが移管された。ステルスマーケティングが不当な表示に追加されたという点は正しい。

2　✕　ステルスマーケティングには、事業者が一般消費者になりすまして感想を述べる場合も含まれている。インフルエンサーなどの第三者への依頼に限らず、消費者が実際には事業者の表示（企業による商品のPR）であることが分からない点が問題とされた。

3　✕　規制の目的は事業者間の競争の公正性の確保ではなく、消費者の商品選択における自主的かつ合理的な選択を阻害させないことにある。たとえば、企業による宣伝であることが明確であれば、消費者は商品の良い情報が強調されているだろうと判断することが可能となる。

4　✕　「直ちに刑事罰の対象」とはならない。景品表示法に違反した場合、まずは措置命令が出され、それに応じない場合などに課徴金納付命令が課されることになる。なお、課徴金は行政罰であり刑事罰とは異なるものである。

5　○　法改正ではなく、告示として不当表示に指定・追加された（令和5年内閣府告示第19号）。

次の記述に該当する語句として、最も妥当なのはどれか。

　商品やサービスに関するインターネット広告のうち、記事などのサイト形式で紹介する種類を指す。主に口コミを交えた商品レビューなどの手法がある。掲載期間などによって報酬を受け取る形式の広告とは異なり、広告の制作者が広告を通じた消費者の購買行動などの成果に沿って対価を得る仕組みである。

1 フラッシュマーケティング

2 デジタルサイネージ広告

3 アフィリエイト広告

4 マーケットセグメンテーション

5 ジオターゲティング広告

解説　　正解　3

1　✕　フラッシュマーケティングはWebマーケティング手法の1つで、期間限定で使用可能な割引率の高いクーポンを発行するなどして短時間に販売数を増やすものである。設定された最低販売数を超えた場合のみ実際に商品が販売される形式が多い。

2　✕　デジタルサイネージ広告は商業施設や駅などに設置される「電子看板」(デジタルサイネージ)を利用した広告を指す。ポスターなどの紙媒体とは異なり、広告差し替えの手間が少なく、時間帯で表示される広告を変えるといった柔軟な宣伝が可能となる。

3　○　アフィリエイトは「提携」を指す語であり、例えばWebページ制作者が商品やサービスを紹介することによって、通販サイト等を通して購買行動に繋がった場合に広告主から対価を得ることができる。

4　✕　マーケットセグメンテーションは市場の細分化を指す語である。多様なニーズに全て応えるのではなく、同質のニーズを持った集団にマーケットを分割し、適切なマーケティングを行う。米GM社が用いた戦略としても知られている。

5　✕　ジオターゲティング広告は位置情報を把握して行うマーケティングを指す語である。GPS、Bluetooth、Wi-Fiなどから取得した情報を用いてターゲットとなる層を絞ることで、より効果的に情報発信を行うことが狙いとなる。

法律　政治　経済　社会　国語　英文法　英文　現代文　判断推理

　昨年（編者注：2022年）9月、キャッシュレス口座を提供するいわゆるフィンテック企業に対して、銀行間の送金システム「全国銀行データ通信システム」への加盟を解禁すると全国銀行協会が正式に発表した。「全国銀行データ通信システム」に関する説明として、最も妥当なのはどれか。

1　加盟銀行は、1件1000万円以上の取引は取引ごとに、1000万円未満の取引は受取額と支払額の差額をまとめて毎日決済しているが、決済資金の不払いが発生しても為替取引に影響が出ないように、受取額から支払額を差し引いた「仕向超過額」の限度額をシステム上で管理している。

2　「全国銀行データ通信システム」は、昭和48年4月に発足したオンラインのデータ通信システムで、都市銀行といわれる一部の預金取扱金融機関のみが参加しており、平成30年10月9日から年末年始及び土日祝日を除き24時間稼働している。

3　全国銀行協会は、「全国銀行データ通信システム」への従来の接続方法に加え、フィンテック企業が参加しやすくなるよう新たな接続仕様を構築し、政府は、フィンテック企業が提供する口座に給与を直接振り込む「デジタル払い」を解禁する。

4　金融庁はフィンテック企業が「全国銀行データ通信システム」に接続できるよう業務方法書を改正し、本年中をめどに認可する。早ければ令和6年に、都市銀行に口座を開設することなどの条件で接続が可能となる。

5　「全国銀行データ通信システム」を運営するためのコストは、各銀行が支払うことなく全国銀行協会が負担してきたが、フィンテック企業が参加することで、システムのコストアップが予想され、全国銀行協会の負担増をどう対処するかが課題となっている。

解説　　**正解　3**

1　✕　1,000万円ではなく、1件1億円以上／未満の取引を基準に決済方法が分かれている。また、支払額から受取額を差し引いた額が仕向超過額である。

2　✕　全国銀行データ通信システムには国内のほとんどの預金取扱金融機関が参加している。また、2018年からは年末年始・土日祝日を含めて24時間365日稼働しているため、後半の内容も誤りとなる。

3　〇　全国銀行協会はフィンテック企業（資金移動業者）から要望のあったAPIを活用した接続方式（APIゲートウェイ）を構築する方針としている。加えて、政府は2023年4月より給与のデジタル払いを解禁した。

4　✕　業務方法書は全国銀行協会傘下の全国銀行資金決済ネットワークが改正したものである（なお、金融庁は「事務ガイドライン」の一部改正を行っている）。また、フィンテック企業は都市銀行に口座を開設する条件を課されていない。

5　✕　全国銀行データ通信システムのコストは加盟している各銀行によって分担されている。また、フィンテック企業の参加に伴い新たな接続方式が検討されており、コスト軽減に繋がることが期待されている。

次のことわざとその意味の組合せとして、最も妥当なのはどれか。

1 庇（ひさし）を貸して母屋を取られる ― 恩を仇で返されること

2 釈迦（しゃか）に説法 ― つまらないことまで、いちいち干渉すること

3 船頭多くして船山に上る ― 権力のある者には従う方がよいこと

4 生兵法は大怪我のもと ― 2種類の仕事を1人で兼ねて失敗すること

5 蝸牛（かぎゅう）角上の争い ― 目立つ者はとかく他に憎まれること

解 説　　**正解　1**　　　　　　　TAC生の正答率　**75%**

1 ○

2 ×　「釈迦に説法」とは、未熟な者がその道の専門家に向かって物事を教えようとすることを意味する。

3 ×　「船頭多くして船山に上る」とは、指図する人が多すぎると混乱して物事がうまく進まず、見当違いの方向に進んでしまうことを意味する。

4 ×　「生兵法は大怪我のもと」とは、十分に身についていない知識や技術に頼ると大きな失敗をすることを意味する。

5 ×　「蝸牛角上の争い」とは、狭い世界での争い、つまらぬことで争うことを意味する。

次のことわざとその意味の組合せとして、最も妥当なのはどれか。

1 枯れ木も山のにぎわい ― 小さな話を誇張して話して回ること

2 月夜に提灯 ― 不必要なことのたとえ

3 餅は餅屋 ― 専門以外のことに手を出すと失敗すること

4 肝胆相照らす ― 互いに警戒しているさま
<small>かんたんあい て</small>

5 寄らば大樹の陰 ― 知恵を集めて、問題を解決しようと努めること

解 説　正解　2

1 ✕ 「枯れ木も山のにぎわい」とは、つまらないものでも、ないよりはましであるという意味である。

2 〇

3 ✕ 「餅は餅屋」とは、その道のことはやはり専門家に任せるのが一番であるという意味である。

4 ✕ 「肝胆相照らす」とは、互いに心の底を打ち明け合える間柄という意味である。

5 ✕ 「寄らば大樹の陰」とは、頼りにするのならば、大きな勢力のあるものを選ぶのが得策であるという意味である。

次の四字熟語と意味の組み合わせとして、最も妥当なのはどれか。

1 隔靴掻痒：思い通りに事が進んで快適であるということ。

2 有意転変：混乱してあちこち動き回ること。

3 夏炉冬扇：季節に応じた、役に立つもののたとえ。

4 傍若無人：大変礼儀正しいこと。

5 明鏡止水：かげりのない澄んだ心境のこと。

解 説　　正解　5

1 × 「隔靴掻痒（かっかそうよう）」は歯がゆくもどかしいこと。

2 × 「有為転変（ういてんぺん）」は世の中のものは常にうつりかわっているということ。

3 × 「夏炉冬扇（かろとうせん）」は時季外れで役に立たないこと。

4 × 「傍若無人（ぼうじゃくぶじん）」は勝手気ままに振る舞うこと。

5 ○ 「明鏡止水（めいきょうしすい）」はこの説明で正しい。

次のことわざ・慣用句とその意味の組合せとして、最も妥当なのはどれか。

1　朱に交われば赤くなる　　―　　人はつき合う仲間次第で良くも悪くもなること

2　弱り目にたたり目　　　　―　　黙って見過ごせないほどひどいこと

3　水を差す　　　　　　　　―　　十分用意して時期の来るのを待つこと

4　憎まれっ子世にはばかる　―　　正しい道理を説いても効き目がないこと

5　尻に火がつく　　　　　　―　　勢いあるものに一段と勢いをつけること

解 説　　**正解　1**

1　○

2　✕　「弱り目にたたり目」とは、困っているときに、さらに困難が重なることをいう。

3　✕　「水を差す」とは、仲の良い者同士や、うまくいっている事などに、脇から邪魔をすることをいう。

4　✕　「憎まれっ子世にはばかる」とは、人に憎まれるような人が、かえって世間で幅を利かせることをいう。

5　✕　「尻に火がつく」とは、事態が差し迫って、追い詰められた状態になることをいう。

国語 　慣用句

次の各慣用句とその意味の組合せとして、最も妥当なのはどれか。

1　虫も殺さぬ　―　非常に温厚であること

2　腰を据える　―　訪問して長居をすること

3　高をくくる　―　知らぬふりをして放っておくこと

4　しのぎを削る　―　相手の急所をおさえること

5　泡を食う　―　損な立場に立たされること

解説　正解　1　　TAC生の正答率　67%

1　〇　「虫も殺さぬ」とは、虫も殺せないほど大人しい様子を表す慣用句である。

2　×　「腰を据える」とは、落ち着いて物事に取り組む、ある場所に落ち着く様子を表す慣用句である。

3　×　「高をくくる」とは、大したことはないと見くびることを表す慣用句である。

4　×　「しのぎを削る」とは、激しく争うことを表す慣用句である。

5　×　「泡を食う」とは、驚き慌てる様子を表す慣用句である。

次の文における下線部の慣用表現が正しいものとして、最も妥当なのはどれか。

1 社長の御眼鏡にかなう。

2 事業に心血を傾ける。

3 寸暇を惜しまず勉強する。

4 天地天命に誓って偽りはない。

5 議論の構成を整えて堂々と論を展開することを、論戦を張るという。

解説　　正解　1　　　　TAC生の正答率 27%

1 ○ 「御眼鏡にかなう」とは、目上の人に認められたり、気に入られたりすることを意味する。

2 × 「心血を傾ける」ではなく「心血を注ぐ」が妥当である。「心血を注ぐ」とは、全身全霊で物事にあたることを意味する。

3 × 「寸暇を惜しまず」ではなく「寸暇を惜しんで」が妥当である。わずかな時間を大切にしてという意味である。「…を惜しまず」は、「努力を惜しまず」、「骨身を惜しまず」と表現する。

4 × 「天地天命」ではなく「天地神明」が妥当である。自身の言動に嘘偽りのないことを約束する表現である。

5 × 「論戦を張る」ではなく「論陣を張る」が妥当である。論理的に議論を展開することを意味する。

次の故事成語のうち、「上に立つ者の実力や権威を軽視し、その地位を奪おうとすること」を意味するものとして、最も妥当なのはどれか。

1　顧みて他を言う

2　鼎（かなえ）の軽重を問う

3　中原（ちゅうげん）に鹿を逐（お）う

4　病膏肓（こうこう）に入る

5　梁上の君子

解説　　**正解　2**

1　×　「顧みて他を言う」とは、問答に窮した者が、左右の者を顧みて、その場をごまかして言い逃れることをいう。

2　○　鼎とは煮炊きに用いる三本足の青銅器のこと。王をあなどって、帝王の位や権威の象徴とされた「九鼎」の軽重を尋ねたという故事に由来する。権威や実力を試されるという意味で、主に「鼎の軽重を問われる」の形で用いられる。

3　×　「中原に鹿を逐う」とは、ある地位や目的のものを得ようとして競争すること。中原は天下、鹿は帝王のたとえで、帝王の位や政権を得ようと多くの者が争うという故事に由来する。

4　×　「病膏肓に入る」とは、病気がひどくなり、治療のしようもない状態になること。「膏」も「肓」も、そこへ病気が入り込むと治療がしにくい所だとされる。

5　×　「梁上の君子」とは、盗賊のこと。ある人が、梁の上に盗賊が潜んでいることを知り、子どもや孫たちを呼んで、悪い習慣によって人は悪人になるものだということを説いたとき、その代表として泥棒のことを「梁の上の君子」といった故事に由来する。

次の故事成語とその意味の組合せとして、最も妥当なのはどれか。

1 尾生の信 — 無用の心配、取り越し苦労

2 滄桑の変 — 二者が争っているすきに第三者が利益を横取りする

3 洛陽の紙価貴し — 詩や文章の字句・内容をよく練り上げる

4 邯鄲の夢 — 人生と栄華のはかなさ

5 隗より始めよ — 立身出世するための関門

解 説 　　正解 **4**

1 ✕ 「尾生の信」とは、どのような事態に陥っても固く約束を守ること、または、融通が利かないことを指す。

2 ✕ 「滄桑の変」とは、広い桑畑が海に変わるという意味で、世の中の移り変わりが激しいことを指す。

3 ✕ 「洛陽の紙価貴し」とは、著書の評判が高く、飛ぶように売れることを指す。「洛陽の紙価を高める」ともいう。

4 〇

5 ✕ 「隗より始めよ」とは、事業を始めるにはまず身近なところから始めるべきこと、物事は言い出した者からはじめるべきであることを指す。

国語　故事成語

利益を独占することをたとえる故事成語として、最も妥当なのはどれか。

1　推敲 （すいこう）

2　墨守 （ぼくしゅ）

3　杞憂 （きゆう）

4　左袒 （さたん）

5　壟断 （ろうだん）

解説　正解　5

1　×　「推敲」とは、字句や文章を十分に吟味して練り直すことをいう。

2　×　「墨守」とは、自分の習慣や主張などを、かたく守って変えないことをいう。

3　×　「杞憂」とは、心配する必要のないことを、あれこれ心配することをいう。取り越し苦労ともいう。

4　×　「左袒」とは、味方する、賛成することをいう。

5　○　ある男が丘に登って市場を見渡し、自分の品物を売るのに都合のよい所を見つけて利益を独占したという故事に由来する。

次の外来語とその意味の組合せとして、最も妥当なのはどれか。

1 イニシアチブ　　―　主導権

2 クラスター　　　―　個人

3 ディレッタント　―　異国趣味

4 パラドックス　　―　順説

5 リテラシー　　　―　市場戦略

解 説　　正解　1

1 ○

2 ×　「クラスター」とは、ブドウの房を表す言葉で、そこから転じて同種のものや人の集まり、集団のことを意味する。コロナ禍では、感染経路が判明している小規模な患者の集団のことを指す言葉として使われた。

3 ×　「ディレッタント」とは、芸術や学問を趣味として愛好する人、好事家のこと。

4 ×　「パラドックス」とは、逆説のこと。一見すると、不合理であったり矛盾したりしていながら、よく考えると一種の真理であるような事柄や、それを言い表している表現のこと。

5 ×　「リテラシー」とは、読み書き能力、またはある分野に関する知識や判断力などを活用する能力のこと。

国語　外来語

次の外来語のうち「知的・風刺的で気のきいたことを言う能力」を表すものとして、最も妥当なのはどれか。

1 デカダンス

2 モダニズム

3 ウィット

4 レトリック

5 モチーフ

解説　正解　3

1 ✕ 「デカダンス」とは退廃的、虚無的という意味である。そのような生活態度を指すこともある。「不健全」、「堕落」なども類する語である。

2 ✕ 「モダニズム」とは現代的で新しい感覚や流行を好むことである。現代風ともいう。

3 〇

4 ✕ 「レトリック」とは修辞学という意味である。言葉を巧みに用いて美しく効果的に表現することや、その技術という意味である。

5 ✕ 「モチーフ」とは主題や主調という意味である。もとは「動機」を意味しており、芸術作品を作るにあたって作家を駆り立てる内的な衝動を指した。

次の外来語のうち「叙情精神。主観的感情をあふれでるままに直接的に表現する叙情的傾向」を意味するものとして、最も妥当なのはどれか。

1 シュールレアリスム

2 ペダンティック

3 マンネリズム

4 リリシズム

5 ナルシシズム

解 説 **正解 4** TAC生の正答率 **32%**

1 ✕ 「シュールレアリスム」とは、超現実主義という意味であり、日常を超えた、並外れたという意味合いを持つ。また、第一次世界大戦後の新たな芸術運動を指す。

2 ✕ 「ペダンティック」とは、衒学的という意味であり、むやみに難解な表現を用いて知識をひけらかすことをいう。

3 ✕ 「マンネリズム」とは、一定の形式が惰性的に繰り返され、新鮮さを失うことを意味する。「マンネリ」と用いられることが多い。

4 〇

5 ✕ 「ナルシシズム」とは、自己愛または自己陶酔、うぬぼれという意味である。

国語	外来語	2022年度 ❸ 教養 No.19

次の外来語とその言い換え語の組合せとして、最も妥当なのはどれか。

1 コンセプト　　―　　文脈

2 ア・プリオリ　―　　後天的

3 オプチミズム　―　　超現実主義

4 モノローグ　　―　　対話

5 カタルシス　　―　　浄化

解 説　　正解　5

1 ✕ 「コンセプト」は、「概念、発想、構想」という意味であり、ビジネスシーンでは「全体を通して一貫した基本的な方向性」という意味で用いられる言葉である。「文脈」に当てはまる表現は「コンテクスト」である。

2 ✕ 「ア・プリオリ」は「先天的」という意味である。「後天的」に当てはまる表現は「ア・ポステリオリ」である。

3 ✕ 「オプチミズム」は「楽天主義、楽観主義」という意味である。「超現実主義」に当てはまる表現は「シュルレアリスム」である。

4 ✕ 「モノローグ」は「独白」という意味である。「対話」に当てはまる表現は「ダイアローグ」である。

5 〇

英文法	英文法	2023年度 ❸ 教養 No.24

次の英文の、文法上の用法が正しいものとして、最も妥当なのはどれか。

1 My father said me good night.

2 I try to speak politely senior citizens.

3 Mr. Smith explained his students the process.

4 She told to me that I should see the doctor.

5 I talked my mother into buying me a bike.

解説　　正解　5

1 ✕　英文は「父が私に『おやすみ』と言った」という意味になると推測できる。「say」は口頭で何かを言うときに用いる動詞はであるが、「人に…と言う」とする場合は、「say ... to 人」となる。したがって、正しい英文は「My father said good night to me.」である。

2 ✕　英文は「私は高齢者には丁寧に話すようにしている」という意味になると推測できる。「speak」は人を目的語にとることはできないため、「to 人」の形で表す。したがって、正しい英文は「I try to speak politely to senior citizens.」である。

3 ✕　「explain」は「説明する」という意味の動詞で、目的語には説明する内容（話題）が置かれる。「人に物事を説明する」の場合は、「explain 物事 to 人」と表現する。したがって、「Mr. Smith explained the process to his students.（スミス氏は生徒たちにそのプロセスを説明した）」が正しい。

4 ✕　「tell 人 that ...」で「人に…ということを言う」という意味になる。「tell」は人を目的語にとれる（人の前にtoをつけない）動詞である。したがって、「She told me that I should see the doctor.（彼女は私に医者に診てもらうべきと言った）」が正しい。

5 ◯　「talk 人 into ...ing」で「人に…するよう説得する」という意味になる。英文の意味は「私は母に自転車を買うよう説得した」である。

次の英文の、文法上の用法が正しいものとして、最も妥当なのはどれか。

1 My father complained to me about my grades.

2 John got married my friend Ann last year.

3 I must apologize her for the delay.

4 You should consult with your dictionary for the spelling.

5 We hope your success in business.

解 説　　正解　**1**

1 ○　「complain to＋人」で「…に文句を言う」という意味になる。英文の意味は「父は私に成績のことで文句を言った」である。

2 ×　「get married to＋人」で「…と結婚する」という意味になる。したがって、「John got married to my friend Ann last year.」とするのが正しい。意味は「ジョンは昨年、私の親友のアンと結婚した」である。

3 ×　「apologize to＋人」で「…に謝罪する」という意味になる。したがって、「I must apologize to her for the delay.」とするのが正しい。意味は「私は彼女に遅れたことを謝らなければならない」である。

4 ×　「consult with＋人」で「…に相談をする、…と話し合う」という意味になる。また相手と対等な関係のときに用いる。英文のwithの後は「your dictionary」となっており、人ではない。「consult＋物」で「…で調べる」という意味になるため、「You should consult your dictionary for the spelling」とするのが正しい。意味は「その綴りについては、辞書で調べるべきだ」である。

5 ×　「hope for＋名詞」で「…を望む」という意味になる。したがって、「We hope for your success in business.」とするのが正しい。意味は「私たちはビジネスでのあなたの成功を望む」である。

次の英文の、文法上の用法が正しいものとして、最も妥当なのはどれか。

1 He was kind enough to carrying my bag.

2 We are looking forward to seeing you again.

3 My father used to going to a gym after work, but now he doesn't.

4 She failed to solving the problem.

5 I ran to the movie theater, only to finding it closed.

解説　　**正解　2**

「to」を伴う慣用表現に関する問題である。不定詞である場合と前置詞である場合で伴う動詞の形が異なる。正解の例文を利用して覚えるようにしよう。

1　**✕**　「親切にも、彼は私のバッグを運んでくれた」であれば、「enough」を形容詞として使っているので、「to」の次に来る動詞は原形（to不定詞）にしなければならない。よって、「He was kind enough to carry my bag.」とするのが正しい。

2　**〇**　「私たちはまたお会いできるのを楽しみにしていました」であれば、「We are looking forward to seeing you again.」でよい。「looking forward to」の「to」は前置詞であり、続く動詞は動名詞とする必要がある。

3　**✕**　「父はよく仕事帰りにジムに行っていたが、今は行っていない」であれば、過去の慣習的動作をあらわす「used to」の次に必ず動詞が原形で来る。よって、「My father used to go to a gym after work, but now he doesn't.」とするのが正しい。「…に慣れている」の「be used to ...ing」と混同しないようにしたい。

4　**✕**　「彼女は問題を解決しそこねた」であれば、「failed to」の次に来る動詞はto不定詞のため原形となる。よって、「She failed to solve the problem.」が正しい。

5　**✕**　「映画館に駆け込んだが、閉館していた」であれば、結果を表したいため、「only to」の次にくる動詞はbe動詞の副詞的用法であり、原形のまま用いる。よって、「I ran to the movie theater, but only to find it closed.」とするのが正しい。

次の英文が文法的に正しく、意味の通る文になるように［　］内の単語を並び替えたとき、2番目と4番目にくる単語の組合せとして、最も妥当なのはどれか。

I［ him / the / respect / all / for / more ］his honesty.

	2番目	4番目
1	him	the
2	all	more
3	for	all
4	him	more
5	all	him

解説　　正解　1

「all the more」は「それだけいっそう」という意味になる。空欄直後の「his honest」の前に関係する対象に向かう「for」を付けることで「all the more for his honesty」とつなげることができる。空欄の前にある「I」を主語とすると、選択肢のなかに動詞「respect」とその目的語となる「him」があるので、これらをつなげることで「I respect him all the more for his honesty（私は彼が誠実だから、いっそう彼を尊敬する）」となる。2番目は「him」、4番目は「the」となる**1**が妥当である。

次の英文が文法的に正しく、意味の通る文になるように [　] 内の単語を並び替えたとき、2番目と4番目にくる単語の組合せとして、最も妥当なのはどれか。

[not / your / been / it / for / help / had] at that time, I would have given up the idea of studying abroad.

	2番目	4番目
1	for	not
2	it	been
3	had	been
4	it	not
5	had	not

解説　　正解　2

「Had it not been for ...」は「…がなかったら」の意の仮定法過去完了の慣用表現である。したがって、文法的に正しく並び替えると、「Had it not been for your help at that time, I would have given up the idea of studying abroad.（あのときあなたの助けがなかったら、私は留学を諦めていただろう）」となる。2番目は「it」、4番目は「been」である**2**が妥当である。

英文法

英文法

次の英文が文法的に正しく、意味の通る文になるように［　］内の単語を並び替えたとき、2番目と4番目にくる単語の組合せとして、最も妥当なのはどれか。

He should［ than / talk / better / with / know / to ］his mouth full.

	2番目	4番目
1	better	than
2	to	than
3	than	to
4	to	know
5	better	to

解 説　　　**正解　5**　　　　TAC生の正答率　**43%**

「know better than to do」で「…するほど愚かではない、…しないだけの分別（心得）がある」という意味になることに気付けると並べ替えやすい。「He should know better than to talk with his mouth full.（彼は口いっぱいに頬張ったまま話すほど愚かではないはずだ）」となるので、2番目は「better」、4番目は「to」になる。よって**5**が妥当である。

英文法 | 英文法

次の英文が文法的に正しく、意味の通る文になるように［　］内の単語を並び替えたとき、2番目と4番目にくる単語の組合せとして、最も妥当なのはどれか。

You［ to / well / expect / as / river / might / the ］flow backward as expect to change his opinion.

	2番目	4番目
1	as	expect
2	as	well
3	expect	well
4	expect	as
5	expect	the

解説　　正解　1

「might as well V as … 」で「…するのはVするようなものだ」という意味を持つ。選択肢中に動詞は一つしかないため、「might as well expect」という語順がまずでき上がる。すでに空欄外に「change his opinion」という比較対象が存在するため、もう一つの比較対象として「the river」が次に来る。また、「to flow」でto不定詞の名刺的用法となることから、「to flow backward」で「川の逆流」という語順になる。すべてを並べ替えると「You might as well expect the river to flow backward as expect to change his opinion.（彼の意見を変えることを期待するのは、川が逆流するのを期待するようなものだ）」となり、2番目は「as」、4番目は「expect」が当てはまる。

英文法	英文法	2023年度 ❸ 教養 No.25

次の英文の（　　）に当てはまるものとして、最も妥当なのはどれか。

I was in London until last month, (　　　) I left for Paris.

1 who

2 when

3 which

4 where

5 that

解　説　　正解　**2**

　選択肢から関係詞の出題であることと、カンマがあることから継続用法（非制限用法）の文であることが分かる。まず、継続用法には「that」は使えないため、**5** は除外できる。カンマの前には「私は先月までロンドンにいた」、カンマの後には「私はパリに向けて出発した」とあることから、「私は先月までロンドンにいて、そしてパリに向けて出発した」という意味にすればよいと推測できる。先行詞は「last month」であるため、関係副詞「when」を入れるのが妥当である。したがって、**2** が正解である。

次の英文の（　　）に当てはまるものとして、最も妥当なのはどれか。

This information is（　　）no value to us.

1 in

2 of

3 with

4 by

5 on

解 説　　**正解　2**

　文中の「value」は名詞では「価値」を意味するが、前置詞が付くことで形容詞としての働きをし、直前にある名詞「This information」を修飾するようになる。中でも、所属を意味する前置詞「of」が付くことで、「この情報は、私達には価値がない」という意味になるため、**2**が最も妥当である。

英文法 | 英文法

次の英文の（　）に当てはまるものとして、最も妥当なのはどれか。

If you get too excited in an argument, you are likely to（　　　　）the main point.

1　keep up with

2　lose sight of

3　pay attention to

4　think much of

5　turn away from

解　説　　**正解　2**　　　　　　　　　　　TAC生の正答率　**23%**

1　×　「keep up with」とは、追いつくという意味であり、文脈に合わない。

2　○　「lose sight of」とは、見失うという意味である。例文は「もし議論で興奮しすぎると、あなたは要点を（　）だろう」と訳すことができるため、この文脈に「見失う」が当てはまる。

3　×　「pay attention to」とは、注意を払うという意味であり、文脈に合わない。

4　×　「think much of」とは、重視するという意味であり、文脈に合わない。

5　×　「turn away from」とは、遠ざかる、顔をそむけるという意味であり、文脈に合わない。

次の英文の（　　）に当てはまるものとして、最も妥当なのはどれか。

My grandfather was quite a learned man, but he just was not （　　） to be a businessman.

1　cut out

2　cut down

3　cut away

4　cut up

5　cut off

解 説　　**正解　1**

　英文を訳すと「私の祖父は非常に学識のある人だったが、ビジネスマンには全く（　　）ではなかった」となる。つまり空欄には「向く、適する」などの内容が入ると考えられる。

1　○　「cut out」は、「切り抜く、省略する、故障する」という意味であるが、「be cut out to＋動詞」は、「…に向いている、…に適している」という意味になる。空欄の前後の単語をヒントにするとよい。「be cut out for＋動名詞」という表現もある。

2　×　「cut down」は「伐採する、削減する」という意味である。

3　×　「cut away」は「切り落とす」という意味である。

4　×　「cut up」は「分割する、切り刻む」という意味である。

5　×　「cut off」は「切り落とす、断つ」という意味である。

次の英文の（　　）に当てはまるものとして、最も妥当なのはどれか。

The concert is（　　）tomorrow.

1 hold

2 to be held

3 holding

4 held

5 to be holding

解説　　　**正解　2**

holdは「（イベントなどを）開く」という意味であるため、コンサートが明日行われることを説明する英文にすればよいと推測できる。空欄の前（主語の後）が「is」であることにも注目しよう。

1　×　be動詞の次に動詞が来る場合、進行形か、過去分詞に変形させた動詞を付けることで、助動詞として活用できる。原形の動詞が来ることはない。

2　○　「be to＋不定詞」で、「…することになっている」という未来の予定について述べる用法になる。また、「行われる」という受動の意味にする必要があるため、不定詞は「be held」とするのが適切である。意味は「コンサートは明日行われることになっている」である。

3　×　「be＋…ing」は、現在進行形であるため、明日行われるコンサートについて述べることはできない。

4　×　「be＋過去分詞」で受動態をあらわす用法となるが、英文は未来についての内容であるため、当てはまらない。未来形の受動態の場合、「will be＋過去分詞」もあるが、今回は主語の直後が「is」であるため、当てはまらない。

5　×　「to be＋…ing」で、進行形のto不定詞となる。明日という未来のコンサートについて述べている文として、進行形では文意が伝わらず、適さない。

次の英文の（　　）に当てはまるものとして、最も妥当なのはどれか。

What is the Shinkansen（　　　　）from Nagoya to Tokyo?

1 bill

2 fee

3 fare

4 tax

5 fine

解説　　**正解　3**　　　　　　　　　　　　　TAC生の正答率　36%

1　✕　「bill」は、紙幣や請求書を表す際に用いる。

2　✕　「fee」は、一般的な入場料のような料金、謝礼金を表す際に用いる。

3　〇　「fare」は、列車やバスなどの公共交通の運賃を表す際に用いる。この 1 文に「Shinkansen」とあり、公共交通だと判断できる。

4　✕　「tax」は、税金を表す際に用いる。

5　✕　「fine」は、罰金を表す際に用いる。

次の英文の（　）に当てはまるものとして、最も妥当なのはどれか。

（　　　）I don't like comedies, I saw the movie because my wife wanted to see it.

1　For

2　Despite

3　Since

4　In spite of

5　Even though

解 説　　**正解　5**

1　✕　文の前半が「私はコメディが好きではないため」という意味になってしまい、文全体の意味が通らない。

2　✕　「…にもかかわらず」、「…なのに」という意味のことばなので文意は通るものの、文法的に正しい英語とはいえなくなる。「Despite the bad condition …（悪い状態にもかかわらず…）」や「Despite working hard …（きつい労働にもかかわらず…）」のように、後ろには名詞や動名詞がくるべきである。空欄直後が「I don't like …」のような、主語＋動詞からなる文の前にくる単語としては不適当である。

3　✕　**1**と同様に、文の前半が「私はコメディが好きではないので」という意味になってしまうため、不適当である。

4　✕　意味も文法上のルールも**2**と同じなので、こちらも不適当である。

5　〇　「…だけれども」、「…にもかかわらず」といった表現なので、「私はコメディが好きではないのだけれど、妻がその映画を見たがったので、私もそれを見ました」という自然な文章になる。「Even though」は主語＋動詞からなる文章の前に置くことばなので、**2**、**4**の表現と異なり文法的にも適切であり、最も妥当である。

次の英文のうち、下線部が他の選択肢と異なる役割を持つものとして、最も妥当なのはどれか。

1　It is easy <u>to answer</u> the question.

2　This book is difficult <u>to read</u>.

3　She came home <u>to find</u> that the door was broken.

4　I'm so glad <u>to meet</u> you again.

5　It was careless of him <u>to make</u> such a mistake.

解　説　　**正解　1**　　TAC生の正答率　**9%**

1　〇　この選択肢のみ、下線部は、名詞的用法（名詞の役割）の不定詞である。英文は「その質問に答えるのは簡単だ」という意味である。

2　×　下線部は、副詞的用法（形容詞や動詞などを修飾する役割）の不定詞である。英文は「この本は読むのが難しい」という意味である。

3　×　下線部は、副詞的用法の不定詞である。英文は「彼女は家に来ると、ドアが壊されているのに気がついた」という意味である。

4　×　下線部は、副詞的用法の不定詞である。英文は「私はあなたに再会してうれしい」という意味である。

5　×　下線部は、副詞的用法の不定詞である。英文は「そのような失敗をしてしまったのは、彼の不注意だった」という意味である。

次の英文の内容と合致するものとして、最も妥当なのはどれか。

Just as the eyes of moles are degenerate, the eyes of primitive mammals, which were originally nocturnal*¹, had regressed*² considerably in comparison to the birds.

However, when mammals came to fill the niche left by the phorusrhacids ("terror birds"), the structure of the eye underwent numerous evolutionary changes. As a matter of fact, analyzing eye structure and eyesight is an important tool in classifying the diverse roots of the various mammals.

Not too long ago, in the midst of all the attention being given to primate eyesight, some very important fossils were discovered, going back 55 million years or so. The name of the animal is *Shoshonius*, and the fossil shows the eyes were aligned horizontally and facing forward.

In many mammals, the eyes are on either side of the head, and for that reason objects cannot be perceived in three dimensions. The *Shoshonius*, however, possessed three-dimensional eyes, enabling it to move more surely from tree to tree.

It is the *Shoshonius* that is our earliest, direct primate ancestor. Around this time, mammals began to proliferate*³ and branch off in various directions, producing the small *Miacis*, which is ancestor to cats and dogs, and the forerunners*⁴ to the elephant.

What is more, in the process of evolution, some mammals returned to the sea. It was about this time that the ancestor to the whales and dolphins, the amphibious*⁵ *Pakicetus*, made its appearance.

Later, as the earth cooled further and forests receded and savannas spread, primates developed better eyesight and adapted to their new environment. By being able to distinguish one color from another, they were able to choose the youngest tree leaves for eating. This brought about a huge change in their lives.

Another important change was that the evolution of the eyes gave expression to the face, which improved mutual communication. Further, some primates learned to walk on two legs, which gave stability to the brain and marked the beginning of evolution to the direct ancestor of human beings, the *Pithecanthropus*.

[語義] nocturnal*¹ 夜行性の／regress*² 退化する／proliferate*³ 激増する
forerunner*⁴ 先駆け／amphibious*⁵ 水陸両生の

1 元々夜行性であった原始の哺乳類の視力は、鳥類などと同様に、劇的に衰えていった。

2 人間の祖先にあたるショショニアスは、側頭部にある眼で物を立体視することができた。

3 クジラやイルカの祖先であるパキケトスのように、退化して海に戻った哺乳類もいた。

4 視力が発達した霊長類は、色を識別し、木々の若葉などを選んで食べられるようになった。

5 脳が安定したことで二足歩行になった霊長類の一部が、人類の祖先である猿人に進化した。

解説　　正解　**4**

1 ×　「鳥類などと同様に」という箇所が誤り。第1段落には、鳥類と比べてかなり退化している
と述べられている。

2 ×　第5段落冒頭にショショニアスが人類の祖先とあること、第4段落に立体視できたことが述
べられている。しかし、第3段落にはショショニアスは目が水平に並んで前を向いていたとあり、
選択肢の内容と食い違っている。

3 ×　「退化して海に戻った」という箇所が誤り。第6段落には、進化の過程で、海に戻ったこと
が述べられている。

4 ○　第7段落の内容と合致している。

5 ×　「脳が安定したことで二足歩行になった」という箇所が誤り。最終段落には、二足歩行をす
るようになったことが脳に安定性を与えたと述べられている。したがって、順序が反対である。

[訳　文]

　モグラの目が退化しているように、元々夜行性であった原始の哺乳類の視力は、鳥類に比べてかな
り退化している。

　しかし、哺乳類がフォルスラコス科動物（恐鳥類）が残した生物的地位を埋めるようになると、目
の構造は多くの進化的変化を遂げた。実際、目の構造と視力の分析は、さまざまな哺乳類の多様な
ルーツを分類する際の重要なツールである。

　少し前に、霊長類の視力に注目が集まる中で、5500万年ほど前にさかのぼる非常に重要な化石が発
見された。この動物の名前はショショニアスで、化石では目が水平に並んで前を向いていたことがわ
かった。

　多くの哺乳類では、目は頭の側面にあり、そのため物体を立体的に認識することができない。しか
し、ショショニアスは立体視できる目を持っており、木から木へより確実に移動することができた。

　ショショニアスは私たちの最初の、霊長類の直接の祖先である。この頃、哺乳類は激増し始め、さ
まざまな方向に枝分かれして、ネコやイヌの祖先である小型のミアキスや、ゾウの先駆けを生み出し
た。

　さらに、進化の過程で、海に戻った哺乳類もいる。クジラやイルカの祖先である水陸両生のパキケ
トスが姿を現したのもこの頃である。

　その後、地球がさらに冷え込み、森林が後退してサバンナが広がると、霊長類はより優れた視力を
発達させ、新しい環境に適応した。色を見分けられるようになったことで、彼らは食べるために若い
木の葉を選ぶことができるようになった。これは彼らの生活に大きな変化をもたらした。

　もう一つの重要な変化は、目の進化が顔に表情を与え、相互のコミュニケーションを向上させたこ
とである。さらに、一部の霊長類は二足歩行をするようになり、それが脳に安定性を与え、人類の直
接の祖先である猿人への進化の始まりとなった。

[語　句]

considerably：かなり　　　in comparison to：…と比べると

次の英文の内容と合致するものとして、最も妥当なのはどれか。

Japanese taxi drivers are clean, quick, and courteous[*1]. I appreciate that the drivers wear nicely pressed uniforms, hats, and often white gloves. The taxi service that I regularly use instructs its drivers to introduce themselves in the most polite form of Japanese and they nearly always greet me by name.

I recognize that competition is quite keen within the taxi industry in Japan so companies do whatever they can to stand out from the others. Some taxi services offer discounts, coupons, or other similar incentives to attract repeat customers. Lately, it has become trendy in my city for companies to offer customers a "user" card where points are accrued each time the taxi service is used. These points can then be exchanged for different prizes or products. This is not done in the United States, especially in big cities. In fact, many taxi companies do little to try to retain customers because the demand is so great that there is no need to do so. The demand for taxis in Japan is quite large, too, but Japan just does it better in all aspects of using a taxi service.

One standard feature in Japanese taxis that Americans find fascinating is the automatic doors, which are opened and shut for the customer remotely by the driver. The lever is used to open the door for the fare to enter, and after arriving at the destination, it is opened again for the passenger to exit. The door is then automatically closed after the customer leaves.

To outsiders, this may seem like a frivolous[*2] gesture based on courtesy and politeness, but it has a very practical side to it. Since most Japanese people carry some sort of bag or briefcase, it is quite helpful to have the door opened and closed, allowing the passenger to enter and exit the vehicle without having to juggle items awkwardly[*3] or to touch anything that others have touched like door handles.

［語義］　courteous[*1] 礼儀正しい／frivolous[*2] くだらない／awkwardly[*3]　ぎこちなく

1　日本で筆者が普段利用するタクシーの運転手は、たいてい筆者の名前を呼んで挨拶をする。

2　筆者の住む町では、タクシー会社が割引やクーポンなどの景品を乗客に提供している。

3　日本ではそれほどタクシーの需要が高くないため、利用客をつなぎとめる仕掛けが必要である。

4　アメリカ人が興味深く感じるのは、日本のタクシー運転手が車外に出てドアの開閉をしてくれることである。

5　多くの日本人は荷物で手がふさがっていると、タクシーの乗り降りの際に自分でドアを開閉しなければならずあたふたしてしまう。

解 説　　正解　**1**

1　○　第1段落の「The taxi service that …　」の内容と合致している。

2　×　第2段落には、タクシーが利用されるたびにポイントが加算されるカードを顧客に提供していると述べられている。

3　×　第2段落末尾には、日本のタクシー需要も非常に大きいと述べられている。したがって、「利用者をつなぎとめる仕掛けが必要」という因果関係もない。

4　×　「タクシー運転手が車外に出て」という箇所が誤り。第3段落冒頭には、アメリカ人が興味深く感じるには「運転手が遠隔操作で客のために開閉する自動ドア」だとある。

5　×　「自分でドアを開閉しなければならず」という記述は本文にはない。

[訳　文]

　日本のタクシードライバーは清潔で、素早く、礼儀正しい。運転手はきれいにプレスされた制服を着て、帽子をかぶり、しばしば白い手袋をしているのがありがたい。私が定期的に利用しているタクシー会社では、運転手に最も丁寧な日本語で自己紹介するよう指示しており、彼らはほとんどいつも名前で挨拶してくれる。

　日本のタクシー業界は競争が激しいので、各社は他社に差をつけるためにできる限りのことをしていると私は認識している。タクシー会社によっては、リピーターを獲得するために割引やクーポン、その他同様のインセンティブを提供している。最近、私の住む町では、タクシーが利用されるたびにポイントが加算される「ユーザー」カードを顧客に提供する会社が流行している。これらのポイントは、さまざまな賞品や商品と交換することができる。これはアメリカ、特に大都市では行われていない。実際、多くのタクシー会社は顧客を維持しようとする努力をほとんどしていない。なぜなら、需要があまりに大きいのでそうする必要がないからだ。日本のタクシー需要も非常に大きいが、タクシー会社を利用するすべての面で日本の方が優れている。

　アメリカ人が興味深く感じる日本のタクシーの標準装備のひとつに、運転手が遠隔操作で客のために開閉する自動ドアがある。レバーを操作してドアを開けると乗客が乗り込み、目的地に到着すると再びドアを開けて乗客が出る。そして、客が去った後、ドアは自動的に閉まる。

　部外者から見れば、これは礼儀や礼儀正しさに基づいたくだらないジェスチャーに見えるかもしれないが、非常に実用的な側面がある。ほとんどの日本人は何らかのバッグやブリーフケースを携帯しているため、ドアの開閉をしてもらえば、乗り降りの際にぎこちなく荷物を持ち運んだり、ドアの取っ手など他の人が触ったものに触れたりせずに済むので、非常に助かる。

[語　句]

appreciate：感謝する　　　regularly：定期的に　　　demand：要求

次の英文の内容と合致するものとして、最も妥当なのはどれか。

Petra is one of the world's most famous and best-loved archaeological*1 sites. Its name, Petra, means "rock" in Greek. This is because much of the ancient city is made out of stone. Its beautiful temples and public buildings are in fact carved out of the red, rocky mountains and cliffs that surround the city. Many of these mountains hold an incredible network of man-made tunnels and paths. Petra also became a part of popular culture when scenes from the movie *Indiana Jones and the Last Crusade* were filmed there.

Petra is located between the Red Sea and Dead Sea in present-day Jordan. Archaeologists say that people have lived in Petra since pre-historic times. The city became the capital of the Nabatean people around the 4th century BC, when the region was a very important stopping point for people traveling over several trade routes. Merchants trading Chinese silk, Indian spices, or Arabian spices would pass through Petra on their way to foreign markets. Throughout history, Petra also came under the rule of many great empires, including the Egyptians, Greeks, and Romans. The influences of many cultures made their mark on Petra, making it a crossroads for Eastern, Western, and African culture.

Although this region of Jordan is very dry, the citizens of Petra created amazing ways of tapping, catching, storing, and transporting water. Their water management system allowed the population of Petra to grow, despite the region's desert-like climate.

Petra is full of beautiful temples, churches, tombs, public buildings, and man-made networks that cut through the red cliffs. One of the most impressive structures at Petra is Al Khazneh, also known as "The Treasury." Al Khazneh stands about 40 meters tall, is built in the Greek style, and is carved out of the red cliff face.

Archaeologists have dug up only about 15 percent of the city, but many historical and artistic treasures, such as ancient books, pottery*2, paintings, and coins, have been found.

［語義］ archaeological*1 考古学上の／pottery*2 陶器

1 ペトラを取り囲む山の多くには、自然に出来上がったトンネルや小道がつながっていた。

2 考古学者たちは、先史時代のペトラには人がまったく居住していなかったと述べている。

3 ペトラはかつて大帝国の支配下に置かれていたため、文化の交流が生じる機会が少なかった。

4 ペトラ市民の水管理システムのおかげで、砂漠のような気候でもペトラの人口は増加した。

5 考古学者がペトラで発掘したもののうち、約15パーセントが歴史的・芸術的宝物だった。

解 説　　**正解　4**

1　×　「自然に」という箇所が誤り。第1段落に、ペトラの街を取り囲む山の多くには、人工的なトンネルや小道があったと書かれている。

2　×　「人がまったく居住していなかった」という箇所が誤り。第2段落に、考古学者は先史以前から人が住んでいた、と書かれている。

3　×　「文化の交流が生じる機会が少なかった」という箇所が誤り。第2段落に、エジプトなどの大帝国の支配下に置かれたことで様々な文化の交差点となった、と書かれている。

4　○　第3段落のペトラの人々の水管理システムに関する記述の内容と合致している。

5　×　「発掘したもののうち、約15パーセントが歴史的・芸術的宝物」という箇所が誤り。最終段階には、考古学者が発掘したのは、ペトラの街の約15パーセントに過ぎないと書かれているのである。

[訳　文]

　ペトラは世界中で最も有名で、最も愛されている遺跡のひとつである。ペトラという名前は、ギリシャ語で「岩」を意味する。この古都の大部分が石でできているからだ。事実、その美しい寺院や公共建築物は、街を取り囲む赤い岩山や崖から切り出されたものだ。これらの山の多くには、人工的なトンネルや小道の驚くべきネットワークがある。ペトラは、映画『インディ・ジョーンズと最後の聖戦』のシーンが撮影されたことで、大衆文化の一部にもなった。

　ペトラは現在のヨルダンの紅海と死海の間に位置する。考古学者によれば、ペトラには先史以前から人が住んでいたという。この地がナバテア人の首都となったのは紀元前4世紀ごろのことで、当時この地域は、いくつかの交易路を行き来する人々にとって非常に重要な中継地点となっていた。中国の絹、インドの香辛料、アラビアの香辛料を商う商人たちは、外国市場に向かう途中にペトラを通過した。歴史上、ペトラはエジプト人、ギリシャ人、ローマ人など多くの大帝国の支配下にも置かれた。多くの文化の影響を受けたペトラは、東洋、西洋、アフリカ文化の交差点となった。

　ヨルダンのこの地域は非常に乾燥しているが、ペトラの市民は、水を引き汲み、蓄え、運搬する驚くべき方法を生み出した。彼らの水管理システムによって、砂漠のような気候にもかかわらず、ペトラの人口は増加した。

　ペトラには、美しい寺院、教会、墓、公共建造物、そして赤い崖を切り開く人工的な道路網が数多くある。ペトラで最も印象的な建造物のひとつが"宝物庫"とも呼ばれるアル・カズネである。アル・カズネの高さは約40メートル、ギリシャ様式で造られ、赤い崖を削って造られている。

　考古学者が発掘したのは街の15パーセントに過ぎないが、古代の書物や陶器、絵画、コインなど、歴史的、芸術的な宝物が数多く発見されている。

[語　句]

dug up：掘り起こす

次の英文の内容と合致するものとして、最も妥当なのはどれか。

There are two views of the impact of the Industrial Revolution on British society between the initial burst of mechanical inventions during the period from 1765 to 1785 and 1850. On the one hand, it forced children to work 16 hours a day, crammed labourers into miserable slums, lowered their overall standard of living, and stripped them of their pride in their work. The bleak *1 regimented*2 factories they worked in were, in the words of William Blake, 'dark, satanic mills'. The overcrowded towns and cities where the workers lived were unplanned, filthy*3 and polluted, and disease was rampant*4. There was a rise in drunkenness, as gin and beer provided one of the few escapes from a miserable situation.

On the other hand, the Industrial Revolution in Britain created cities, raised educational standards and eventually gave workers a larger role in government and culture. Workers in factories could earn far more than poor farm labourers. City-dwellers enjoyed more amenities than villagers enjoyed.

Altogether, however, the Industrial Revolution in Britain benefited the rich, at the expense of the poor. The top 1% of income owners increased their share of the national income by a full 10% in the years leading to 1850. The rich built fine houses and filled them with works of art and elegant furnishings. The middle class also benefited from the profits of industry, and enjoyed at least some of the pleasures of those higher up the social ladder. In the end, these two groups' successes were primarily at the expense of the lower class, which was left to struggle with cramped housing, poor and deficient food, disease and the lack of a political voice.

［語義］ bleak*1 厳しい／regiment*2 統制する／filthy*3 不潔な／rampant*4 はびこる

1 ウィリアム・ブレイクは、産業革命後の悲惨な環境で働く労働者たちを悪魔に例えて批判した。

2 産業革命により労働者たちで溢れた町や都市は都市計画がなされておらず、不衛生で汚染され、病弊がはびこっていた。

3 産業革命後に政治や文化で大きな役割を得た労働者たちは、都市を作り教育水準を向上させた。

4 1850年にいたるまでの数年間のうちに、裕福な者たちはそれぞれの所得を10%増加させた。

5 産業の恩恵にあずかり、下層階級の人々も少なくとも社会の階級の梯子を上る快感を味わった。

解 説　　**正解　2**

1　✕　「産業革命後の悲惨な環境で働く労働者たちを悪魔に例えて」という箇所が誤りである。ウィリアム・ブレイクが悪魔的と例えたのは、労働者ではなく産業革命期のスラム街についてである。

2　○　第1段落に、産業革命当時の街の状況について書かれており、その内容と合致している。

3　✕　選択肢の内容は順序が逆である。第2段落に、都市の形成や教育水準の向上によって、政治や文化における労働者たちの役割が向上していったと書かれている。

4　✕　「それぞれの所得」という箇所が誤りである。第3段落に、1850年までに生じたのは、所得上位1％の者たちが持つ富が国民所得に占める割合を10％上昇させたと書かれている。

5　✕　「下層階級」という箇所が誤り。選択肢の内容に近いのは、第3段落の「中流階級」についての記述である。

[訳　文]

　産業革命がイギリス社会に与えた影響については、1765年から1785年にかけての機械発明の爆発的（に盛ん）な初期と、1850年までの間に分けられる。一方、子どもたちに1日16時間の労働を強制し、労働者を悲惨なスラム街に詰め込み、彼らの生活水準を全体的に低下させ、仕事に対する誇りを剥奪した。労働者が働いていた厳しく統制された工場は、ウィリアム・ブレイクの言葉を借りれば、「暗く、悪魔的な製造所」であった。労働者の住む町は都市計画がなされておらず、不潔で汚染され、病気がはびこっていた。ジンやビールが悲惨な状況からの数少ない逃避手段となり、酔っぱらいが増加した。

　他方、イギリスの産業革命は都市を作り、教育水準が向上し、やがて労働者が政治や文化においてより大きな役割を果たすようになった。工場で働く労働者は、貧しい農業労働者よりもはるかに多くの収入を得ることができた。都市に住む人々は、農村部に住む人々よりも快適な生活を享受していた。

　しかし、イギリスの産業革命は総じて、富裕層に恩恵をもたらし、貧困層を犠牲にした。所得上位1％の者たちは、1850年までの間に国民所得に占める割合を10％増加させた。富裕層は立派な家を建て、美術品や優雅な調度品で埋め尽くした。中流階級もまた、工業の利益から恩恵を受け、社会階層のより高い人々の楽しみの少なくとも一部を享受していた。結局、この2つのグループの成功は、主により下の階級の犠牲の上に成り立っていた。下層階級は、窮屈な住居、貧しく欠乏した食糧、病気、政治的発言力の欠如と闘うことになった。

[語　句]

disease：病気

次の英文の内容と合致するものとして、最も妥当なのはどれか。

Designers are increasingly paying attention to making products that make less noise. Steve Jobs, for example, did not want to use a fan to cool his first computer. He thought a fan would make too much noise. Since then, there has been a broad*1 movement to make products that are quieter.

The reason for doing this is clear: noise is a problem that affects us all. In 2011 the World Health Organization published a report on health and the environment. The main environmental cause of bad health is air pollution. The second cause is noise pollution. Making a quieter environment is good for people and for businesses, too. Quieter cars, printers, washing machines, and airplanes may be more expensive, but these products consume less energy. That makes them cheaper to operate in the long run.

Quieter airplanes, as one example, are better for everyone. People who live near airports are happier when noise decreases. People who fly on quieter planes find traveling less stressful, too. In the workplace, machinery and air conditioning that is quieter may be a bit more expensive, but it increases concentration and reduces fatigue.*2

In general, noise is bad, but complete silence is not good either. For pedestrians*3 and people who are blind, quiet electric cars and electric bicycles can be dangerous. It is important for such vehicles to make at least some sound for safety reasons. To let the user know that he or she has taken a photo, an artificial sound is added to digital cameras.

There are other cases where sound is desirable even though it is not necessary. Car manufacturers work hard so that the closing of the car door sounds just right. They want to produce a sound that produces a feeling of high quality.

For designers, the goal is not silence, but getting the sound right. And most of the time, "right" means quieter and making less noise.

［語義］　broad*1 幅広い／fatigue*2 疲労・倦怠感／pedestrians*3 歩行者

1　スティーブ・ジョブズの考えとしては、静かなコンピューターの方が消費エネルギーが少なく、効率の良い商品になると考えていた。

2　WHOの発表によると、騒音公害は最も健康を害する環境的要因と言われており、解決が急がれている。

3　さまざまな製造メーカーは、完全に無音な商品を開発することで、ストレスのない快適な環境の実現を目指している。

4　一般的に騒音は好ましくないものではあるが、完全なる無音もよくない場合があり、安全上最低限の音を出すことも必要である。

5　自動車メーカーは車の扉を閉める際など、音が必要でない場合は、極力音が出ないように懸命に取り組んでいる。

解 説　　**正解　4**　　　　　　　　　　　　　　TAC生の正答率　**78%**

1　×　第2、3文を見ると、「スティーブ・ジョブズは、彼の最初のコンピュータを冷却するためにファンを使いたがらなかった。彼はファンの音が大きすぎると考えたからだ」と述べられている。エネルギー効率については述べていない。

2　×　第2段落には「健康状態を悪化させる主な環境原因は大気汚染である。第二の原因は騒音公害である」と述べられている。騒音公害は第二の原因であり、「最も」とは言えない。

3　×　第4段落冒頭で「騒音は良くないが、完全な無音も良くない」と述べられており、完全に無音な商品を開発することは望まれていないことがわかる。

4　○　第4段落冒頭の内容と合致する。

5　×　第5段落で車のドアを閉める音については高級感を出そうとしていることが述べられている。「極力音が出ないように」とは述べていない。

[訳　文]

　デザイナーは、より騒音の少ない製品を作ることにますます注意を払うようになっている。例えば、スティーブ・ジョブズは、彼の最初のコンピュータを冷却するためにファンを使いたがらなかった。彼はファンの音が大きすぎると考えたからだ。それ以来、より静かな製品を作ろうという動きが幅広くある。

　その理由は明確であり、騒音は全ての人に影響する問題だからである。2011年、世界保健機関は健康と環境に関する報告書を発表した。健康状態を悪化させる主な環境原因は大気汚染である。第二の原因は騒音公害である。より静かな環境を作ることは、人々にとっても、企業にとっても良いことである。より静かな車やプリンター、洗濯機、飛行機は、高価かもしれないが、消費するエネルギーは少なくなる。長期的に見ると安上がりである。

　例えば、より静かな飛行機は、全ての人にとってより良いものである。空港の近くに住んでいる人々は、騒音が減ることでより幸せになる。また、より静かな飛行機に乗る人々も、旅のストレスがより少なくなる。職場でも、より静かな機械や空調は、少し高価かもしれないが、集中力を高め、疲労を軽減してくれる。

　一般的に、騒音は良くないが、完全な無音も良くない。歩行者や目の不自由な者にとって、静かな電気自動車や電動自転車は危険なこともある。そのような乗り物では、安全のために少なくともいくらかの音を出すことが重要である。デジタルカメラには、写真を撮ったことを知らせるために、人工的な音が加えられている。

　この他にも、必要でなくても音があったほうが好ましい場合がある。自動車メーカーは車のドアの閉まる音がちょうどよい音になるように懸命に取り組んでいる。自動車メーカーは高品質の雰囲気を演出する音を作りたがっている。

　デザイナーにとって、ゴールは無音ではなく、音を適切にすることである。そして、ほとんどの場合、「適切」ということは、より静かで、より騒音を少なくすることである。

[語　句]

increasingly：ますます　　pollution：公害　　concentration：集中　　desirable：好ましい

次の英文の内容と合致するものとして、最も妥当なのはどれか。

The shogunate[1] created and maintained an extensive road system across the country. The roads were created to supply city residents with material goods and facilitate military control. The roads also allowed huge processions of daimyo to reach Edo for alternate residence. Two main roads linked Edo with Kyoto and Osaka. The Tokaido road went along the Pacific coast. The Nakasendo road went through the central mountains. From these major roads, connecting roads reached out into the countryside in all directions. Along each road were post towns[2], where people could spend the night. The post towns became economic centers of the region.

The daimyo processions[3], with hundreds of servants, warriors and officials, needed places to stay at the end of each day's journey. A network of first-class inns was created for the daimyo of larger domains[4]. Daimyo of smaller domains stayed in less elaborate inns. Itinerant merchants[5], pilgrims[6] and other commoners stayed in even less extravagant lodgings.

The Gokaido, the Five Highways including the Tokaido and Nakasendo, radiated from Nihombashi in Edo. The roads were tightly regulated. At a number of barrier stations, sekisho, officials checked identification. These stations allowed the shogunate to monitor communications and troop movements.

The shogunate also depended on coastal shipping by kaisen, "circuit ships." Cargo boat trade flourished. Daimyo from all over the country needed to send their tax rice to market. They converted the rice to cash and sent it to Edo to support their alternate residences. Rice traders in Sakai and Osaka became rich loaning money to daimyo.

［語義］　the shogunate[1] 幕府／post towns[2] 宿場町／
　　　　the daimyo processions[3] 大名行列／domains[4] 石高／
　　　　Itinerant merchants[5] 行商人／pilgrims[6] （お遍路などの）巡礼者

1　幕府が日本全国に街道を作ったのは、都市への物資の供給と、経済活動の活性化を目指したものであった。

2　五街道は、すべて京都や大阪に繋がっており、中でも太平洋沿岸を通る東海道と山の中を抜けていく中山道がよく使われる街道だった。

3　街道沿いには、人々が宿泊できる宿場町があり、たくさんの人が宿泊したりするので、その地域の経済の中心となっていた。

4　大名行列の泊まる場所として、一流の宿屋が整備されていき、やがて庶民もそのような宿屋を利用するようになった。

5　大名は自分自身の生活のために年貢米を換金する必要があり、そのために廻船を利用して米商人を呼び寄せて、米を換金した。

解 説　　**正解　3**　　

1　✕　都市への物資の供給については本文第2文と合致するが、その後の内容が誤り。経済活性化のためでなく「軍事的な支配を容易にするために」街道は作られたと述べられている。

2　✕　第3段落冒頭に「五街道、東海道や中山道を含む五街道は、江戸の日本橋から放射状にのびていた」とある。すべて日本橋にはつながっているが、京都や大阪につながっていたわけではない。第1段落では「二つの主要な街道は江戸と京都、大阪を結んでいた」と述べているだけである。

3　〇　第1段落後半の内容と合致する。

4　✕　選択肢前半の内容は第2段落と合致するが、後半の内容が誤り。第2段落末尾では、庶民は贅沢でない宿に泊まったと述べられている。

5　✕　本文末尾には「年貢を換金して別邸を支えるために江戸に送った。堺や大阪の米商人は、大名に金を貸し付けて豊かになった」とある。「自分自身の生活のために」というよりは、江戸の別邸のためにと読み取れる。また、「米商人を呼び寄せて」とは述べていない。

[訳　文]

　幕府は全国に発達した道路網を作り、整備した。街道は、都市の住民に物資を供給し、軍事的な支配を容易にするために作られた。街道があることで、大規模な大名行列が別邸である江戸の住まいに到着することができた。二つの主要な街道は江戸と京都、大阪を結んでいた。東海道は太平洋側を通っていた。中山道は中央の山間部を通っていた。これらの主要な街道から、接続する街道が地方に向かって四方八方に伸びていた。それぞれの街道沿いには、人々が一夜を過ごすための宿場町があった。宿場町は、地域の経済の中心地となった。

　数百人の家来や武士、役人を連れた大名行列は、毎日の旅の終わりに宿泊する場所を必要としていた。大きな藩の大名のために、一流の宿のネットワークが整備された。小さな藩の大名は、それほど立派でない宿に宿泊した。行商人や巡礼者、庶民はさらに贅沢でない宿に泊まった。

　五街道、東海道や中山道を含む五街道は、江戸の日本橋から放射状にのびていた。街道は厳しく規制されていた。多くの関所では、役人が身分を確認した。これらの関所によって、幕府は通信や軍隊の動きを監視することができた。

　幕府はまた、廻船による沿岸輸送にも頼っていた。貨物船貿易が盛んに行われた。全国の大名は年貢を市場に送る必要があった。その年貢を換金して別邸を支えるために江戸に送った。堺や大阪の米商人は、大名に金を貸し付けて豊かになった。

[語　句]
facilitate：容易にする　　procession：行列　　inns：宿　　extravagant：ぜいたくな
radiate：放射状に伸びる　　troop：隊、軍隊　　coastal：沿岸の

次の英文の内容と合致するものとして、最も妥当なのはどれか。

Most of us would attest to the fact that we have at one time or another experienced instances of intuitive insight or extraordinary coincidence that seemed to lie outside the realm of normal perception, thought processes, or sequences of events. Furthermore, a fair number of people would also testify that they have had premonitions of significant future events, such as the death of a family member or major catastrophes, including plane crashes, earthquakes, and the like. Irrational or not, we tend to give credence to our intuitive perceptions. In fact, we are encouraged to do so. Indeed, throughout our lives, we are often admonished to rely on our gut[*1] instincts when making important decisions or forming impressions of others.

The general population may be inclined to accept the existence of intuitive insight and to view it as an asset, but research scientists have been more contemptuous. They have for the most part shied away from legitimizing intuitive phenomena. The fact is that there has been little empirical[*2] data to corroborate anecdotal evidence[*3], which researchers denounce because it generally cannot be investigated using the scientific method. The stories of premonitions that surfaced after the 9/11 attacks on the World Trade Center are examples of anecdotal evidence. Scientists say that such accounts are misleading and cause us to jump to the wrong conclusions because they are subject to selective memory, whereby we remember such feelings when they seem to come true but forget them when they do not.

Recently, the number of researchers who view intuitive phenomena with less skepticism has been growing. Researchers have conducted studies they believe indicate that intuitive insights are more than lucky guesses or fanciful superstitions. For example, Gerd Gigerenzer, a social psychologist at the Max Planck Institute, a German think tank, conducted two studies in which ordinary citizens with little knowledge of the stock market picked stocks based on intuitive feelings. Six months later, the performance of these stocks was compared to that of portfolios based on the calculations of experts. In both studies, the stocks picked by the non-experts outperformed those selected by experts, which is no small feat.

[語義]　gut[*1] 本能的な／empirical[*2] 実証的な／anecdotal evidence[*3] 事例証拠

1　大災害のような重大な出来事が起こる予感がしたことがある、と証言する人は少ないだろう。

2　不合理でない場合に限り、私たちは生涯を通じて自分の直観的知覚を信用する傾向にある。

3　大抵の科学研究者は直観的洞察力を軽蔑しており、現在も直観的現象に対して懐疑的である。

4　私たちは直観的な予感が現実になったと思えないとき、そのような予感を忘れてしまう。

5　ギーゲレンツァーの研究で、専門家の予測により素人でも業績のよい株を選べるとわかった。

解説　　正解　**4**

1　✕　第1段落に、そのような予感がしたことがある、と証言する人は「私たちの多く」であると書かれている。

2　✕　第1段落後半の「Irrational or not」は「不合理であろうとなかろうと」という意味である。

3　✕　選択肢後半が誤り。第3段落に、直感的洞察力に対する科学研究者たちの見方がかわりつつあることが書かれている。

4　○　第2段落末尾の内容と合致する。

5　✕　ギーゲレンツァーの研究は、素人の直感的な感情に基づいた選択と、専門家の予測とを6か月間比較したというものである。専門家の予測が素人の選択に影響を与えたという記述はない。

［訳　文］

　私たちの多くは、通常の知覚や思考過程、出来事の因果的連鎖の領域の外にあるように思われる直感的な洞察力や、驚くべき偶然の一致などの例をときどき経験したことがあると証言するでしょう。さらに、家族の死や飛行機事故、地震などの大災害など、将来の重要な出来事の予感を感じたと証言する人もかなりいるでしょう。不合理であろうとなかろうと、私たちは直感的知覚を信じがちです。実際、私たちはそうするように仕向けられています。確かに、私たちは生涯を通じて重要な決断をするときや、他人の印象を決めるときに、しばしば本能に従うよう促されます。

　一般の人々は、直感的洞察力の存在を受け入れ、それを利点と見なす傾向がありますが、科学研究者たちはそれをもっと軽蔑しています。彼らはほとんどの場合で、直感的現象を正当化することを避けてきました。一般的に科学的方法を使用して調査することができないことから、事例証拠を裏付ける実証的なデータはほとんどないことは事実であり、研究者たちはこれを批判しています。9/11の世界貿易センタービルへの攻撃の後に出てきた予感の話の数々は、その事例証拠です。科学者たちは、このような風聞は誤解を招き誤った結論に私たちを飛びつかせると述べています。なぜなら予感は、選択的記憶に左右されるため、それによって私たちは予感が現実になった時はそのような感情を覚えている一方、現実にならなかった時は忘れてしまうからです。

　最近、直感的現象をあまり懐疑的に見ない研究者が増えつつあります。研究者たちは、直感的な洞察は、まぐれあたりや空想的な迷信以上のものであることを示すと思われる研究を行っています。例えば、ドイツ人のマックスプランク研究所の社会心理学者であるゲルト・ギーゲレンツァーは、株式市場の知識がほとんどない一般市民が直感的な感情に基づいて株式を選ぶという二つの研究を実施しました。6か月後、これらの株式の業績は、専門家の計算に基づいたポートフォリオの業績と比較されました。どちらの研究でも、非専門家が選んだ株は専門家が選んだ株を上回りましたが、これはなかなかの成果です。

［語　句］

denounce：非難する　　phenomena：現象

次の英文の内容と合致するものとして、最も妥当なのはどれか。

There was a time when a kid just home from school would pick up a baseball and bat from his bedroom floor, make a team from friends around the neighborhood, and start a game, just for fun. No longer. These days, there are many kinds of organized activities leaving little time to play.

According to research carried out over the last decade, many children have stopped playing team sports in neighborhood groups, but at the same time parents often push their children into team sports in organized programs. This means that there are fewer children playing team sports in general, but more children playing on organized teams in clubs or at school.

For example, statistics show that the number of baseball players has declined 26% over the past 10 years, while the number of children that play frequently has risen slightly. To take another example, participation in soccer has increased 11% over the past 10 years, while play on high school teams has risen 65%. That's quite a difference. Team sports today are more organized and more serious than they used to be, and often require youngsters to schedule their school and home activities around their sports. Furthermore, more and more children are specializing in a single sport at an early age. The result is fewer multisport athletes, not only in high school but in youth·leagues as well.

Parents do not seem to be worried that the relaxed pleasures of their youth have been replaced by competitive teams sports. The great majority of parents agree that participation in organized youth sports is important for personal growth, improved physical fitness, good moral behavior, and healthier eating habits. Not all children respond to competitive sports, however. Many dislike competition and have turned instead to non-competitive sports like inline skating, which has grown in popularity by some 500% over the past 10 years. Others have quit sports altogether and enjoy indoor, non-physical activities such as television, video games, computers and the Internet.

1 大多数の親は、組織化されたスポーツ活動に参加することが子どもの成長に役立つと考えている。

2 昨今はチームスポーツの人気がなく、学校などが組織化したチームで活動する子どもは減った。

3 今日のチームスポーツは本格化しレベルが上がったため、複数の種目で活躍する選手は少ない。

4 かつては、学校から帰宅した子どもは近所の友達と一緒に青少年スポーツクラブに参加した。

5 競争を嫌う子どもは、非競争型のスポーツよりも室内の体を使わない活動の方が向いている。

| 解説 | 正解　**1** | TAC生の正答率 **61%** |

1 〇　第4段落冒頭の内容と合致する。

2 ✕　本文と反対の内容の選択肢。第1段落末尾には様々な活動が組織化されていることが、第2

段落末尾には組織化されたチームでプレーする子どもは増えていることが述べられている。

3 ×　因果関係がおかしい選択肢。第3段落末尾に、複数のスポーツをする選手が少なくなったことが述べられているが、それはレベルが上がったからではなく、幼いころに一つのスポーツに特化しているからである。

4 ×　本文にはない内容の選択肢。本文冒頭には「かつては、子どもが学校から帰宅するとすぐに、寝室の床に転がっている野球のボールとバットを取り、近所の友達を集めてチームを作り、遊ぶために試合を始めたものである」とある。

5 ×　本文にはない内容の選択肢。本文末尾に「スポーツ自体を完全にやめてしまい、テレビ、ビデオゲーム、コンピュータやインターネットといった室内の体を使わない活動を楽しむ子どもたちもいる」とは述べているものの、向いているとは述べていない。

［訳　文］

　かつては、子どもが学校から帰宅するとすぐに、寝室の床に転がっている野球のボールとバットを取り、近所の友達を集めてチームを作り、遊ぶために試合を始めたものである。しかし今は違う。昨今では、組織化されたスポーツ活動が増え、遊びの時間はほとんど残されていない。

　過去10年間の調査によれば、近所の子どもたちが集まってチームスポーツを行うことは少なくなり、それに並行して、両親が無理やり子どもを組織化されたスポーツ活動に参加させることが多くなった。チームスポーツを行う子どもの数は全体として減ってはいるが、クラブあるいは学校が組織化したチームで活動する子どもの数は増えているということなのである。

　一例を挙げれば、ある統計によると、野球選手の数は過去10年の間に26％減少しているが、その一方で、頻繁に野球をする子どもの数はわずかではあるが増加しているのである。別の例によれば、サッカーの競技人口は過去10年間に11％増えているが、高校でサッカーをする生徒数は65％増えているのである。そこにはかなりの開きがある。今日のチームスポーツは、以前に比べて組織化され、本格化される傾向が強まり、そのために青少年の学校生活や家庭生活がスポーツ中心のスケジュールにならざるを得ないこともしばしばである。さらに、幼いうちから１つのスポーツに特化してしまう子どもが増加している。その結果、高校のみならずユースリーグにおいても、複数のスポーツをこなす選手が少なくなってきている。

　自分が子どもの頃の気楽な遊びであったスポーツが競技型のチームスポーツに取って代わられたことを親は懸念していないように見える。子どもが組織化された青少年スポーツクラブに参加することが、人としての成長、健康の増進、道徳的な行動、および健全な食習慣形成に大切だという点において、大多数の親は意見が一致している。しかし、子どもたちの中には、競技型のスポーツに興味を示さない者もいる。競争を嫌って、非競争型のスポーツに転向する者も多い。例えばインラインスケーティングは、過去10年で約500％も競技人口が増加した。あるいは、スポーツ自体を完全にやめてしまい、テレビ、ビデオゲーム、コンピュータやインターネットといった室内の体を使わない活動を楽しむ子どもたちもいる。

［語　句］

organized：組織化された　　　decade：10年間　　　decline：減少する
physical fitness：体力

英文

内容合致

次の英文の内容と合致するものとして、最も妥当なのはどれか。

I've spoken with thousands of Japanese about their experiences overseas. One factor above all else really concerns them: English. Many Japanese believe that, if they could only speak English better, all their problems would disappear. But this simply isn't true.

Let me tell you a story about a Japanese general manager working in New York City. I was surprised that he had this position. He couldn't speak English well at all. He could hardly speak a word! I interviewed the five Americans who reported to him. All five said that he was a really good manager. In fact, they agreed that he was the best manager they had ever had.

I said: "How can that be? The guy can barely speak English!"

But they said: "He helps us. He helps us when we have problems. He's always open when we have questions. We know what our objectives are. Everything is very clear. He gives feedback. He's great to work for."

In other words, he did everything he should be doing as their manager. I love that example and I love to share it with Japanese business people. It shows them that their English doesn't have to be perfect. It doesn't even need to be very good! You can still be a good manager. You can *definitely* still be a good manager.

So my advice to Japanese expatriates is this: Don't worry about your English ability. Instead, focus on communication. Focus on speaking up, on saying what you really think. Focus on doing your job, being a good manager. That means clarifying objectives, monitoring performance, giving and receiving feedback, motivating. Those skills and responsibilities are far more important than merely speaking better English.

Don't be ashamed of your English ability. Don't apologize for it. And don't be afraid to let people know when you don't understand.

1 日本人の多くは、英語が上達することで海外での問題をすべて解決できるとは思っていない。

2 日本人は、英語力を心配する必要がない代わりに、コミュニケーションに注意を払う必要がある。

3 海外に駐在の日本人が良い上司になるには、高いレベルの英語力が必要である。

4 本音を口にすることなく、部下のモチベーションを高めるスキルは、英語力よりも重要なスキルである。

5 英語力が足らないのは恥ずかしいことなので、まず相手に謝罪の気持ちを伝えるべきである。

解 説　　正解　**2**

1　×　第1段落「多くの日本人は、英語さえもっと上手に話せれば、すべての問題は解決すると思っている」と反対の内容の選択肢である。

2　○　第6段落冒頭の内容と合致する。

3　×　「高いレベルの英語力が必要」とは述べていない。本文第2～4段落で、英語が全く話せないが素晴らしいゼネラル・マネージャーの話が述べられている。

4　×　本文と反対の内容の選択肢。第6段落では「本当に思っていることを言うこと」に注意を払うべきだと述べている。

5　×　本文末尾に英語ができないことを恥ずかしがらないこと、そのことで謝らないように述べられている。

[訳 文]

　私はこれまで何千人の日本人と海外での経験について話してきた。その中で、彼らが最も気にする要素が1つある、それは英語である。多くの日本人は、英語さえもっと上手に話せれば、すべての問題は解決すると思っている。しかし、そんなことはない。

　ニューヨークで働く日本人のゼネラル・マネージャーの話をしよう。私は、彼がこの地位にいることに驚いた。彼は英語がまったく上手く話せない。ほとんど一言も話せないのである！　私は、彼の部下である5人のアメリカ人にインタビューした。5人とも「彼は本当にいいマネージャーだ」と言った。実際に、彼らは彼がこれまでで最高の上司であることに同意したのである。

　「どうしてそうなるのですか？　英語もろくに話せないのに！」と私は言った。

　しかし、「彼は私たちを助けてくれます。問題があるときは我々を助けてくれます。質問があるときは、いつでも答えてくれます。私たちは、自分たちの目標が何であるかを理解しています。すべてがとても明確です。彼はフィードバックもくれる、一緒に働くのに素晴らしい人です」と彼らは言った。

　つまり、彼は上司としてやるべきことをすべて行っていたのである。私はこの事例が好きで、日本のビジネスパーソンと共有したい。この事例は、英語が完璧である必要はないのだ、ということを示唆している。英語がとても上手い必要すらない。あなたはそれでもなお良い上司になることができる。あなたは確かにそれでもなお良い上司になることができるのだ。

　したがって、海外に駐在する日本人へのアドバイスはこの通りである。英語力を気にする必要はない。そのかわりに、コミュニケーションに注意を払うことである。発言をすること、本当に思っていることを言うこと、そして、自分の仕事をすること、つまり良い上司であることに注意を払うことである。つまり、目標を明確にし、成果をモニタリングし、フィードバックを与え、受け取り、やる気を起こさせることである。これらのスキルや責任は、単に英語がより上手に話せることよりもはるかに重要である。自分の英語力を恥じるな。そのことについて謝るべきではない。そして、わからないことがあれば、遠慮なく伝えてみよう。

[語 句]

barely：わずかに、ほとんど…ない　　definitely：絶対に、確実に
apologize：謝る

次の英文の内容と合致するものとして、最も妥当なのはどれか。

In many Western countries, like the United States, England, France, and Australia, when renting a house or apartment, there is a "deposit" that is paid. When you vacate the house or apartment, this deposit is refunded after deductions are made for damage and repairs. In Western countries, when you first move into a house or apartment, the owner and tenant will go through the place together and closely examine the condition of the walls, floors, and fixtures, and write down a detailed inventory. Then when you leave, the amount that is deducted from the deposit is based on comparing the condition of the house or apartment to this list. Because the owner or real estate agent is likely to be extremely strict, I heard that if you don't do this, they will deduct money for all sorts of things with the result that there will be nothing left of your deposit. Wherever you are, the tenant seems to be in the weaker position.

However, France has a law called the "law that makes landlords cry." Even if you fail to pay the rent, if you're a family with children, the landlord cannot evict[*1] you during the four winter months. The law was intended to "stabilize" low-income families, but in fact it has sometimes had the opposite effect of "destabilizing" the income of the landlord.

Renting is endless trouble for both sides. In certain countries in the Gulf region that have become wealthy from petroleum[*2], such as the United Arab Emirates and Qatar, the government has sponsored free housing for the citizens. However, since almost the entire population is reasonably well-off, it is ironic that there are very few people who need such financial assistance.

However, in Singapore, where roughly nine out of ten people live in government-managed apartments, there is almost no need to worry about housing. The government continues to build high-rise apartment buildings to provide low-cost housing for citizens.

［語義］　evict[*1] ～を立ち退かせる／petroleum[*2] 石油

1　欧米では、部屋を借りる際に持ち主が一方的に部屋を厳しく見分し、その状態を文書に残す。

2　欧米では、日本と同様に敷金を払うが、借り主の立場が弱く、敷金が返ってくることはない。

3　フランスでは、低所得者は誰でも、冬の間4か月は家賃を滞納しても許される法律がある。

4　アラブ首長国連邦やカタールなど、湾岸の産油国では、石油で潤沢な資金を持つ国家が国民のために無料で住宅を提供している。

5　シンガポールの国民の9割が公営アパートに住めず、住まいの心配を抱えている。

解説　　正解　**4**

1　✕　第1段落に、部屋に入る時に厳しい検分を行うのは持ち主だけでなく、借り主も同席すると書かれている。また、これは一方的に行うものではない。

2　✕　第2段落に、フランスでは大家の方が借り主より立場が弱いと書かれている。

3　✕　「誰でも」という箇所が誤り。第2段落に、子供のいる家族にのみ適用される法律であると書かれている。

4　◯　第3段落の内容と合致する。

5　✕　第4段落に、国民の9割が公営アパートに住んでいると書かれている。

[訳　文]

　家を借りるときの「敷金」のシステムは、アメリカ、イギリス、フランス、オーストラリアなど、欧米の多くの国に存在します。部屋を出るときに損傷分の修繕費を差し引いて返してもらえるわけですが、欧米では、まず部屋に入るときに持ち主と借り主が厳しく部屋を検分し合い、壁や床、備品の状態をきちんと文書にして残し、退出時にはそれに基づいて敷金から差し引く金額を決めます。持ち主または不動産業者がたいへんしっかりしていて、「そうでもないと、何だかんだ理由をつけられて、敷金なんて返してくれやしない」とのこと。どこでも立場が弱いのは、やはり借りる側の人間なのでしょうか。

　ところがフランスには、「大家泣かせ」の法律があります。たとえ家賃を滞納しても、子供のいる家族は、冬の間4か月は部屋を追い出されることがないのです。低所得者の生活を保障するためのようですが、逆に大家のほうが収入が途絶えて困ってしまう、ということが起こってしまいます。

　こういった家の貸し借りのトラブルと縁がないのが、アラブ首長国連邦やカタールなど、湾岸の産油国。石油で潤う国家が国民のために、無料で住宅を提供してくれるのです。ただし、たいていの国民は十分に裕福で、生活に困っている人もあまりいないというのが、皮肉なところです。

　また、シンガポールでは、国民の約9割が公営アパートに住んでいて、住まいの心配をする必要がほとんどありません。政府が郊外に次々と高層アパートを建て、国民に安く提供してくれるのです。

[語　句]

deposit：敷金　　landlord：家主　　well-off：裕福な　　ironic：皮肉な

次の英文の内容と合致するものとして、最も妥当なのはどれか。

The placebo*1 effect for pain medications has been at least partially explained by brain chemistry. When the brain experiences pain, it releases endorphins – chemicals that naturally act like morphine to relieve pain. Brain imaging studies have shown that when a person takes a placebo in the belief that it is a drug, it triggers the release of endorphins. Neurologically, it's as if the person had actually taken a drug.

There is also the less understood but equally powerful nocebo effect. Often, when people are told that they are going to experience negative side effects from a drug, they do, even if there is no medical reason for it. In one study, people were given a sugar pill and told that it induced vomiting*2. Later, 80 percent of them started throwing up. Similarly, in another study, women who believed they were going to die of a heart attack were found to be four times more likely to die of a heart attack than women with the exact same medical profile who did not think they were at risk. Thinking sick may make you sick.

In some realms*3 of medical treatment, the placebo effect actually seems to be getting bigger. In studies of antidepressants*4, the response rate to placebos has been increasing by 7 percent every ten years. In 1980, 30 percent of depressed people given a placebo improved without any other treatment; in 2000, it was 44 percent. This change may be due to widespread advertising and heightened expectations for drugs. In general, the public has more faith in psychiatric medication than it did twenty years ago, which gives placebos more power.

[語義] placebo*1 偽薬／vomit*2 吐く／realm*3 領域、分野／antidepressant*4 抗鬱剤

1 鎮痛剤は、本物の薬よりも偽薬を本物だと思って服用したほうがエンドルフィンは多く出る。

2 副作用が出ると言われて薬を飲むと、必ず副作用が出ることが医学的に証明された。

3 ある研究によって、具合が悪いと思っていると本当に具合が悪くなることもあるということが明らかになった。

4 抑鬱症状の人に偽薬だけを投与する治療の割合は、1980年よりも2000年のほうが14％増えた。

5 偽薬の効果が昔よりも向上したため、精神疾患の薬物治療に対する人々の信頼は高まった。

解説　　正解　3

1 ×　本物の薬と偽薬のどちらがエンドルフィンを多く出すかを比較するような文言は文中には書かれていない。

2 ×　「必ず」の部分が誤り。第2段落で紹介されていた事例では、副作用が出たのは錠剤を服用した人の80%と書かれている。

3 ○　第2段落後半の内容、とりわけ、心臓発作に関する記述と合致する。

4 ×　紛らわしいが、「偽薬だけを投与する治療の割合」が誤り。第3段落で増えたと述べられているのは、偽薬だけを投与する治療を受けた結果、その治療だけで回復した人の割合である。

5 ×　因果関係が反対になっている。本文末尾には、薬物治療への信頼が高まったがゆえに、効果が向上していると述べられている。

[訳　文]

　鎮痛剤のプラシーボ効果は、少なくとも部分的には、脳内の化学反応で説明できる。脳が痛みを感知すると、エンドルフィンといって、モルヒネのように痛みを和らげる作用を持った化学物質が体内に放出される。脳の画像を使った研究により、人が偽薬を本物の薬だと思って服用すると、エンドルフィンがより多く放出されることが分かった。神経が、本物の薬を服用したときのような反応を示すのである。

　プラシーボ効果ほど解明されていないが、それに劣らず強力なのがノシーボ効果だ。人は、この薬を飲むと深刻な副作用が出ますよと言われると、医学的には何の理由もないのに、そうした副作用を感じることが多い。例えば、ある研究によると、実験で参加者に、これは吐き気を催す薬だと告げて砂糖の錠剤を与えたところ、その後、被験者の80%が実際に胃の内容物を吐き始めたという。また別の研究では、自分は心臓発作で死ぬと思い込んでいる女性は、病歴がまったく同じでも、心臓発作で死ぬとは思っていない女性と比べ、心臓発作で死ぬ確率が四倍高いことが明らかになった。具合が悪いと思っていると本当に具合が悪くなることもあるのだ。

　医療分野によっては、プラシーボ効果の果たす役割が次第に増加しているところもあるようだ。抗鬱剤の研究では、偽薬に対する反応率が10年ごとに7ポイントずつ上がっている。抑鬱症状を示す人に偽薬だけを投与して、ほかに何の治療もしなかったところ、症状が改善した人の割合は、1980年には30%だったのが、2000年には44%になった。こうした変化の原因は、抗鬱剤の広告が増え、薬の効果に対する期待が高まったためではないかと考えられている。全体として、精神疾患の薬物治療に対する人々の信頼が20年前よりも高まり、それによって偽薬の効果も向上している。

[語　句]

partially：部分的に　　neurologically：神経学的に

次の英文の内容と合致するものとして、最も妥当なのはどれか。

In my experience helping people reach their goals, I've come to realize that sometimes the best part of the process is deciding to change. When you vow to improve yourself, it immediately lifts your spirits. Research shows that people who set a resolution to improve themselves feel more confident, in control and hopeful. They even feel stronger and taller. Amazingly, this is all before they've done anything to reach their goals!

While resolving to change can be motivating, it sometimes leads to a phenomenon psychologists call false-hope syndrome. This is when you let yourself be inspired by imagining your improved future self but fail to take any real action. You can get addicted to imagining how great life will be when you reach your goal. This good feeling can be a temporary cure for self-doubt or shame. Unfortunately, sometimes it also becomes a substitution for the hard work of having to actually change.

Thinking about your ideal future self must be paired with concrete steps to reach your goal. I recommend that when you have a goal, you identify at least one specific action you can take today that is consistent with that goal. Try to figure out what step you can take right now, even if it feels like the gap between where you are today and where you want to be is huge. The emotional boost you'll get from taking a small step may not be quite as addicting as imagining your improved self, but it is much more likely to help you become that future self.

1　目標達成の過程において、自分を向上させるために変わろうと決心することは重要ではない。

2　目標達成のために何かをやり始めた段階から、人は以前より強くなり背が高くなったと感じる。

3　偽りの希望シンドロームとは、良い将来の自分を想像しようとしても想像できないことをいう。

4　目標を持っているならば、その目標に沿っていて今日できる具体的な行動を、少なくともひとつ見つけるとよい。

5　目標達成に向けて踏み出した小さな一歩から得られる高揚感ほど、やみつきになるものはない。

解 説　**正解　4**　　　TAC生の正答率 **66%**

1　✕　第1段落第1文には、「目標達成のプロセスで一番よいのは、変わることを決心することだと理解するようになりました」とある。

2　✕　第1段落第4文、第5文によると、背が高くなったとまで感じるのは目標を達成する前のこととあるため、誤り。

3　✕　偽りの希望シンドロームについては、第2段落第1文に「変わろうと決心すると、モチベーションが上がる」こととの記載がある。

4　〇

5　✕　第2段落、第3段落には、色々と想像することの方がやみつきになる、ということが読み取れる。

[訳　文]

　私は人の目標を達成する手伝いをしてきた経験から、目標達成のプロセスで一番よいのは、変わることを決心することだと理解するようになりました。自分自身を向上させようと誓うとき、気持ちがすぐにたかぶるのです。研究によれば、自分を向上させる決心をした人は、以前よりも自信を持ち、自己コントロールをして希望に満ちていると感じるようです。彼らは強く、そして背が高くなったとまで感じます。驚くべきことに、それは目標を達成する前のことです。

　変わろうと決心をすると、モチベーションが上がるかもしれませんが、心理学者たちが「偽りの希望シンドローム」と呼ぶ現象を時にもたらします。これは今より良くなった未来を想像することでモチベーションを上げるものの、実際の行動には移さないことをいいます。目標を達成したらどんなに良い人生なのだろうと、色々と想像することにやみつきになってしまうことがあります。こうした良い感情は、自分への疑いや恥を一時的に取り除いてくれるかもしれません。しかし残念なことに、それは時に変わるために必要な努力をしないことにつながってしまうのです。

　自分の理想の未来を考えることには、目標を達成するための具体的な行動が伴っていなければいけません。あなたが目標を持っているならば、その目標に沿った今日できる具体的な行動を、少なくとも一つ見つけることをお勧めします。たとえ今の自分となりたい自分のギャップが大きいと感じたとしても、今できることは何なのかを考えてみましょう。スモールステップから得られる高揚感は、成長した自分を想像することほどにはやみつきにはならないかもしれませんが、そうした未来の自分になるのに役立つ可能性がはるかに高いのです。

次の文の空欄A、Bに当てはまる語句として、最も妥当なのはどれか。

　　A　遺伝子の中で最も有名なものが、「ホメオティック遺伝子」です。動物には、発生の初期に体の前後の軸や体節を決定する遺伝子群があります。例えばショウジョウバエには八種類のホメオティック遺伝子があり、その発現の組み合わせの違いにより、体の部位（頭部・胸部・腹部）が決定されるのです。

　ホメオティック遺伝子はショウジョウバエだけでなく、ヒトをはじめとする脊椎動物にも存在します。ヒトのホメオティック遺伝子は「Hox遺伝子」と呼ばれ、一三種類あることが知られており、これらの遺伝子はHoxA、HoxB、HoxC、HoxDの四つのグループに重複して存在しています。

　ホメオティック遺伝子は、体の中心線を軸に左右対称となっている動物には必ず存在する遺伝子群です。生物の歴史をさかのぼっていくと、現在まで続く動物の基本的な体制（門）がほぼ全て出揃ったのは、約五億四〇〇〇万年前から始まるカンブリア紀（約五億四〇〇〇万年前〜四億九〇〇〇万年前）だと言われています。カンブリア紀に　　B　　が爆発的に増大して、今日見られる動物の基本型が出揃いました。これを「カンブリア爆発」と呼びます。この時に現れた動物は、ホメオティック遺伝子のもとになった遺伝子をすでにもっていたのではないかと考えられています。

　さらに言えば、この地球上に真正の多細胞生物が誕生したのは、エディアカラ生物群が登場する約六億年前です。エディアカラ生物群は、先カンブリア時代末期に出現した動物の一群と考えられており、硬い骨格や殻をもたない体をしていました。ホメオティック遺伝子の原型は、もしかしたらこの年代までさかのぼることができるかもしれません。

	A	B
1	体を大きくする	動物の全体数
2	形を決める	動物の種類
3	体型を変える	人間の全体数
4	種を決定する	植物の種類
5	羽をつくる	昆虫の種類

　空欄Aには「形を決める」が入る。第1段落後半には、ホメオティック遺伝子の発現の組み合わせの違いにより、「体の部位（頭部・胸部・腹部）が決定される」とある。「体の部位」とは、その動物の形を意味するので、空欄Aには「形を決める」を入れるのが妥当である。体を「大きく」するかどうかは確定されていないので、**1**は当てはまらない。すでにある体型をホメオティック遺伝子が変えるわけではないので、**3**も当てはまらない。また、ホメオティック遺伝子によって、「種」や「羽」の有無が決まるわけではないので、**4**も**5**も妥当ではない。

　空欄Bには「動物の種類」が入る。本文第3段落には、「カンブリア紀」について「現在まで続く動物の基本的な体制（門）がほぼすべて出揃った」と述べられている。このことから「動物の」という説明を含む**1**と**2**にしぼられる。単一の種類の動物が爆発的に増えても、「基本的な体制（門）」が出揃ったとは言えないので、**1**の「動物の全体数」ではなく、**2**の「動物の種類」を入れるのが妥当である。

　以上より、**2**が正解である。

次の文の空所A、Bそれぞれに当てはまる節の組合せとして、最も妥当なのはどれか。

　過去をふりかえり、現在をみすえ、そこから未来がどうなるのかを考えるのが歴史です。むろん、そこにはみまちがいもあります。しかし、さまざまな試行錯誤をくりかえしてこそ、歴史ははじめて歴史となるのです。そしてまた、そこにこそ、人類の可能性があるのではないでしょうか。

　あらゆる意味において、二十世紀は決定的に新しい時代でした。もっとも、歴史というものは、あるときに急に新しくなるわけではありません。一見したところ不連続に思えるようなことでも、よく考えてみると、それなりに、そうなる原因なり理由があり、さまざまに展開しています。

　わたしたちの世界、社会、人格などと同じように、芸術もまた展開します。わたしたちが今目にしている芸術作品はみな、めいめいの歴史をもっているのです。

　ここでいう歴史には二つの意味があります。まず、その作品そのものの歴史、というか生い立ちがあります。（　A　）、といったことです。つぎに、その芸術作品が属している分野の歴史も無視できません。かりに、それが一枚の絵であるとすれば、（　B　）その作品もまたおかれているわけです。

　ちょうど、あるひとりの人のなかに、その人自身にしかないいわば小さな歴史（個人史）と、たとえば日本人、さらには人類としての大きな歴史という、二つの歴史がからまってあるようなものです。つまり、芸術作品には大小、二つの歴史があることになります。そして、芸術作品をほんとうに理解するためには、これら二つの歴史をどうしても無視はできないのです。

1　A：いつごろ、だれによって、どのように制作され、現在どこにあるか
　　B：「絵」という芸術分野の歴史的展開のどこかに

2　A：作品が、どこで作られて、いくらで売り買いされてきたか
　　B：広くあまねく現在の商品価値としての美術品の中に

3　A：二十世紀の作品なのか否か
　　B：二十世紀の絵画というジャンルに

4　A：作者の国籍や、いつの時代の人か
　　B：世界的な絵画作品の候補として

5　A：新しい時代であった二十世紀にできた作品が、二十一世紀に再評価されるか
　　B：「絵画」というジャンルの中の歴史に生きている状態に

　Aには「いつごろ、だれによって、どのように制作され、現在どこにあるか」が入る。空欄Aの直前で、芸術の歴史について見るとは「作品そのものの歴史」、「生い立ち」を見ることと書かれているが、空欄A直後の表現から、空欄Aではそれらを言い換えた内容が入ると予測される。「いくらで売り買いされてきたか」や「二十世紀の作品なのか否か」、「作者の国籍や、いつの時代の人か」なども生い立ちではあるものの、その一側面に過ぎない。また、「新しい時代であった二十世紀にできた作品が、二十一世紀に再評価されるか」はこれからどのような評価を受けるかで、生い立ちとは言えない。

　Bには、「『絵』という芸術分野の歴史的展開のどこかに」が入る。空欄B直前の文を見ると、芸術の歴史を見るとは「その芸術作品が属している分野の歴史」であると書かれている。一方、「広くあまねく現在の商品価値としての美術品の中に」や「世界的な絵画作品の候補として」は歴史とは全く関係のない内容についてである。「二十世紀の絵画というジャンルに」は芸術作品全般について語る文であるのに時代を限定するのは適さない。「『絵画』というジャンルの中の歴史に生きている状態に」は因果関係が逆になっている。

　以上のことから、**1**が正解である。

次の文の空欄に当てはまる一節として、最も妥当なのはどれか。

　対話というのは、相手が目のまえにいて話すことです。対話のもっとも大きな特徴は、自分も話し、相手も話すという相互交渉によって成立しているところです。

　接続詞という品詞は、基本的に話の流れを話し手が管理しているときに現れるものです。ですから、対話では、基本的には接続詞があまり使われません。接続詞の多用は、話の流れを話し手が独占しているような印象を与えるため、相互交渉を前提とする対話では相手にたいして失礼になることが多いからです。

　しかし、一方的に話しつづける相手にたいし、そろそろ自分の話したいことを話したいと思うこともあります。そのようなときは、話題を転換させるために、「ところで」のような転換の接続詞を使って、自分の話題を切りだします。

　また、相手の一面的な評価にたいし、自分の考えを述べたくなることもあります。そのようなときは、「でも」などのような逆接の接続詞を使って相手の話をさえぎり、自分の率直な意見を表明することを予告します。

　さらに、接続詞は、次の話をする推進力になる場合もあります。たとえば、「じゃあ」という接続詞は、「じゃあ、行ってくるね」「じゃあ、会議を始めます」「じゃあ、次いくぞ」「じゃあ、終わります」などと使います。「じゃあ」は行動が新たな段階に移ることを予告する接続詞ですが、これらの例ではいずれも、「じゃあ」をつけないと、次の話や行動に移れない感じがします。先ほど挙げた「でも」の例でも、会議の場で、すでに出た発言と対立する意見を言うときには、「でも」をあいだにはさみ、その勢いを借りないと、次の言葉が出てきません。

　このように、対話で使われる接続詞は、（　　　　）ために欠かせないものです。

1　複数の話題を切り替えながら、同時に展開する

2　その場の空気を転換させ、話し手が主導権を握る

3　強引に対話の流れを支配し、相手の話題を受け流す

4　相手に話の内容をよく理解させ、会議を和やかに進める

5　一面的な雰囲気を切り替え、まったく逆の結論を導く

解説　　**正解　2**　　　　　　　　　　　　　TAC生の正答率　**69%**

1　✕　複数の話題を同時に展開することについては、本文で述べていない。

2　○　本文で説明される「対話」の中の接続詞は、話の流れを話し手が管理しているときに現れるものだとされている。話題を転換させる接続詞として「ところで」、「でも」のような例が挙げられている。空欄の直前には「対話で使われる接続詞は」とあるので、本文全体で説明される接続詞の働きについてまとめればよい。

3　✕　「対話の流れを支配」することについては、本文でも触れられているが、「相手の話題を受け流す」とは述べていない。

4　✕　「会議を和やかに進める」推進力になる接続詞の例として「じゃあ」が挙げられているが、「相手に話の内容をよく理解させ」ということについては述べていない。

5　✕　逆接の接続詞を用いて、相手の一面的な評価に対して、自分の考えを述べる例は示されているが、それは逆接だけに当てはまる説明であり、接続詞全体の働きについて述べているわけではない。

次の文の空所A、Bそれぞれに当てはまる節の組合せとして、最も妥当なのはどれか。

欧米社会においては、コミュニケーションは自分の意見や思いを相手にできるだけ正確に伝えるための手段であり、はっきりと言葉で伝えることで説得しようとする。自分の意見や思いをストレートに押し出す。それがコミュニケーションの役割だ。したがって、対立意見を闘わせるディベートが盛んに行われる。

これに対して、日本社会においては、コミュニケーションは　A　であり、自分の意見や思いを正確にわかってもらおうという意思は乏しい。説得しようとするわけでもない。お互いの対立点をぼかして、「何となくいい感じ」の雰囲気を醸し出そうと努力する。ゆえに、あえて自分の意見や思いをはっきり伝えることは避けて、曖昧な表現に終始する。

異文化間コミュニケーション研究の権威であり、日米のコミュニケーションを比較する調査研究を行ったバーンランドは、両文化におけるコミュニケーション観の違いについて、つぎのように指摘している。

要するにアメリカ人にとって、意見が衝突するのは当然のことと見なされている。そこで、　B　のがコミュニケーションの最も重要な役割となる。そこでの中心は自己主張である。

一方、日本社会には、意見の対立は何としても避けなければならないといった考えが根強い。それゆえに自己主張は極力避けられる。自己主張でなく、お互いの気持ちを結びつけるのがコミュニケーションの最も重要な役割となっている。いわゆる「和」の雰囲気を醸し出すのがコミュニケーションの目的となる。

	A	B
1	良好な関係を保つための手段	相手を説得し自分の意見を通す
2	過酷な権力闘争の現場	自分が優位に立つために戦う
3	親しさを表現するための舞台	話術によってうまく対立を収める
4	決まった手順による儀式のようなもの	完膚なきまでに敵を打ちのめす
5	友人という形式を装うための芝居	相手の言い分を理解する

A 「良好な関係を保つための手段」が該当する。第2段落の内容からAには日本社会のコミュニケーションに関する内容が入ることが推測できる。最終段落の「意見の対立は何としても避けなければならない」、「お互いの気持ちを結びつける」などもヒントになるだろう。**4**「決まった手順による儀式」という内容は本文からは読み取れない。また、**3**、**5**は、一見すると「親しさ」、「友人」という語句が含まれるため該当しそうであるが、Bの内容が適切ではない。

B 「相手を説得し自分の意見を通す」が該当する。第4段落の内容からBには欧米社会のコミュニケーションに関する内容が入ることが推測できる。第4段落は第1段落の内容の要約ともいえる内容であるため、第1段落の内容がヒントになる。そこではコミュニケーションが自分の意見や思いを相手にできるだけ正確に伝えるための手段とされていることから、**3**「対立を収める」、**5**「相手の言い分を理解する」は該当しないことがわかる。

現代文　｜　空欄補充

次の文の空欄に当てはまる一節として、最も妥当なのはどれか。

　食のサイエンスには、不確定要素がたくさんあります。たとえば、「サラダを思い浮かべて下さい」といわれて、各人がイメージするサラダの姿かたちは全く同じではないでしょうし、サラダに対する個人の好き嫌いなどの感情もそれぞれ異なるでしょう。食べものは、ただの「物質」として認識されているわけではなく、必ず各人の「思想」が付随してきます。そのため、食べるということは、食品の機能性などを重視した「理性食い」をしようとしても、その一方で自分の思想に基づいた「感性食い」を避けることがなかなかできない宿命にあります。論理面のみでバサッと切れない、歯切れの悪いところが、食の科学が科学として認識されにくい要因のひとつではないかと感じます。

　また、芸術分野における食の立場も、類似した構造があります。絵画の鑑賞では主に「目」から、音楽の鑑賞では主に「耳」からの情報でその芸術美を堪能します。この視覚、聴覚という、遠い対象物からの感覚を受け取る体験が、純粋芸術の鑑賞としては大切です。また、みるのみ、聞くのみというある種限られた感覚での体験が、芸術感の高揚にとって重要な要因のひとつといわれています。

　それに対して食体験は、視覚・聴覚・嗅覚・味覚・触覚という「五感」をフルに使った行為で、純粋芸術の観点からは、私たちの生活に自然に存在しすぎています。また、対象物と近距離で感じるにおい・味・食感といった感覚は、あまりに生々しく、直接的な体験です。さらに、食べることは、物質を口に入れ、咀嚼し、飲み込むことで身体に取り入れ、消化・吸収されなかったものが体外に排泄されるという、一連の肉体的行為でもあります。

　つまり、食の芸術は、芸術作品として人の感情を揺さぶる「感性」の要素をもってはいるものの、直接的すぎる感覚であり、また、身体に取り込む物質情報としての「理性」の要素も色濃くあわせもっているといえます。

　すなわち、食は、（　　　　）といえます。これは一見すると半端な印象を与える一方で、食は理性と感性のちょうどよい"ハイブリッド"であり、応用科学や応用芸術の両世界で独特のポジションを取りうるということでしょう。

1　理性も感性も兼ね備えており、科学でも芸術でも高い地位にある、まさに"百獣の王"の立場と呼ぶに相応しい

2　科学の世界では十分に認識されていても、芸術としては理性の要素が色濃く、認められにくい

3　科学の世界でも芸術の世界でも、理性もしくは感性のどちらかに特化することができない"コウモリ的立場"にある

4　理性も感性も不足し、科学的にも芸術的にも無視される"蜉蝣のような存在"である

5　理性の不足によって科学としては認識されていない反面、その感性の要素から芸術としては非常に人気の高い主題である

解説　　**正解　3**　　　　　　　　　　　　　　

1　**✕**　空欄直後には「半端な印象」、「独特のポジション」とあり、選択肢の「高い地位」、「百獣の王」という表現だと本文の文脈に合わない。

2　**✕**　「芸術としては…認められにくい」が明らかに誤り。空欄直前の段落には「食の芸術は、芸術作品として人の感情を揺さぶる『感性』の要素をもってはいる」と述べられており、空欄直後にも「応用科学や応用芸術の両世界で独特のポジションを取りうる」と述べられている。これらの内容から芸術として認められていると言えるだろう。

3　**◯**　空欄直後の「半端な印象」、「理性と感性のちょうどよい"ハイブリッド"」、「独特のポジション」というニュアンスに最も合う選択肢であり、この文章全体で説明してきた食についてまとめたものでもある。

4　**✕**　本文と反対の内容の選択肢。「理性と感性のちょうどよい"ハイブリッド"」、「応用科学や応用芸術の両世界で独特のポジションを取りうる」と空欄直後で述べている。

5　**✕**　「理性の…科学としては認識されていない」、「芸術としては非常に人気の高い主題」が明らかに誤り。空欄前後を確認すれば、科学として認識されていることは読み取れるだろう。また、「非常に人気の高い」とは本文で述べていない。

次の文章の空所に当てはまる語句として、最も妥当なのはどれか。

　統計を書くことは、一つのストーリーを創作することに他なりません。特定の統計モデルは、特定のストーリーを語っているのです。

　そのストーリーが妥当かどうかは、実測データへの当てはまりの良さだけでは言えない面もあります。たとえば天気予報にしろ、経済予測にしろ、「当てる」ことを目的とするのか、それとも「説得的な理論に基づく」ことを尊ぶのか、はたまた「それにより人々の行動を所期の方向へ誘導する」ことを旨とするのか、これらは場面により、また論者により、意見が分かれます。

　このように統計とは、一般的な数学の問題のようにまず計算をした後にそれを解釈する、というよりは、むしろ解釈と計算とが表裏一体となって同時進行する、という性格のものです。これが統計分析の難しさであると同時に、そこには解釈を計算によって検算し、計算を解釈によって検算する、という二重のチェック機能が働くという便利さもあります。統計は「顔のある数学」と言ってよいでしょう。

　特に経済統計や社会統計など「人」を扱う統計の場合、統計モデルの構築やその分析には「臨場感」が伴います。すなわち、そこで扱われている人たちが何を考え、どのような情報を基に、どのように意思決定したか、が統計モデルにより記述されるからです。自分がその立場にいたらどうしたか、と想像することで、モデルや分析がどう自然か不自然か、の見当がつく場合もあります。

　しかし何と言っても統計分析で一番面白いのは、筆者の独断をお許し願えるのであれば、その分析が同時代や後世の人々の手でどのように記事化され、それがどのような読者の目にどう映り、さらにそれが世論や政策にどう反映されるか、に馳せる思いです。

　もちろん当初の分析者の「思い」と、それを記事化したり、さらにそれを読んだりする人たちの解釈や思惑とは、必ずしも一致しなくて構いません。（　　　　）という前述の理は、ここにも生きています。

1　必ず「当たる」わけではないのだから、統計分析を信頼してはいけない。

2　「当たる」「当てはまりのよい」ことだけが統計分析の本領とは限らない。

3　人々の思いに関係なく、確実に「当たる」予測をすることこそが統計分析の本領である。

4　分析者の思惑を超え、誰もが想像もしない展開をしてこそ役に立つ統計である。

5　人々の行動を所期の方向へ「誘導」できなければ、統計の存在する意味はない。

解 説　　**正解　2**　　　　　　　　　　　　　TAC生の正答率　**80%**

1　**×**　統計分析を信頼するか信頼しないかについては、本文で述べていない。

2　**○**　統計はストーリーを創作することであり、ストーリーが妥当かどうかはデータへの当てはまりの良さだけでは言えない。統計分析の面白さは、その分析がどのように記事化され、どのように世論や政策に反映されるかを考えることだと述べられている。そして「当初の分析者の『思い』と…一致しなくて」構わないことが空欄直前にあることを考えると、「当てる」ことだけが目的ではないということを空欄に当てはめればよい。

3　**×**　「確実に『当たる』予測をすることこそが統計分析の本領」ということについては、本文で述べていない。

4　**×**　「誰もが想像もしない展開」については、本文で述べていない。

5　**×**　空欄直前では、分析者の思いと記事化したり読んだりする人の解釈が一致しなくても構わないと述べている。選択肢では「人々の行動を…『誘導』できなければ、統計の存在する意味はない」と述べており、空欄直前の文と矛盾してしまう。

次の文の空欄に当てはまる語句として、最も妥当なのはどれか。

　スマホは二〇一一年以降、急激なペースで普及が進みました。すでに60％がスマホを保有していますし、パソコンの普及率は80％を超えています。

　これらの状況から、日本では、すでに全国民がネットに自由にアクセスできる環境を手にしたと考えてよいでしょう。こうした環境の変化は、スマホが普及し始めた、ここ数年の出来事です。

　全員が同じネットワークにアクセスできるということは、それじたいに大きな価値が生じることになります。これを、経済学の世界では「ネットワークの外部性」と呼んでいます。

　ネットワークの外部性とは、（　　　　）のことを指します。一度このフェーズに入ると、利用者が増えることによって、さらに利用者が増えるという、正のスパイラルが発生します。

　ネットワークの外部性は、電話を例にすればわかりやすいでしょう。電話に加入している人が２人しかいなければ、電話に加入するメリットは、その２人しか享受することができません。しかし、全員が電話を持つようになると、電話網が持つ意味はまったく変わってきます。

　インターネットは電話と異なり、テキストも音声も画像も同時に送ることができます。つまり、ビジネスに必要な材料が、すべてひとつのネットワークで処理できることになります。こうしたネットワークに、しかも短期間で全員がアクセスできるようになったことを考えると、大きなインパクトが生じるのは当然のことかもしれません。

1　加入者数が増えることで、個々の利用者へのサービスが低下していく現象

2　加入者数が増えれば増えるほど、利用者が享受できるメリットが増える現象

3　利用するメリットが減ると、加入者数も減る現象

4　加入者数が増えれば増えるほど、非加入者も含めた世界全体が豊かになる現象

5　急激に加入者数が増えた反動で、しばらくすると伸び率が鈍化する現象

1　✕　インターネット利用という「サービス」の質が低下するとは書かれていない。空欄直後の「正のスパイラル」にも当てはまらない。

2　○　第5段落で電話の例にネットワークの外部性を説明しているため、それをヒントにすればよい。そこでは、電話を利用する人が増えることで、より多くの人がメリットを享受できるとしているので、同様の内容は本肢のみである。

3　✕　本文では、利用するメリットが減ることについては述べていない。また、**1**同様、空欄直後の「正のスパイラル」にも当てはまらない。

4　✕　非加入者についての言及は文中に見られない。

5　✕　急激に加入者が増えたことは、ビジネスにおいて「大きなインパクト」ではあるものの、反動によって伸び率が鈍化するという言及は文中に見られない。

次の一文を先頭に置き、A～Fの文章を並べ替えて意味の通る文章にしたときの順番として、最も妥当なのはどれか。

甘味、塩味、苦味、酸味、そしてうま味の5種類が基本五味として知られています。

A　皆さんも幼い頃、ピーマンや梅干しは受け付けなかった方も多いと思います。

B　コーヒーは苦いので子供はあまり好みませんが、大人になって飲むと眠気が覚め奥深い風味があることを感じられるようになり、そうなると嗜好品になります。

C　一方、苦味は植物が作りだすアルカロイド（ニコチン、モルヒネ、キニーネなど）などの毒物を認識すること、また、酸味は微生物による腐敗を認識することを目的としており、本能的には避ける傾向にあります。

D　しかしながらヒトは経験により、苦味や酸味のあるものを好むようになります。

E　このうち、甘味は、ヒトのエネルギー源になるものを認識することから本能的に好ましいと感じるとされています。

F　その代表例はコーヒーではないでしょうか。

1　A － D － F － B － C － E

2　E － B － F － A － D － C

3　E － C － A － D － F － B

4　E － C － D － A － F － B

5　E － F － B － C － A － D

解 説　　正解　**3**

文章整序問題は、つながりの分かりやすいところからつなげていくとよい。

Cは「苦味」や「酸味」のような人々が「避ける傾向」の味について述べられている。Cの冒頭の「一方」に注目すると、Cの直前は、Cの説明とは反対に、人々に好まれる傾向の味の話が示されると考えられる。その条件に当てはまるのは「甘味」の話をしているEの文であることから、「E→C」という流れが見えてくる。「E→C」の流れがあるのは、**3**と**4**である。

次にAの文で、「ピーマン」や「梅干し」について、幼い頃受け付けずに避けていた人が多いことに言及していることに注目したい。「ピーマン」は「苦味」の代表的な例であり、「梅干し」は「酸味」の代表的な例である。AはCの内容の補足説明となっているので、「C→A」という流れが見えてくる。

以上のことから、「E→C→A」という流れが見えてくる。その流れを含むのが**3**である。**3**の流れでは、「E→C→A」の流れのあと、Dの「しかしながら」でつなぎ、経験によってヒトが「苦味」や「酸味」を好むようになることが述べられている。その後、「F→B」の流れの中で、「苦味」が好まれる例としてコーヒーの説明をして、本文が終わっている。

以上より、**3**が最も妥当である。

次の文章を先頭に置き、A〜Eの文章を並べ替えて意味の通る文章にしたときの順番として、最も妥当なのはどれか。

　春になると私たちは、「だいぶ日が伸びましたね」と挨拶を交わす。

A　秋には「ずいぶん夜が長くなりました」と言う。「夜長（よなが）」はしんとした秋の季語である。
B　このように、季節の言葉に思いをこめる伝統は『万葉集』の時代からである。
C　これは「日永」や「日脚伸ぶ」という春の季語だ。
D　その根底には、立春、立夏、立秋、立冬で四季を分ける古代中国の暦の考え方がある。
E　寒い冬が終わり、草木が芽吹き、人の動きも活発になる春の喜びの気持ちがこめられている。

1　A − B − D − C − E

2　B − C − D − A − E

3　B − D − C − A − E

4　C − A − E − D − B

5　C − E − A − B − D

解 説　　正解　5

　冒頭にて、春における挨拶が示されている。Cにて、「これは」として「だいぶ日が伸びましたね」
という挨拶の原意を解説しているため、冒頭の文とのつながりが予想されるだろう。さらにEにて、
Cで書かれている「日永」や「日脚伸ぶ」に含まれる人々の気持ちについて言及されていることから、
C→Eとつながることが分かる。

　次にAを見ると、秋の挨拶についての内容であることが分かるが、これがEの後につながることで、
C、Eと春の挨拶について述べられてきた内容に対するものとなることが予想される。

　一方、Bを見ると、「このように」という語で始まる総括的な文であることから、B以前にC→E
→Aとつながることで、春と秋それぞれの季節の挨拶についての文となる。その歴史的な背景が『万
葉集』に見られるという内容は従前の文の説明といえる。さらに「その根底には」という書き出しか
ら始まるDは季節の言葉に思いを込める万葉集以来の伝統の由来を説くものであり、B→Dとつなが
ることでより詳細な説明となる。

　よって、C→E→A→B→Dとなり、**5**が正解となる。

次の文章を先頭に置き、A〜Eを並べ替えて意味の通る文章にするための順番として、最も妥当なのはどれか。

どうしたらユーモアのあるおもしろい話ができるのか？

A　そんな、「話すのがあまり得意でない」という人には、まずは聞き方を意識してほしいと思います。

B　品のある話し方はどうすればできるのか？　落ち着きのある感じを出すにはどうすれば？　…などなど、話し方で困っている人は本当にたくさんいるようです。

C　だから、「どうも気のきいた話し方ってわからないんだよなぁ…」という人は、「相手の話を聞く」ことを意識してみてください。

D　大事なのは、相手に「話してよかった！」「自分は大切にされているんだな」という感覚を与えてあげること。

E　というのも、会話というのは上手な聞き手がいるだけで成り立つものだからです。

1　A − C − D − E − B

2　B − C − E − D − A

3　B − A − E − D − C

4　D − A − C − B − E

5　D − C − E − A − B

解 説　　**正解　3**　　

「どうしたらユーモアのあるおもしろい話ができるのか？」という冒頭文から始まっている。それにつながる記号として選択肢に示されているのはAとB、Dである。Aは「そんな、『話すのがあまり得意でない』という人」と述べているので、冒頭文に全くつながらない。また、Dも「大事なのは…」と述べていて、冒頭のユーモアのあるおもしろい話には全くつながらない。Bは「品のある話し方はどうすればできるのか？」と、冒頭文と同様の内容で続きになるものが述べられているため、Bが冒頭文につながることがわかる。

次に接続語や指示語等、つながるヒントになりそうな表現のうち、A「そんな、『話すのがあまり得意でない』という人」に注目すると良い。Aの前には話すのが苦手、困っているという内容がつながるはずである。そのことに触れているのはB「話し方で困っている人」である。B→Aというペアができる。

この段階で正解は**3**しかない。続きを確認すると、B→Aの「聞き方を意識してほしい」に対する理由として、E「というのも、…聞き手がいるだけで成り立つものだから」がつながる。またD「大事なのは…『自分は大切にされているんだな』という感覚を与えてあげること」と、Cの「だから、…『相手の話を聞く』ことを意識してみてください」も因果関係を説明しており、つなげることができる。

次の文章を先頭に置き、Ａ〜Ｆの文章を並べ替えて意味の通る文章にしたときの順番として、最も妥当なのはどれか。

実は大部分の植物には、昆虫に対する防御物質が含まれている。

Ａ　もちろん、それが毒になるかそうでないかは、植物とそれを食べる生物それぞれによって異なる。

Ｂ　農作物の多くは改良によってそういった物質が少なくなっているが、野山に生える植物の大部分は、われわれにとって有毒であったり、強いアクがあったり、匂いがきつかったりして、食べられたものではない。

Ｃ　逆にイヌが食べると死ぬこともあるタマネギやカカオ（チョコレート）はヒトが食べても平気である。

Ｄ　そういった特徴も、実は植物の防衛策の表れなのである。

Ｅ　防御物質とはつまり昆虫にとっての毒である。

Ｆ　たとえば、草食の哺乳類はわれわれにとって不味い植物もおいしそうに食べるし、昆虫にいたっては、ヒトが食べたらすぐに死んでしまうような強力な毒を持つ植物を平気で食べるものもいる。

1　Ａ－Ｅ－Ｆ－Ｃ－Ｂ－Ｄ

2　Ｂ－Ａ－Ｃ－Ｆ－Ｄ－Ｅ

3　Ｂ－Ｃ－Ｆ－Ｅ－Ａ－Ｄ

4　Ｅ－Ｂ－Ｄ－Ａ－Ｆ－Ｃ

5　Ｅ－Ｂ－Ｆ－Ｃ－Ａ－Ｄ

解説　　**正解　4**　　TAC生の正答率　**59%**

　まず、冒頭に位置すべき記号としてＥ「防御物質とは…」を挙げることができる。先頭の文には「防御物質が含まれている」と述べられており、その防御物質という語句について説明しているのがＥであるからだ。この時点で正解は**4**か**5**に絞ることができる。

　次に、ペアになりそうな記号としてＣに注目するとよい。Ｃは「逆に…ヒトが食べても平気」とある。ヒトが食べて平気でないものについて述べているのはＦ「たとえば…ヒトが食べたらすぐに死んでしまう」である。よってＦ→Ｃのペアを作ることができる。

　また、Ａでは「毒になるか…植物とそれを食べる生物それぞれによって異なる」と述べている。この例にあたるのはＦ→Ｃのヒトとヒト以外の動物の例であり、Ａ→Ｆ→Ｃと繋ぐことができる。この時点で**4**に確定することができる。

次の文章を先頭に置き、A～Eの文章を並べ替えて意味の通る文章にしたときの順番として、最も妥当なのはどれか。

遊ぶ、ということでは、おとなと子どもとでは、意味する内容が少し異なっている。

A　たとえば、週末に映画鑑賞や登山などを楽しむ、レクリエーションといってもよい。

B　いつも、自分から興味・関心のあることに向かっていき、いわば自発的に遊んでいる。

C　それに対して、乳幼児期の子どもは、遊ぶこと自体が、毎日の生活だといえる。

D　おとなは、日常の忙しい仕事や生活から逃れて気分転換をする際に、このことばが使われる。

E　おとなは、意識的に時間を確保して、遊ぶ、ということになる。

1　B－A－C－D－E

2　B－D－E－C－A

3　D－A－E－C－B

4　D－E－B－C－A

5　E－D－C－B－A

解 説　**正解　3**　　TAC生の正答率　**96%**

　冒頭の文を見ると、「遊ぶ」がテーマであり、「おとな」と「子ども」の違いについて述べた文章であることが推測できる。「おとな」の遊びについて論じているものを見ると、A（映画鑑賞や登山は子どもの遊びの例ではない）、D、Eであることがわかる。これらの順序を考えると、Dの「このことば」が冒頭の「遊ぶ」を指すことがわかるので、冒頭文→Dとなる。またAの例は気分転換のレクリエーションの例となっているため、D（「気分転換をする」と述べられている）→Aとなる。D→Aをまとめると、Eの「意識的に時間を確保して」ということになるので、Eをまとめの一文だとみなせば、D→A→Eという繋がりができる。

　この段階で**3**が妥当であることがわかる。確認してみるとD→A→E→C（おとなに対して子どもは遊ぶこと自体が生活）→B（いつも自発的に遊ぶ）となり、スムーズに繋がる。

次の文章を先頭に置き、A～Fの文章を並べ替えて意味の通る文章にしたときの順番として、最も妥当なのはどれか。

脳も筋肉と同じように使い続けると疲れてきます。

A　時間をロスして仕事の能率が下がり、残業が増えると、睡眠時間にしわ寄せがきてしまいます。

B　まさに「負のスパイラル（循環）」ですね。

C　脳がまだ元気な午前中に探し物に貴重な時間を取られると、その日1日のトータルの仕事効率が大幅にダウンします。

D　睡眠中に脳は日中に取り入れた情報を整理し、記憶や学習の強化を行っています。

E　そして残業時間が長くなり、溜まった仕事を片づけるために翌日も早く出勤しなくてはなりません。

F　そんな得がたい睡眠時間が足りなくなると、ますます仕事力が低下していくことにもつながります。

1　A – D – F – C – E – B

2　A – D – F – E – B – C

3　C – E – A – D – F – B

4　D – C – E – A – F – B

5　E – A – D – F – B – C

解説　　正解　3　　　　　　　　　　　　　TAC生の正答率　**58%**

　文章整序では、指示語や接続詞をヒントにして前後でつながりやすいペアを見つけたり、関連する内容のグループ分けをしたりするとよい。

　例えば、A、D、Fには「睡眠」に関わる内容が述べられている。またFに「そんな得がたい睡眠時間」とあるため、直前には睡眠によって得られるものについての説明をしているDがくると考えられる。A「残業が増えると、睡眠時間にしわ寄せ」がくる→D「睡眠中に脳は…行っています」→F「そんな得がたい睡眠時間が足りなくなると、ますます仕事力が低下」するという流れになる。**4**以外はすべてその順序になっている。

　C、A、Eの内容も関連している。A前半の「時間をロスして仕事の能率が」下がるのがCの状況であり、A後半の「残業が増えると、睡眠時間にしわ寄せ」がくるのがEの状況である。したがって、C→Eで一日の状況を説明し、Aがその要約であるため、C→E→Aとつながる。仕事能率が下がる→残業が長くなる→睡眠時間が削られる→さらに仕事力が下がることについて、最後にB「負のスパイラル」と指摘するのは適切であろう。

　したがって、**3**が最も妥当である。

次の文章の要旨として、最も妥当なのはどれか。

　Ｋさんは、某企業に最初契約社員として入社しました。周りは全員正社員で、「私はまだ誰にも評価されていない」イコール「私の評価は低い」と思っていました。そうして正社員になるまでは会社で発言したり、笑ったり、冗談を言ったりしてはいけないと思っていたそうです。つまり、「あいつは契約社員のくせに調子に乗っている」という悪口を言われるのを恐れて仏頂面で仕事をしていたのです。

　その状態が苦しくなり、私のもとを訪れたのですが、私はＫさんにまず「その仏頂面の状態で、自分を好いてくれる友だちに接したらどうなりますか」と尋ねました。

　Ｋさんがいまの苦しさから抜け出すには、自分を好いてくれる友だち――つまり自分を評価している人――が、Ｋさんの仏頂面を続ける状態に対してどう反応するかをイメージしてみるのが１つの方法なのです。

　自分を好きな友だちに対しても、職場と同じ態度で接すると、相手はどういうふうに思うでしょうか。おそらく、暗いあなたに対して「一緒にいても楽しくない」と思い、疎遠になっていく未来が予想できるのではないでしょうか。

　要するにＫさんは、仏頂面で笑わないでいるほうが職場に適応できる、と間違った認知をしているわけです。そういうときは、同じ認知の仕方を自分の好きな人たちにも適用したらどうなるかをシミュレーションすることで、自分の間違えていた認知は自動的に解消されていきます。

　言われてみれば「何だ、そんな方法か」と拍子抜けされてしまうかもしれませんが、原因を客観視する方法として非常にお勧めです。シミュレーションして確かめるだけで、認知の間違い、エラーは解消されるということです。

1　仕事であっても仏頂面をするのではなく、自分を好いていてくれる友だちに接するつもりで常ににこやかにしていることが、評価される方法である。

2　間違った認知を自分一人の力で解消することは難しく、自分を評価してくれる人に指摘してもらうが必要不可欠である。

3　間違った認知は、自分を評価している人からの反応をイメージしてみるだけで客観視され、解消することができる。

4　間違った認知を解消するためには、原因を客観視し、シミュレーションした上で、自分が正しいと思う行動をとることが重要である。

5　仏頂面で笑わないでいる方が職場に適応できるという間違った認知を持っていても、その状態を続けることが苦しくなれば、自然と間違いに気付くものである。

解説　　正解　3

1　✕　「常ににこやかにしていることが、評価される方法である」という内容は、本文に述べられていない。本文では認知の間違いに気づく方法の話をしているのであり、「評価される方法」について述べているわけではない。

2　✕　「自分を評価してくれる人に指摘してもらう」という内容は、本文に述べられていない。本文では、自分を評価してくれる人に適応したらどうなるかをシミュレーションすることを提案しているのであり、評価している人が指摘するのではない。

3　◯　本文第6段落の結論部分の内容と合致する。

4　✕　シミュレーションすることによって原因を客観視するのであり、「原因を客観視し、シミュレーションした上で」と並べて述べるのは妥当ではない。また、「自分が正しいと思う行動をとること」については、特に述べられていない。

5　✕　「その状態を続けることが苦しくなれば、自然と間違いに気付く」という箇所が誤り。本文では、シミュレーションして原因を客観視することで、認知の間違いが明らかになり、エラーが解消されると述べられている。

次の文章の要旨として、最も妥当なのはどれか。

　私は「集中できることも才能の一つだ」と、両親からよく言われて育ちました。

　しかし、本来、集中力がない人はいないのです。誰しも好きなことには夢中になりますし、集中できます。ただ、集中力が続く時間は、人によっても年齢によっても違います。

　学校の授業がよい例ですが、小学校では四〇～四五分、中学高校では六〇分、大学では九〇分の授業が一般的です。これは、その年齢で集中力が持続するであろう目安の時間なのです。たとえ興味がないことでも小学生、中高生、大学生（成人以降）は、このくらいの集中力を持っていなければなりません。

　では、集中力を鍛えるためにはどうしたらいいのでしょうか。

　まずは、好きなことに思う存分没頭して時間を忘れるという感覚を身につけます。子どもであれば遊びでも、ゲームでも、スポーツでも何でもかまいません。これは大人になっても同じで、読書や映画鑑賞、趣味の時間を見つけて、思いっきり集中する時間を意識してつくりましょう。

　集中時間を延ばすためには、集中が切れたということを意識することも必要です。いったん切れても、意識的に集中を持続させることはできますし、終わりの時間を決めて、「あと何分間がまんしよう」と短い目標設定をすることも大切です。

　また、集中が切れたときはその原因を探ってみてください。集中が切れる原因は内的要因（自分自身の問題）と外的要因（周りの環境の問題）にわけて考えます。

　内的要因であれば、自分自身の脳やからだが疲れている、モチベーションに問題がある、目標が設定されていない、そもそも対象が好きではないなどが考えられます。一方、外的要因は、気を散らす音や視覚的な刺激がある、作業時間と休憩時間にメリハリがない（時間設定が曖昧）などがあります。

　その要因を意識して取り除くことができれば、集中時間は延びていくことでしょう。

1　誰でも好きなことには夢中になり時間を忘れるので、好きだと思えることをできるだけたくさん増やすことが、結果的に集中時間を延ばすことになる。

2　好きなことに没頭していると、やるべきことをやる集中力が身につかないので、短い時間でも苦手なことを我慢してやる習慣をつけるべきである。

3　気を散らす原因となる外的要因を取り除くことが、集中できる時間を延ばしていくための最も効率的な方法である。

4　集中できることは才能の一つであるので、集中力は人によって違い、鍛えることで伸びる集中時間の量にも、個人差が出てしまうのは仕方ないことである。

5　集中時間の長さは人によって違うが、好きなことに没頭する時間をつくったり、集中が切れる要因を取り除くことで、これを延ばしていくことは可能である。

1　✕　「好きだと思えることをできるだけたくさん増やすこと」については本文に述べられていない。

2　✕　「やるべきことをやる集中力が身につかない」、「苦手なことを我慢してやる習慣をつけるべき」などの説明は本文で述べられていない。

3　✕　「外的要因を取り除くこと」は集中できる時間を伸ばす方法として挙げられているが、別の方法も本文では述べられており、外的要因を取り除くことを「最も効率的な方法」とするのは誤りである。

4　✕　「鍛えることで伸びる集中時間の量にも、個人差が出てしまう」という内容は本文に述べられていない。

5　〇　「好きなことに没頭する時間」を作ることや、「集中が切れる要因を取り除くこと」の両方の方法を述べているので、本文の全体をまとめた内容になっており、要旨として最も妥当である。

現代文　要旨把握

次の文章の要旨として、最も妥当なのはどれか。

「著者性」という価値、「著作」という考え方が大昔からあったわけではありません。紙に書いて固定する前は口伝えでしたから、伝わっていく過程で二次創作、三次創作は当たり前、ブラッシュアップされたり改変されたりして、面白いものが伝わっていきました。印刷機ができて、紙に固定化されるようになってからも、すぐに作者が「これは私のオリジナルだから真似するな」と言い始めたわけでもありません。シェイクスピアの時代には、同じ素材をいろいろな作者が物語にしていましたし、他人の趣向を取り入れたり、（今の言葉でいえば）盗作することも普通に行われていました。画家はたくさんの弟子を抱え、工房全体で作業をして、それを自分の名前で発表していました。

浄瑠璃・歌舞伎の世界では、近松門左衛門が自分の作品に「作・近松門左衛門」と書き入れたら、周りからは「はしたない」と言われたというエピソードもあります。近松はまだ一八世紀ですから。

作品に「自分というタグ」を付けること、つまり「唯一無二の著者」に価値を置くようになったのは、才能や感性が「集団」に属するのではなく個人に帰せられるようになった一九世紀頃からのことなのです。

著者性を歴史的に見てみると、「匿名・口承文芸」の時代から、「集団・工房・派閥・徒弟制」の時代を経て、「個人のオリジナリティ」を尊重する時代へと移り、そして今は「複合著者」とでもいうべき時代を迎えているということになります。

ネットにあふれた情報を自由にパロディ化したり、編集したりして楽しむ現代は、むしろ、「口承文芸」の時代に似ています。さまざまな異本やヴァージョンが現れ、その中でいちばん面白いものが残っていく。これまで埋もれていたものを発掘して再編集して新しい価値を生み出す。電子メディア社会では、権威ある著者＝特権的な書き手が消滅し、「著作権」とか「個人のオリジナリティ」という発想が消滅しつつあり、無規制の活性化が生じてきていると言えるのです。

1　「著者性」は時代ごとに変化しており、現代の電子メディア社会では、権威ある著者は消え、「複合著者」というべき無規制の活性化が生じてきている。

2　「著者性」は長い時間の中で少しずつ発展、進化してきたものであり、時代が変わったからといって簡単に消滅させてよいものではない。

3　著作物の面白さは「個人のオリジナリティ」からくるものであるので、「著者性」は著作の面白さを担保するものであるとも言える。

4　十九世紀に「唯一無二の著者」に価値が置かれるようになってから、著作物から面白さがなくなってしまったため、現代ではまた「口承文芸」の時代に戻りつつある。

5　「著者性」の確立には、紙と印刷が重要な役割を果たしていたので、現代の電子メディア社会で「著作権」という考え方が消滅しつつあるのも、納得のいく道理である。

解説　　正解　1

1 ○　本文全体のまとめとなっている。

2 ×　選択肢全体が、本文に述べられていない内容である。

3 ×　選択肢全体が、本文に述べられていない内容である。

4 ×　「著作物から面白さがなくなってしまった」という内容は本文にない。

5 ×　「紙と印刷が重要な役割を果たしていた」という箇所が本文と反対。本文第1段落では、「印刷機ができて、紙に固定化されるようになってからも、すぐに作者が『これは私のオリジナルだから真似するな』と言い始めたわけでもありません」とある。

次の文章の要旨として、最も妥当なのはどれか。

　近代以降の資本主義のしくみは、それにさきだつ古代や中世までの社会にたいし、社会構成員のすべてを、市場経済の担い手として、自由で平等な基本的人権を有する個人として認めあう理念をもたらした。それは、古代の奴隷制や中世の農奴制のもとで、貴族や武士階級に不自由な身分として差別され、隷従していた働く人びとを、人格的に自由で平等な社会構成員として解放する社会理念をなしていた。もともと、中世以前の社会は、その内部の共同体的な経済生活を、非市場経済的な現物経済の互酬と人格的な支配をともなう再配分のしくみとして組織していた。しかし、共同体と他の共同体とのあいだには、武力により制圧するのでなければ、社会内部の秩序とは異なる商品の交易関係がとりむすばれていた。たとえば、シルク・ロードや塩の道での社会のあいだをぬってゆく交易路では、社会内部での権力的な支配や慣習による秩序とは異なる、相互に対等で自由な合意形成が経済行為の基本秩序をなしていた。

　近代資本主義は、外来的で周辺部におかれていた市場経済の秩序を、封建社会の解体をつうじ、むしろ社会内部の経済生活の基本的原理に浸透させて成立した。それにともない、社会構成員のすべてに市場経済の担い手としての自由、平等、人権が認められてゆく。同時にその社会の生産、分配、消費の社会的な維持、継続は、社会的権力、慣習、倫理などからの規制や介入による互酬や再配分に依存する程度を縮小させ、むしろ基本的には、市場をつうずる個人主義的で無政府的な商品の自由な取引にもとづく自律的な経済生活の運動にゆだねられることになる。したがって、社会生活の有機的関連性のなかで、市場経済の自律的運動とその発展・変化とが、政治、法律、社会思想や道徳などに対応をせまり、その時代的変化を招来する側面が資本主義のもとでは顕著となる。

1　近代資本主義には、それ自身が持つ個人主義的で無政府的な理念によって、従来の社会秩序を変化させ混沌とさせてしまう側面がある。

2　資本主義の発展は、市場経済の秩序によって共同体内の生活を安定させるが、同時に自由な経済行為という名の争いによって、他の共同体との関係を悪化させる。

3　近代資本主義のしくみは、非市場経済的な現物経済の互酬と人格的な支配をともなう再配分のしくみであるという意味で、本質的に古代の奴隷制や中世の農奴制と変わりはない。

4　資本主義による新たな秩序は、それまでの共同体同士の交易関係と基本秩序を壊し、自由、平等、人権というまったく新しい理念を生み出した。

5　近代資本主義は、市場経済の秩序を広める中で、それまでの封建的な社会思想や道徳を変化させ、自由、平等、人権を認めさせる役割を果たした。

解　説	正解　5

1　×　「混沌とさせてしまう」という箇所は、本文に述べられていない。

2　×　「共同体内の生活を安定させる」、「他の共同体との関係を悪化させる」という箇所は、本文に述べられていない。

3　×　「非市場経済的な現物経済の互酬と人格的な支配をともなう再配分のしくみ」は中世以前の社会の説明であり、それを近代資本主義の説明として述べているのは誤りである。また、「古代の奴隷制や中世の農奴制と変わりはない」という箇所は、本文と反対である。

4　×　「それまでの共同体同士の交易関係と基本秩序を壊し」という説明は本文と反対である。

5　○　本文第2段落後半をまとめた内容となっている。

次の文章の要旨として、最も妥当なのはどれか。

　どんな理論やそれに基づく知識をもってしても、倫理に対する懐疑論を根本的に否定することはできません。倫理などいらない、すなわち、世界とのかかわりあいなんていらない、という人に、かかわりあいを強制することはできません。そうしたかかわりあいの否定は、自分勝手なナルシシズムの結果とは限りません。ひどい苦難に苛（さいな）まれ、世界に対する信頼を失ってしまった人もいるかもしれません。そんな人たちに、何を言うことができるでしょうか。

　私たちは受精卵としてこの世界に放り込まれ、成長するなかで、何がそうした世界には含まれているのか、それらとどんなかかわりあいが結ばれ得るのかを学び、それらとのつきあい方を修得していきます。他の人によって世界から排除されている人たちが目に入ることもあるかもしれませんし、自分が排除されていると感じることもあるかもしれません。すべてのかかわりあいを絶ち、自分の世界から自分を消してしまいたくなることもあるかもしれません。

　しかし、他方で、どんなときでもいろいろなかかわりあいが私たちを取り巻いてもいます。そうしたものを自分の都合で歪めて見ることなく、それらと丁寧に付き合いながら、そしてときにそれらの偶然性に思いを馳せながら、自分たちの日常を送っていくことが、結局のところ、倫理に対する懐疑論への応答となるのではないでしょうか。

　私たちの多くは、幸運にも、これまで世界のなかである程度安定した日常を送ってきましたし、きっとこれからも送っていくと信じていますが、そうした日常は根源的に偶然によって成り立っている、とても壊れやすいものです。多くの人々の善意、努力、優しさ、などによって、ぎりぎりのところでかろうじて支えられているものが、この日常です。だからこそ、そのような自身も薄氷の上で成り立っている日常の側から、なお世界にかかわり続けることで、私と懐疑論者の両者を含む「私たち」にとっての新たな日常を作り出していくこと、作り出し続けていくこと。懐疑論に応えるにはそうした不断の営みしかないのではないか、ということなのです。

1　世界は様々な人のかかわりあいによって成り立っているので、それを否定することは自分勝手なナルシシズムであり間違っている。

2　世界を取り巻いているかかわりあいは、根源的に偶然によって成り立っている壊れやすいものであり、かかわり続けて日常を送るのは非常に危険な行為である。

3　日常は様々な偶然のかかわりあいによってかろうじて成り立っており、そのかかわりを続け、新たな日常を作り出し続けていくことで懐疑論に応えることができる。

4　我々の日常はかろうじて支えられている弱いものなので、懐疑論に対しては無力であり、かかわりを否定する人とのつながりは断絶してしまうしかない。

5　弱い人間同士の不確かなかかわりあいの中から倫理への懐疑は生まれるので、個々人の意識を強く持ち、独立した人間にならなくてはならない。

解 説　　**正解　3**

1　✕　第1段落には「自分勝手なナルシシズムの結果とは限りません」とあり、選択肢のように「間違っている」とは述べられていない。

2　✕　「かかわり続けて日常を送る」ことを「非常に危険な行為」とする選択肢の内容は、かかわりを続け、新たな日常を作り出すことを推奨する筆者の主張とは正反対である。

3　◯　第3段落の内容に合致している。また、文章全体を通じて述べられている懐疑論への応え方としても適切であり、要旨としてふさわしい。

4　✕　前半は第4段落の内容と合致するが、懐疑論者も含めて新たな日常を創り出す不断の営みによって懐疑論に応えることはできるというのが本文の要旨である。また、つながりの断絶ということも書かれてはいない。

5　✕　本文にはない記述である。

次の文章の要旨として、最も妥当なのはどれか。

　ある事象を観察するとき、多くの人は「客観的な視点」を持つことが大切だと考えます。

　しかしこれは間違いです。対象を観察するときに、本当に必要になるのは自分なりの視点、すなわち主観的な視点です。客観的に見るべきだなどと考えずに、自分なりの方法で観察することを心がければいいのです。

　そもそも客観的な視点を持つことなど、現実的には不可能です。たとえばあなたが大根の煮物をつくっていたとします。中まで煮えているかを本当に客観的に見るためには、大根をすべて細かく切って確認しなければなりませんが、そんなことはだれもしないし、する意味もありません。

　こういうとき、ふつうは竹串などを刺して確認します。刺す角度は人によってまちまちで、真上から刺す人もいれば、斜めに刺す人もいます。どちらがいいとか悪いとかではなく、これがそれぞれの経験に基づくその人なりの視点です。いずれにしても見ているのは大根のほんの一部分にすぎませんが、これでも全体の状況を大まかに把握することはできます。

　多くの人が客観的な見方にこだわっているのは、それが最も対象を正確に把握する方法だと思い込んでいるからです。こういう人が業務報告書のようなものをつくると、とにかくなんでもかんでも記述しようとするので量だけが膨れあがります。一見すると、しっかり仕事をしているようですが、書かれている中身に価値のウエイトづけがされていないので、読んでいる人にはほとんど何も伝わりません。

　それはちょうどビッグデータのようなものです。ビッグデータは、それ自体は人々の営みを記録した膨大なデータの山にすぎず、まったく使えません。しかし性別や年齢、あるいは利用時間などといった視点を持って分析すると、マーケティングにも使える貴重な情報をもたらしてくれるのです。

1　ある事象を観察するときには客観的な視点が重要であり、主観的な視点で自分勝手に解釈することで、本質を見誤ってしまうことが多い。

2　自分なりの主観的な視点を持つことは、より客観的な視点を得るための訓練であり、習慣として続けるべきである。

3　ビッグデータは個人レベルでは膨大すぎて使えないため、全体の大まかな把握はあえて捨て、主観的に一部の情報のみを深く分析する方が良い。

4　主観的視点にも客観的視点にも一長一短があり、どちらが優れているとはいえないので、両方を要領よく使い分けるのが良い。

5　物事を観察するとき、客観的な視点を持つことは現実には不可能であり、それよりも主観的な視点で自分なりに観察することが重要である。

解説　　　**正解　5**

1　×　文章全体が誤り。第2段落に、ある事象を観察する際に本当に必要になるのは主観的な視点であると書かれている。

2　×　本文にはない記述である。

3　×　最終段落に「ちょうどビッグデータのようなもの」とあるように、ビッグデータはたとえ話に過ぎない。したがって、その使い方のみに言及しているこの選択肢は要旨とはいえない。

4　×　主観的、客観的視点の優劣や使い分けについては述べられていない。

5　○　第2段落、第3段落の内容と合致しており、文章全体の要旨としてもふさわしい。

次の文章の要旨として、最も妥当なのはどれか。

　議論の参加者がそれぞれ違う利益を代表し合っていると、議論は混乱します。

　たとえば私が勤務する大学で経験した議論の中に、新学科設置についての議論がありました。そういう場にはさまざまな学科の教員が招集されるのですが、その際に自分の所属する学科の代表であるという意識が強すぎると、その所属組織の利益を主張してしまうことがあるのです。そうなってしまうと、大学全体の利益や新たに迎え入れる学生の利益を無視して、自分たちの利得ばかりを発言する、硬直した議論になってしまいます。

　ですから「ここではいったん、自分の所属する学科の利益を忘れよう」という態度が必要なのです。「所属母体の利益を忘れて、本当にいい学科を作ることだけを考えて議論しましょう」と呼びかけると、急に活発な意見が出てくることになるのです。

　企業内の会議でも、さまざまな立場の人がそれぞれの利益を代表して集まってきます。メーカーであれば製造現場の責任者から営業の責任者まで一緒になって議論する場があるでしょう。そのような場合でも、一度自分たちの利益を忘れ、全体の利益を目的に議論することが必要です。

　そのときには、たとえば「この会議の目的は、再来月までにこういう新商品を作り、月間一万個を売り上げるようにすることです。その利益に向かってみんなでアイディアを出してみましょう」と最初に宣言し、一つ大きな利益を共有するのです。そうすることによって、議論における一体感も生まれやすくなります。

　共有する利益・目的が組織全体のためになるものである限り、たとえ営業部門の責任者が最初に抱いていたものと違う結論に至ったとしても、実はそれは大きな不利益にはなりません。その意味では、相手の意見に乗っかってもまったく構わないのです。

1　議論に参加するときには、自分が所属している組織の代表であることを忘れず、他の組織よりも自分の組織が有利になるよう常に意識しなければならない。

2　大学や企業での議論では、それぞれの所属組織の利益についてはいったん忘れ、全体の利益を目的にして共有することで、意見が活発になり、一体感も生まれやすくなる。

3　企業内での議論では、目的や利益についてはすべていったん忘れ、様々な意見を自由に交わすことで、時間はかかってもやがて大きな目的を共有することができる。

4　企業と違い、大学などの研究機関では、それぞれの専門分野がかけ離れているため、目的を共有することは難しく、硬直した議論になってしまいがちである。

5　立場の違う人々の集まる議論の場では、共通の利益を考えられる人を議長に据えなければ、議論に一体感が生まれない。

解 説　　　正解　**2**

1　**✕**　内容が正反対になっている。所属母体の利益を忘れ、全体の利益を目的として議論することが大切であると書かれている。

2　**〇**　第3段落、第4段落の内容と合致しており、文章全体の要旨としてもふさわしい。

3　**✕**　本文にはない記述である。本文には大学での議論も例として挙げられているにもかかわらず、「企業内での議論」と限定的なのも要旨としてふさわしくない。

4　**✕**　本文にはない記述である。本文は、大学と企業の議論の違いは述べられていない。

5　**✕**　議長にどのような人を据えるかという内容は、本文には見られない。

次の文章の要旨として、最も妥当なのはどれか。

　思い込みが記憶に及ぼす影響について検討するために、高齢者と若年者を二つのグループに分け、記憶課題を行いました。

　一つのグループには、実験前の説明で「私たちはあなたの記憶がどれだけ良いかに興味を持っている」「この情報をあなたがどれだけ記憶しているかについてテストをします」といったように記憶を強調して、実験の説明を行いました。

　もう一方のグループには、「私たちは学習機能について関心を持っている」「あとで提示された情報についてテストをします」というように記憶を強調しない説明を行いました。

　二つのグループにまったく同じ記憶課題を実施したところ、記憶を強調した説明を行ったグループでは、高齢者と若年者で統計的に有意な差がみられ、若年者の成績が優れていました。しかしながら、記憶を強調しない説明を行ったグループでは高齢者と若年者の間で成績に差は認められませんでした。

　多くの高齢者は加齢とともに記憶成績は低下すると思い込んでいます。記憶テストを受ける前の説明で、記憶に関する実験であることを強調されると、「老いると記憶力が悪くなる」という思い込みが活性化され、記憶に対する不安を増大させます。この不安への対処に、本来なら記憶することに向けられるはずの認知的な資源が奪われるため記憶成績が低下する、と考えられています。

　老いに対する否定的な思い込みによる記憶成績の低下を防ぐには、どうすればよいのでしょうか。高齢になると記憶が低下するという、老いのネガティブな情報は世の中にあふれています。フェルナンデス－バレステロス教授らは、自分自身の老いを肯定的に評価している人は、そのような偏見の影響を受けにくいことを、反対に自己の老いに対して否定的な評価をしている人は、思い込みや偏見の影響を受けやすいことを明らかにしています。

　高齢になるにつれて記憶力が低下することは事実ですが、日常生活に支障がない限り大した問題ではありません。老いによって生じるさまざまな変化を受け入れ、自分を肯定的に評価することが、思い込みによる記憶力の低下を防ぐことにつながるのです。

1　老いに対する否定的な思い込みが記憶力を低下させることは実験によりわかっているが、老いを受け入れ、自分を肯定的に評価することで、これを防止することになる。

2　高齢になるにつれて記憶力が低下していくのは事実だが、若いころから日常的に記憶課題を解く習慣をつけることが、記憶力低下の予防に最も効果的であることが判明した。

3　老いに対する不安自体が高齢者の記憶力低下を招いているので、自分が老いていることを否定して、不安を取り払わなくてはならない。

4　加齢とともに記憶成績が低下するというのは否定的な思い込みでしかなく、むしろ高齢者の方が記憶力は向上していることが、実験により明らかになった。

5　老いに対する否定的な思い込みによって高齢者への偏見や差別が生じているのであり、老いのネガティブな情報を世の中からなくしていくことが不可欠である。

解説　　　正解　**1**

1 ○　文章全体の内容に合致しており、要旨としてふさわしい。

2 ×　本文には「若いころから…習慣をつけること」についての記述はない。したがって、記憶力低下の予防に「最も効果的」というのも誤りである。

3 ×　最終段落の「老いによって生じるさまざまな変化を受け入れ、自分を肯定的に評価する」とは正反対の内容である。

4 ×　後半が誤り。「高齢者の方が記憶力は向上している」という内容は、本文には見られない。

5 ×　老いに対する否定的な思い込みが偏見や差別につながるという記述はない。また、老いのネガティブな情報をなくすことの必要性についても述べられていない。

次の文章の要旨として、最も妥当なのはどれか。

　かなり信頼性が高いと思われる有力な証拠によれば、地球は誕生してから45億4000万年が経過している。言い換えれば、嫌になるほど長い時間が経っている。

　ところで、テレビ番組や科学系の読み物などでは人間は地球の歴史においてごく最近になって登場した新参者だという表現が非常に多い。地球がこれまでたどってきた、とてつもない時間の長さ――それこそ数百万年、数十億年という年月――を人間が直観的に理解するのは難しい。そこで、わかりやすいたとえが持ち込まれる。よく使われるのは、これまでの地球の歴史を1日、つまり24時間にたとえる方法だ。地球が午前0時に誕生し、現在はそれから24時間が経過した丸1日後だと考える。このたとえによれば、哺乳類が登場したのは1日の終わりが近づいた午後11時39分頃になる。原人が姿を現したのは日付が変わるわずか1分前、私たち現生人類が存在しているのは最後の1～2秒だ。

　地質年代に比べれば人類の歴史はいかにもちっぽけだが、それが生命全般に当てはまると決めつけるのは早計だ。現在では、15億年前にはすでに複雑な単細胞生物が存在していたことが化石から分かっている。先ほどの24時間のたとえを使うなら、午後4時頃だ。しかも、これらの生物でさえ、比較的新しい生物だと考えられている。化学的な生命の痕跡はもっと古い年代の岩からも発見されているからだ。

　最近見つかった証拠からは、地球でまだ火山活動が活発だった41億年前まで、生命の誕生がさかのぼる可能性も出てきた。2015年に、この年代の地層から見つかった小さな結晶に含まれる重炭素原子と軽炭素原子の量を測定する研究を行ったところ、測定結果から得られた比率はまるでもっと新しい年代で見つかったような、生命の気配が感じられるものだった。結論を確定させるにはさらなる調査が必要だが、もしこれが本当なら、地球が誕生してから9割の期間は生命が存在していたことになる。地球の生命がこれほど初期から存在したのなら、宇宙のどこかで生命体を発見できるかもしれないという期待も高まろうというものだ。

1　地球は誕生してから45億年以上経っていると言われており、地球の歴史を24時間に置き換えて考えると、生物が登場したのは午後11時39分頃になる。

2　15億年前にはすでに地球に単細胞生物が存在していたことは化石からわかっているが、41億年前にも同じような痕跡があり、全く同じ生物がいたと思われている。

3　地球上に15億年前に存在していたと見られる複雑な単細胞生物よりも昔の痕跡は未だ見つかっておらず、より深い研究と調査が必要である。

4　化石から15億年前にはすでに地球に生物が存在していたことがわかっているが、もっと古い年代の岩や地層からも化学的な生命の痕跡はあり、調査は必要だが地球誕生の初期まで生命の誕生がさかのぼる可能性がある。

5　現生人類の存在は地球が過去にたどってきた長い歴史を考えると、ほんの数秒程度前に現れた新参者と言わざるを得ないが、人間は研究をすることでその数十億年という時間を直観的に理解することができるようになる。

1　×　「生物が登場したのは」という部分が誤り。午後11時39分頃に登場したのは哺乳類だと述べられている。

2　×　選択肢後半が誤り。最終段落では、41億年前まで、生命の誕生がさかのぼる可能性が出てきたことは示されているものの、15億年前と全く同じ生物だとは述べていない。

3　×　選択肢後半が誤り。最終段落では41億年前の地層調査で、生命の気配が感じられると述べており、昔の痕跡がないわけではない。

4　○　地球の誕生と生物についての文章であり、生命の誕生はかなり前だったのではないかという筆者の主張をまとめている肢である。

5　×　選択肢後半が誤り。第2段落には「人間は地球の歴史において…人間が直観的に理解するのは難しい」と述べられている。選択肢では「直感的に理解することができる」とあり、本文の主張に合致しない。

次の文章の要旨として、最も妥当なのはどれか。

感情は伝染するが、すべての感情が同じように伝染するとは限らない。イェール大学スクール・オブ・マネジメントの研究によると、職場では快活な感情や心温まる感情が最も伝染しやすく、不機嫌は伝染しにくく、憂鬱はほとんど伝染しないことがわかった。良い雰囲気のほうが伝染しやすいという傾向は、ビジネスにも直接関係してくる。イェール大学の研究によれば、明るい雰囲気は職場における協調体制や公平性や能率を向上させるという。

なかでも、笑い声は感情の伝染性をはっきりと示してくれる。笑い声を聞くと、わたしたちは自然に笑顔になったり笑い声をあげたりする。そして、それが連鎖反応のようにグループ全体に広がっていく。笑いが伝染しやすいのは、人間の脳に笑顔や笑い声を感知する開回路が特別に組みこまれているからだ。その結果、いい意味での感情のハイジャックが起こる。

感情を表現する信号のなかでも、笑顔は最も伝わりやすい。笑顔には、相手まで笑顔にさせる抗しがたい力がある。笑顔の伝染力が強いのは、進化の過程で有益な役割を担ってきたからかもしれない。笑顔や笑い声は、その人間が警戒心や敵意を持たず友好的でくつろいだ状態にあることを示すことによって、同盟関係を固める非言語的手段として発展したのではないか、と科学者は推測する。

笑い声は、友好的関係を確信させる唯一無二の信号だ。他の感情を表す信号とちがって（笑顔は演技で作れる）、声をあげて笑うことは高度に複雑な神経回路の働きを伴い、演技が難しい。したがって、見せかけの笑顔で人をだますことはできても、無理な笑い声は空虚に響く。

神経解剖学的に言えば、笑いは二人の人間の距離を最も縮める。笑いの共有によって二人の大脳辺縁系が即座に連動するからだ。この瞬時的かつ不随意的な反応を、ある研究者は、「人間どうしの最も直接的な脳と脳とのコミュニケーションです。いわば『大脳辺縁系固め』のような状態でがっちり組みあったようなものです」と表現している。とすれば、仲の良い人間どうしがよく笑い声をあげるのも不思議はない。不信感や嫌悪感を抱いている者どうしは、笑いを共有しない。

職場に笑い声があれば、それは従業員たちが頭だけでなく心も仕事に集中している兆候といえる。しかも、職場での笑い声は、陳腐な冗談とは無関係だ。千二百のケースを調べた結果、笑い声は話に「落ち」がついたときでなく、「お会いできてうれしいです」といったような平凡な言葉に対する友好的な反応として聞かれる。笑い声は、自分たちは波長が合っている、自分たちはうまくやっている、ということを再確認するメッセージだ。それは信頼、気安さ、世界観の共有を示す。いまのところ何もかもうまくいっている、という信号なのだ。

1 研究によると、感情は伝染するが、全ての感情が同様に伝染するのではなく、不機嫌や憂鬱といった負の感情の方が伝染しやすいとわかった。

2 笑い声を聞くと自然に笑顔になり、笑いが伝染しやすいのは、人間の脳に笑顔や笑い声を感知する開回路が特別に組みこまれているからだ。

3 笑顔は友好的関係を確信させる唯一無二の信号である。

4 職場に笑い声があるとき、雑談や談笑をしているので、仕事に集中できていない。

5 笑い声は、世界観の共有ができていなくても波長が合っているというあらわれである。

1　×　選択肢後半が誤り。第1段落によると、「快活な感情や心温まる感情が最も伝染」しやすいことが述べられている。

2　○　感情のうち、笑い声について述べている文章であり、その特徴をまとめた選択肢である。

3　×　主語が誤り。第4段落には「笑顔」ではなく「笑い声」が友好的関係を確信させる唯一無二の信号だと述べられている。

4　×　本文と反対の内容の選択肢。第6段落には「職場に笑い声があれば…仕事に集中している兆候」だと述べられている。

5　×　「世界観の共有ができていなくても」という記述が誤り。本文末尾には「信頼、気安さ、世界観の共有を示す」と述べられている。

次の文章の要旨として、最も妥当なのはどれか。

　産業のなかで、鉄鋼業が消費するエネルギーはひじょうに大きいものです。高炉では、鉄鉱石をコークスで還元して銑鉄をつくり、これを転炉で鋼（スチール）にします。そしてこれを圧延して、薄い鋼板にして利用します。

　鋼板は、建築や機械や自動車に使用された後に回収され、電炉に入れられて電気加熱で溶解され、圧延工程をへて再利用されています。電炉鋼の割合は電炉比であらわされ、2000年には世界で30％程度です。

　2010年の世界の鉄鋼生産は11億トンであり、2050年の世界の鉄鋼需要は24億トンとされています。このままいくと、鉄鋼生産の1次エネルギー消費は2010年の約1.7倍になります。単純に2倍以上にならないのは、2050年には24億トンの半分のおよそ12億トンはリサイクル鉄鋼（電炉鋼）になると予想されているためです。

　電炉鋼が増大すると、リサイクル鉄鋼中の銅の混入率が高まり、鉄鋼の品質が低下すると心配する意見もあります。これには、国際的な規約をつくって、銅の混入率を低下させることが必要ですが、実現すれば、電炉鋼の割合を高くすることが可能になります。

　2050年ごろに世界の鉄鋼のリサイクル率が70〜80％以上になり、消失する鉄鋼を新規に供給していくだけですむとすれば、鉄鋼用のエネルギーは大きく低下します。じっさいにリサイクル率を上げなければ、鉄鉱石が枯渇していくという問題があり、規制がなくても鉄鋼業がそのような行動をとる可能性があります。

1　鉄鋼業の消費するエネルギーは、生産量に合わせて年々増加しており、そのエネルギー消費の大きさが負担となっており、徐々に産業自体が衰退していきそうである。

2　鉄鋼業は、その需要は増え続けているが、原料である鉄鉱石が枯渇していくという問題もあり、今後は別の産業に置き換わっていく可能性がある。

3　鋼板として生産物に利用された鋼は、電炉鋼として再利用されるが、鉄鉱石の枯渇や、エネルギー問題の観点からも、今後その割合が増えていくと予想される。

4　電炉鋼は2010年で、全世界の鉄鋼のうち30％程度の割合を占めているが、今後の鉄鋼需要の増え方や、電炉鋼自体の品質の低下からすると、その割合は下がっていくものと思われる。

5　鉄鋼の需要は年々増えているが、リサイクル鉄鋼中の銅の混入率によって、鉄鋼の品質が低下する心配があり、各鉄鋼業者の中でリサイクルの割合を増やすために、国際的な規制が作られた。

| 解　説 | 正解　3 | TAC生の正答率　83% |

1　×　選択肢後半が誤り。鉄鋼生産の増大によってエネルギー消費が増えることは第3段落で指摘されているが、だからといって「産業自体が衰退していきそう」だとは述べていない。

2　×　選択肢後半が誤り。鉄鉱石枯渇の可能性は指摘されているが「別の産業に置き換わっていく」ことについては述べていない。

3　○　鉄鋼業のエネルギー問題についての文章であり、本文後半をまとめた内容になっている。

4　×　選択肢後半が誤り。電炉鋼の割合が下がっていくとは本文で述べていない。国際的な規約ができ、銅の混入率が低くなれば電炉鋼の割合は高められるし、資源枯渇の問題からも、電炉鋼が増える可能性があることが読み取れる。

5　×　選択肢後半が誤り。「国際的な規制」はまだできていない。第4段落は、国際的な規約ができた場合についての説明がなされている。

法律　政治　経済　社会　国語　英文法　英文　現代文　判断推理

次の文章の要旨として、最も妥当なのはどれか。

現生人類のホモ・サピエンスは、2回、出アフリカを決行したと言われる。第1回が15万～10万年前であり、第2回が7万～5万年前であった。

この理由もじつはよくわかっていない。食料不足が原因だったという説もあるが、果たしてわざわざアフリカから出て行くほどであったかは疑問である。できるだけ多くの地域で生活したほうが種の保存にとって望ましい、という本能が働いたのであろうか。

いずれにしても、アフリカから出て行ったホモ・サピエンスは、全体の一部に過ぎなかった。重要なのは、その「一部」が、彼らの移動こそが、人類の歴史だけではなく、生物全体の歴史、さらには地球の環境さえ大きく変えたということである。

数万年にわたり移動を続けたホモ・サピエンスは、「移民」そのものであった。しかし、彼らもやがて定住先を見つけ、そこで暮らすことを始めた。そうして築き上げられたのが、いわゆる六大文明である。

メソポタミア、エジプト、インダス、黄河、長江、古代アメリカ文明。これら六大文明は、「定住した人々（定住民）」によって築かれたとされる。

だがここで、一度立ち止まって考えてみたい。我々は、暗黙のうちに、文明とは定住民によって築かれるものだと思い込んでいるが、本当だろうか。

少なくとも、これらの文明が発展・伝播するためには、「移動する人々（移民）」の存在が必要であった。

定住民が築いた文明圏に、他地域から人々が移住してくる。さらにそこに住んでいた人々が、今度は別の地域に移動し、その文明の価値を伝える。この繰り返しによって、文明圏が拡大していく。おそらくこれこそが、人類が誕生して以来、居住地を爆発的に増やしていった方法だったと考えられるのだ。

1 「移動する人々」が定住先を見つけ、そこから生涯移動することがない「定住した人々」になることによって、人類の文明は築き上げられ、発展・伝播してきた。

2 すべてのホモ・サピエンスがアフリカを捨て、移動を始めたことこそが、その後の文明の発展のために重要なことだった。

3 「定住した人々」と「移動する人々」との果てしない闘争の中で、人類の居住地は増え、文明圏が拡大していった。

4 文明の発展・伝播の過程を見ると、すべての文明は「定住した人々」ではなく、「移動する人々」によって築き上げられたということがわかる。

5 「移動する人々」の文明圏への移住や、またその文明圏から他地域への移動が繰り返されることで、人類の文明は発展・伝播してきた。

解　説　　正解　**5**

1　×　「定住した人々」を生涯移動することがないとまでは本文で述べていない。また、第7段落以降に、定住民が築いた文明を発展、伝播させたのは、他地域から移住してくる人々や、そこから別の地域に移動した人々だと述べられている。

2　×　「すべての」という記述は本文にない。第3段落に、アフリカから出ていったホモ・サピエンスは全体の一部に過ぎなかったとある。

3　×　定住した人々と移動する人々との間で「果てしない闘争」があったという記述は本文にはない。

4　×　「すべての文明」が誤り。本文にはいわゆる六大文明についての記述はあるものの、「すべての文明」という記述はない。

5　〇　第7段落、第8段落の内容と合致する。また、「移動する人々」が果たした役割という内容は、本文の要旨としてもふさわしい。

次の文章の要旨として、最も妥当なのはどれか。

　出来事の背後にある原因を理解したいという本能的な欲求に突き動かされ、私たちはパターンを、出来事の連鎖を探す。そして出来事Aが起こったあたには往々にして出来事Bが続く、などと気づく。左右を確かめずに道路に出る人は車にはねられることが多いとか、上空が暗い雲に覆われるとよく雨になるとか。見いだされたパターンの多くは物理的に理にかなっており、山あり谷ありの人生を乗り切るうえできわめて有用な指針となる。絶対確実に何が起こると言っているわけではないが、次にどうなりそうかは教えてくれる。

　私たちが気づくパターンの多くには原因が隠れている。そうでなければ、私たちはとうの昔に絶滅していただろう。丈の高い草むらに動きが見られるということはそこにトラが潜んでいる、とは気づかずに。はるか下流から轟音が聞こえてくるということは滝のほうへ流されている、とも気づかずに。

　パターンを調べていくと、往々にしてそれを説明する証拠が見つかり、原因が正しく突き止められたことがわかる。初期の疫学的成果から喫煙と肺がんの結び付きが見つかったことに対しては、のちの生物学的研究で確かに因果関係があることがはっきりした。肥満と心臓病には関連があるという、診断に基づく示唆に対しても、その後の実験的成果でそうした関連性の存在が明らかになった。

　だが、認められたパターンがどれも現実の物理的関係の表れというわけではない。見いだされたパターンが偶然の産物でしかないこともある。行く手を黒猫が横切った直後に転んだことが最近二度あったと気づいたとしても、何かの因果関係の表れだとは思わないだろう。私が今年車で観にいった劇はどれも素晴らしかったが、公共交通機関に乗って観にいった劇にはがっかりさせられた、というのは事実だが、このパターンがこれからも続くとは限らない。そのあたりを見分けるコツは、現実の隠れた因果関係の確かな現れであるパターンとそうではないパターンとを区別することだ。科学とは広い意味でまさにそのことの絶えざる試みだと言える。

　パターンが見つかりはしたが単なる偶然であって隠れた原因は何もない——そんなパターンは迷信の元になりやすい。迷信とは因果関係がないところに因果関係があると信じ込むことで、たとえばカジノでクラップスをしていてサイコロにキスしてからテーブルに投げると六のぞろ目が出やすくなる、巻いた傘を持ち歩くと雨になりにくくなる（私はロンドン暮らしなもので）、などがそれに当たる。

1 私たちは、出来事の背後にある原因を理解すべく、出来事の連鎖であるパターンを見出すが、パターンの多くは理にかなっておらず、確実なものはひとつもない。

2 私たちの人生は山あり谷ありであり、見出されたパターンを利用しないと生き抜くことはできない。

3 科学は、広義でいえば、現実の隠れた因果関係の確かなパターンを見分けることの絶えざる試みだと言える。

4 認められたパターンであれば、全て物理的関係の表れが認められる。

5 迷信とは、偶然の産物のパターンであり、必ずなんらかの因果関係がある。

解説　正解　3

1　✕　後半の記述が誤りである。第1段落に、見いだされたパターンの多くは物理的に理にかなっていると述べられている。

2　✕　後半の記述が誤りである。見いだされたパターンは人生を乗り切るための有用な指針になるとはあるが、利用しないと生き抜くことができないという必要不可欠なものとまでは述べられていない。

3　◯　第4段落の内容と合致する。他段落で示した様々なパターンの例に対して、パターンにおいて現実の隠れた因果関係の確かな表れの有無を区別することを科学のあるべき姿とする内容は、本文の要旨としてもふさわしい。

4　✕　第4段落に、認められたパターンがどれも現実の物理的関係の表れというわけではないと述べられている。

5　✕　後半の記述が誤りである。第5段落に、迷信の定義として、因果関係がないところに因果関係があると信じ込むことであると述べられている。

次の文章の要旨として、最も妥当なのはどれか。

　草が誕生したのは、白亜紀の終わりごろであると言われている。

　恐竜映画などを見ると、巨大な植物たちが森を作っている。その時代の植物は、とにかくでかかった。恐竜が繁栄した時代は、気温も高く、光合成に必要な二酸化炭素濃度も高かった。そのため、植物も成長が旺盛で、巨大化することができたのである。

　そして、その大きな木の上の葉を食べるために、恐竜たちもまた巨大化していった。すると、植物も恐竜に食べられないように、さらに巨大化する。そして、恐竜は巨大化した植物を食べるために、巨大化し、さらには首まで長くしていった。こうして植物と恐竜とが競い合って、巨大化を進めていったのである。

　ところが、白亜紀の終わりごろ、それまで地球上に一つしかなかった大陸は、マントル対流によって分裂し、移動を始めた。そして、分裂した大陸どうしが衝突すると、ぶつかった歪みが盛り上がって、山脈を作る。すると山脈にぶつかった風は雲となり、雨を降らせる。こうして地殻変動が起こることによって、気候も変動し、不安定になっていったのである。

　山に降った雨は、川となり、やがて下流で三角州を築いていく。草が誕生をしたのは、まさにこの三角州であったと考えられている。

　三角州の環境は不安定である。いつ大雨が降り、洪水が起こるかわからない。そんな環境ではゆっくりと大木になっている余裕がない。

　そこで、短い期間に成長して花を咲かせ、種子を残して世代更新する「草」が発達していったのである。その後、目まぐるしく変化する環境に対応して、草は、爆発的な進化を遂げた。陸上の哺乳類が、再び海に戻ってクジラになったように、環境に適応して、草から再び木に戻ったものもいる。昆虫の少ない環境では、虫媒花から再び、風が花粉を運ぶ風媒花に進化したものもいる。こうして、地球上のあちらこちらで、多様な植物が進化を遂げていったのである。

1　地殻変動によって天敵である恐竜が絶滅し、大きくなる必要がなくなったため、植物は、短い期間に成長できる「草」へと進化していった。

2　地殻変動によって生まれた三角州の不安定な環境に耐えられるよう、植物は、木に比べて強じんな根と生命力を持った「草」へと進化していった。

3　恐竜と競い合って進化してきた結果、植物は、食べられる速度よりも早く世代更新して繁殖できる、「草」へと姿を変えていった。

4　地殻変動によって生まれた三角州は環境が不安定で、植物が大木になる余裕がなかったため、短い期間に世代更新する「草」が発達し、進化を遂げていった。

5　三角州で生まれた「草」が植物の始まりであり、そこから木や虫媒花、風媒花など、爆発的に多様な進化を遂げていった。

解 説　　**正解　4**

1　✕　因果関係が誤っている。本文は草の進化について、三角州の不安定な環境が原因であったとしており、「地殻変動によって天敵である恐竜が絶滅し、大きくなる必要がなくなったため」とは述べていない。

2　✕　草の性質については、第7段落に、短い期間に成長して、世代更新すると述べられているが、「木に比べて強じんな根と生命力を持」つという記述は本文には見られない。また、三角州についての言及もないため、要旨とはいえない。

3　✕　「恐竜と競い合って進化」していたのは地殻変動前のことであり、草が誕生した経緯に恐竜が関係していたという記述は本文には見られない。

4　○　第4段落以降の内容と合致する。また、三角州の誕生を背景とした草の誕生は冒頭の文を補完する内容であり、本文の要旨としてもふさわしい。

5　✕　「『草』が植物の始まり」という箇所が誤り。第2段落、第3段落には、植物は恐竜が繁栄した時代に存在していたことが述べられている。草が誕生したのはその後である。

次の文章の要旨として、最も妥当なのはどれか。

　日本人は日本語で科学をしている。実はこの話を持ち出すと、科学者を含め、たいがいの人から「何のことですか？」と言われてしまう。実際、第一線の科学者に「先生は日本語で考えて科学をされているのですよね？」と持ちかけてみるのだが、一〇人が一〇人、何のことかとキョトンとされてしまう。みなさんはどう思われるだろうか。日本人だから日本語を話す。だから日本語で科学研究をする。あるいは日本語で技術の研究をして画期的な工業製品を作る。これは、本当に当たり前のことなのだろうか。

　では逆に、なぜ日本人は英語で科学をしないのだろうか。フィリピンやインドネシアなど東南アジアの国では、最初から英語で科学教育を進めているところが多い。なぜ日本（と中国）だけが違うのか。

　その理由は、日本語の中に、科学を自由自在に理解し創造するための用語・概念・知識・思考法までもが十二分に用意されているからである。そして、日本で生まれた成果や概念は、日本の科学者や技術者による大量の英語論文を通じて、日常的に外国に伝達されている。だからこそ、日本の人も外国の人も、日本人科学者が日本語で科学を創造・展開している事実に改めて注意を払わないのだ。

　私は科学ジャーナリストとして、翻訳（日本語と英語）という作業が関与する場面で、特に多くの仕事をしてきた。それもあって、この「日本人は日本語で科学をする」という事実が、決して自明ではないことを何度も何度も体感してきた。翻訳を「ヨコをタテ、タテをヨコに変えるだけ」と見くびる人がいるが、それは大間違いだ。

　過去一五〇〇年以上にわたり、私たち日本人は、最初は中国文化に始まり、蘭学、そして近代西欧文明と、それまで自分たちが持っていなかった新しい知識や概念や文化を積極的に取り入れてきた。言語が違うのだから、そこには必ず翻訳という行為が存在した。その際、単なる言葉の移し替えでは済まないことも多々あったであろう。そこで、新しい言葉を創造して、概念知識や思想哲学まで、きちんと吸収したのだ。だからこそ、例えば今日の科学において、自由に新しい成果を生み出す言語環境が整ったのだ。私自身、新しい概念が新しい漢語日本語として生まれていく場面に幾度も立ち会ったことがある。

1　日本人が日本語で考えて科学するのは当たり前のことで、日本語で考えるからこそ画期的な工業製品が作ることができる。

2　フィリピンやインドネシア、中国などのアジア諸国では英語で科学教育をしているので、英語で考えて科学をしている。

3　日本人が日本語で科学をしているのは、長年の翻訳を経て、日本語の中に科学を理解し創造するのに必要な用語や知識などが十分に整っているからである。

4　日本語で科学する日本人科学者にとって、英語に翻訳することは、タテをヨコにするぐらい簡単なことである。

5　日本人は、過去長きにわたり中国文化、蘭学、近代西欧文明などを、それぞれの国の言葉で理解することで、新しい成果を生み出してきた。

解説　　正解　3

1 ×　第1段落で、日本語で科学研究をすることが「本当に当たり前のことなのだろうか」と疑問を呈している。また、画期的な工業製品を作るとはあるが、「日本語で考えるからこそ」とまでは述べられていない。

2 ×　英語で科学教育をしている国に「中国」は含まれない。第2段落に、最初から英語で科学教育をしているのはフィリピンやインドネシアなどの東南アジアの国であり、日本と中国だけは違うと述べられている。

3 ○　第3段落、最終段落の内容と合致しており、本文の要旨としてもふさわしい。

4 ×　日本人科学者にとって英語に翻訳することが簡単であるという内容の記述は本文には見られない。また、科学ジャーナリストの筆者も「タテをヨコ」にすると見くびる人について、大間違いであると述べている。

5 ×　「それぞれの国の言葉で理解する」という箇所が誤り。最終段落に「言語が違うのだから、そこには必ず翻訳という行為が存在した」とあるように、それぞれの国の言葉を日本語に翻訳して知識などを吸収していたことがわかる。

次の文章の要旨として、最も妥当なのはどれか。

私が継続している良い行動の、最たるものが「走ること」です。

最初は「週に二回、三〇分ずつ歩く」ことしかできなかった私が、今では、ほぼ毎日のように走っています。

始めた当時と比べて、走る距離は大きく変化しましたが、そのときから今まで変わらないのが、「好きなことを犠牲にしない」というポリシーです。

好きなことを犠牲にしてまでやれば、必ず無理が出て挫折するでしょう。それに、そもそも好きなことを楽しむものが人生だと思っている私にとって、好きなことを犠牲にするという選択肢は最初からありません。

たとえば、お酒。私は一日の終わりに飲むお酒が大好きです。大量には飲みませんが、楽しい仲間とわいわいやったり、一人で静かにグラスを傾ける時間はなにものにも代え難いと思っています。夜はお酒を飲むために使いたいので、走るのはもっぱら朝。飲み会が遅い時間まで押したときには、「明日は走らなくてもいいや」と気楽に構えています。

そういうふうにやってきたから、ここまで続けることができたのです。

もちろん、人の好みはそれぞれ。「朝はゆっくり眠りたい」という人は、その欲求を犠牲にせずに夜に走ればいいでしょう。

今、「朝活」と呼ばれる早朝の勉強会が流行っています。私自身は朝型なので違和感はありませんが、全員が全員それに乗せられることはありません。

「朝風呂にゆっくり入るのが至福の時間」という人が、それを犠牲にして勉強会に出席しても、いずれ嫌になるでしょう。

世間の流行や常識にとらわれないで、本当の自分のニーズを見極めましょう。

自分のライフスタイル最優先でやらなければ、なんのためにそれを始めるのかわからないではありませんか。

1 良い行動を継続するためには、自分の欲求に正直になるべきであり、やりたくないときにはやってはならないし、やりたくなるまでやらなくてもよい。

2 「朝活」が流行っているが、流行に乗せられないで自分のニーズを見極めれば、体のために良いのはむしろ夜行動することだとわかるはずである。

3 体にとってもっとも良い行動は「走ること」であり、日によって時間や距離が減っても毎日やり続けるべきである。

4 習慣を自分の力にするためには、時には好きなことを犠牲にしてでも、決まったスケジュールで決まった量をこなさなくてはならない。

5 物事を継続するために、好きなことを犠牲にすれば必ず無理が生じるので、自分のニーズを見極め、ライフスタイルに合わせて取り組むべきである。

解 説　　**正解　5**　　　　　　　　　　　　　　　TAC生の正答率　**97%**

1　×　「やりたくないときにはやってはならない」とは述べていない。第4段落「好きなことを犠牲にするという選択肢は最初から」ないと筆者が考えているだけである。

2　×　「体のために良いのはむしろ夜行動すること」とは述べていない。第8段落で朝活について、「全員が全員それに乗せられることはありません」と述べている。

3　×　「体にとってもっとも良い行動は『走ること』」とは述べていない。筆者は、継続している良い行動の例として走ることを挙げているだけである。

4　×　「時には好きなことを犠牲にしてでも」とは述べていない。本文は「好きなことを犠牲にしない」というポリシーで、筆者が継続できている行動について述べている文章である。

5　○　本文は、「好きなことを犠牲にしない」というポリシーで、筆者が継続できている行動について述べている文章である。本文末尾の結論も含まれる選択肢なので、要旨として妥当である。

次の文章の要旨として、最も妥当なのはどれか。

　二億三〇〇〇万年前には地球上に出現し、当時あった全大陸を支配し、種としての多様化を極めた後、白亜紀の終わりの六六〇〇万年前に絶滅してしまった恐竜。生きていたのはおよそ一億六四〇〇万年間。それが長いのか短いのかは、誰にもわからない。しかし、白亜紀末に激変した環境に適応できず、淘汰されてしまったことは間違いない。

　淘汰されてしまった恐竜。それは、「弱くてダメな奴」だったのだろうか？

　だが、もしもあの時に恐竜が絶滅していなかったなら、と考えてみよう。

　今もまだ恐竜時代が続いていたとしたらどうなっていただろう。

　全長三〇メートル、体重一〇トンという巨大な恐竜がそこら中を闊歩していて、さらに「超肉食恐竜」と言われ、餌と見れば見境なく飛び掛かってくる全長一二メートル、体重六トンのティラノサウルスがそこら中で待ち構えていたなら──。

　そう、今もなお恐竜時代が続いていたとしたら、哺乳類は恐怖にふるえながら隅っこで生きているだけだったかもしれない。

　恐竜が牛耳る生態系では、哺乳類に許された生態系の中でのスペースは非常に限られたものとなる。のびのびと進化することはできず、小さくて弱いまま。哺乳類の時代が来ることはなかっただろう。

　だが、実際には、恐竜が絶滅したことで生態系にスペースが生まれ、哺乳類は飛躍的に進化することができた。だからこそ人類が現れ、今のような生物世界が展開されている。

　それはつまり、恐竜が環境の激しい変化に耐えられなかった「弱くてダメな奴」で、その後に進化を遂げた哺乳類、とりわけ人類は恐竜に比べて「強くて優秀な存在」なのではないか？　との問いに行きつく。

　しかし、そういった視点で恐竜、そして人類を見ることは、驕りに近い。

　何かが絶滅するから、別の何かが進化する。

　つまり、絶滅と進化とは対立するものではなくて、表裏一体の関係にある。

　進化という縄には、必ず絶滅という細い糸が撚り合わされているのだ。

1　絶滅した恐竜よりも、進化した人類が「強くて優秀な存在」なのではなく、絶滅するものがいるから別のものが進化するという、表裏一体の関係がある。

2　生態系を牛耳っていた恐竜には「強くて優秀な存在」という驕りがあったと言え、そのために激変した環境に適応できず、滅びてしまったのである。

3　一億六四〇〇万年間という恐竜の歴史からすれば、人類の歴史は短いが、絶滅と進化の対立に勝利した人類が恐竜より「強くて優秀な存在」であると考えるのは、驕りではない。

4　恐竜の絶滅という歴史を踏まえると、人類にもいつ絶滅の危険が襲ってくるかわからないので、十分な備えをする必要がある。

5　哺乳類、人類は恐竜に比べてちっぽけで歴史も短いが、環境の変化に適応して進化してきたことから、より「強くて優秀な存在」であると言える。

解説　　**正解　1**　　

1　◯　本文後半の結論部分と合致する内容であり、絶滅と進化について本問のテーマについて述べている選択肢である。

2　×　「『強くて優秀な存在』という驕りがあった」という記述が明らかに誤り。第9、10段落で「強くて優秀な存在」とされる対象は、恐竜ではなく人類であり、また、そのような考えは「驕りに近い」と述べられている。

3　×　「驕りではない」という記述が明らかに誤り。第10段落には「驕りに近い」と述べられている。

4　×　本文で述べていない内容の選択肢。人類絶滅の危険についても、十分な備えをする必要性についても、本文では述べていない。

5　×　**2**、**3**同様、人類が恐竜よりも「強くて優秀な存在」とは述べていない。

現代文　要旨把握

次の文章の要旨として、最も妥当なのはどれか。

電車の遅延が原因で、約束の時間に一〇分遅れてしまったとしましょう。相手の顔を見た途端、第一声で「山手線が遅れたので、遅れてしまいました」と言い訳をしてしまいがちです。

しかし、待たされていた人の立場で考えてみてください。どんな理由があろうと、一〇分待ったという事実に変わりはありません。「理由はいいから、まずは遅れたことに対してお詫びの言葉がほしい」というのが本音ではないでしょうか。また、「山手線が遅れたので、遅れてしまいました」と一方的に言われても、その言い方によっては「開き直り」や「逆ギレ」ととられてしまう可能性もあります。

わかっていても、お詫びをする段になると、なぜ言い訳が先に口から出てしまうのか。それは、謝らなければいけない状況において、「自分一人が百パーセント悪い」という状況がなかなかないからです。

「天候不順で電車が遅れた」、あるいは「家を出ようとしたら、子供が急に熱を出して病院へ連れていった」、「自分の部下が失敗をして、その尻拭いに追われていた」などなど……。このように、自分以外のところに遅れた原因があった場合、人は「申し訳ございません」と謝る前に、どうしても「私も被害者なんです」とばかりに、自分が百パーセント悪いわけではないことをアピールしたくなるのです。

しかし、お詫びの前に言い訳をすることで、むしろ相手に、よりいっそうの不信感を与えてしまいますから要注意です。こういう場合は、どんな理由があろうと、まずは申し訳なさそうに「遅れてすみません。本当にごめんなさい」とお詫びの気持ちを真摯に伝えることが大事です。

相手がその理由を聞いてくるまで、自分からは言わない方がベストです。そこで相手から「どうして遅れたの？」と聞かれて初めて、「実はこういう事情がありまして……」と理由を説明する。そうすれば相手も「それなら仕方ないよね」と納得し、怒りを収めてくれる可能性が高いのです。

1 遅刻をした場合、先に言い訳をすると不信感を与えてしまうので、どんな理由があってもまずはお詫びの気持ちを伝えるべきである。

2 遅刻をしてしまったときには、相手が納得して怒りを収めてくれるように、まずていねいに理由を説明するべきである。

3 自分一人が百パーセント悪いというわけではないのなら、遅刻をしたとしても責任を感じたり、謝罪したりする必要はない。

4 どんな理由があっても遅刻は自分の責任なので、理由を説明することに意味はなく、謝罪だけを真摯にするべきである。

5 自分以外のところに失敗の原因があるときには、謝罪の前にきちんと説明をしなければ、相手に誤解を与えてしまいかねない。

1　○　第5段落「しかし…」以降をまとめた選択肢である。

2　×　「まずていねいに理由を説明するべき」という記述が明らかに誤り。最終段落で「相手がその理由を聞いてくるまで、自分からは言わない方がベスト」と述べている。

3　×　本文では述べていない内容の選択肢。この文章では、言い訳よりもまずお詫びの気持ちを伝えることの大切さを説いている。

4　×　「謝罪だけ」とは述べていない。まずお詫びの気持ちを真摯に伝えること、相手から理由を聞かれたら理由を説明することが、第5、6段落で述べられている。

5　×　「謝罪の前にきちんと説明をしなければ」という記述が明らかに誤り。第4段落に似た内容があるが、それは遅れた時につい言い訳したくなってしまうことについて述べているだけである。

次の文章の要旨として、最も妥当なのはどれか。

　プライバシーの必要性を裏付ける単純な回答の一つは、人間を動物と区別するため、というものでしょう。創世記の冒頭がイチジクの葉で裸を隠す行為から始まるように、私たち人間は公共空間では衣類を身につけて行動することとされています。これは、訳もなく裸を他者に見せる行為は恥ずかしいことであるという人類共通の理性であり、この羞恥心は動物にはないと考えられます。すなわち、古典的な意味において、プライバシーとは「恥」を隠すための人間の品位を保つための営為であるということができます。

　ただし、より現代的な視点から考えると、話は複雑になってきます。私たちがプライバシーを侵害されたと感じるのは、羞恥感情に影響を及ぼすときに限られるわけではありません。たとえ衣類を身につけていても、たとえば電話の内容を無断で聞かれたり、メールを勝手にのぞき見られたりするとき、プライバシーが侵害されたと感じることでしょう。

　もちろん、電話やメールの内容のすべてが恥ずかしいものというわけではありません。すると、プライバシーの保護の対象となるのは「恥」にとどまるものではなく、各人のあらゆる属性としての自我、より法的な言い方をすれば「人格」なのだと考えられます。

　すなわち、各人の言動はそれぞれの生き方を映しだしており、各人に関する情報はそれぞれの「人格」の一部をなしているのです。そのため、他人にみだりに干渉されず、独りにしておいてもらうことが、人間には必要です。

　「独りにしておいてもらう」とは、文字どおり物理的な居場所を確保するということを意味するとは限りません。自己に関する情報を自ら整理し、人格を造形するための反芻プロセスも、プライバシーの一部として捉えることができます。すなわち、プライバシーは心の静謐に宿り、自我と向き合う時間を必要とします。プライバシーは、集合の中に埋もれさせることができず、データとして記録にも留めることができない、他からの判断や評価からの自由な圏域を意味しています。その限りにおいて、プライバシーは、秘密を隠すことというよりは、人格の自由な発展に関連する情報を自らの管理下に置くことを意味します。

1　現代的な視点によるプライバシーの保護は、電話やメールの内容などの「恥」を隠すための人間の品位を保つための営為である。

2　各人の情報は「人格」の一部であるので、その自由な発展のために、自らの管理下に置かれなければならない。

3　「人格」が自由に発展するためには、物理的に独りになれる居場所で、自己に関する情報を自ら整理する必要がある。

4　物理的に独りになるよりも、むしろ他人に情報を積極的に開示する中で、「人格」は自由に発展していく性質を持っている。

5　プライバシーはデータとして記録ができない性質を持っているので、自分自身にも判断や評価を下すことはできないものである。

解 説　　**正解　2**　　　　　　　　　TAC生の正答率　**90%**

1　✕　「現代的な視点による」という記述が明らかに誤り。第1段落末尾に「古典的な意味において」と述べられている。

2　〇　本問のテーマであるプライバシーについての結論となる、本文後半部分の内容に合致しており、要旨として妥当である。

3　✕　第5段落では「物理的に独りになれる居場所で、自己に関する情報を自ら整理する」ことは、プライバシーの一部として述べられているだけであり、人格の自由な発展のために必要だとは述べていない。

4　✕　「他人に情報を積極的に開示する」という記述が明らかに誤り。本文末尾では「人格の自由な発展に関連する情報を自らの管理下に置く」と述べている。

5　✕　「自分自身にも」という記述が明らかに誤り。最終段落には「他からの判断や評価からの自由な圏域」と述べられているだけである。

次の文章の要旨として、最も妥当なのはどれか。

　和食のビギナーにとって、周囲に適当なコーチがいるということは稀だろう。料理の解説を頼む人はもちろん、店の選択や予約を相談する人もいなくて、その段階で迷ってしまい、怖じけづいてしまうケースは十分に考えられる。

　そういう方には、カウンター割烹の利用をお勧めする。本来ならば料亭で本格的な懐石料理をいただきたいところだけれど、それでは入りづらいから、近場にあるカウンター割烹を予約して、まずは客席に座ってみることだ。

　そして、出される料理をいただいて自分なりの感想を持ってから、目の前で仕事をしている料理人に機をみてあれこれ質問してみるといい。

　「なぜこの料理はこうするんですか？」「どうしてこの季節はこの調理方法を選ぶのですか？」「今日のこの料理はどのような意図でつくられたのですか？」等々。お客様なのだから、臆せずにとにかく気になったことを聞いてみるといい。私は、いまだにこの年齢になっても、「この魚だとこの調理法なのに、なぜ別の魚だと違う調理法になるんですか？」「なぜ山菜はこの調理法でしか生かしきれないんですか？」等々、常に気になったことを料理人に聞いている。場合によっては、ある程度知っていることについて聞くこともある。

　料理に関してものを聞くことは、恥ずかしいことでもなんでもない。むしろある程度知っていてもそのことを聞いて、自分の知識レベルを料理人に知らせないと、共通言語＝接点ができない。

　くだらない質問などない。「ちまきって何ですか？」というレベルでもいいと思う。自分でカウンター割烹を予約して席について、料理を選んで食べだしたら、とにかく質問することだ。それが和食の味覚を学ぶ第一歩になる。

1　和食のビギナーにとって、信頼できるコーチと一緒に割烹や料亭に行って、相手にあれこれ質問することが、味覚を学ぶ第一歩である。

2　和食のビギナーは、まず何よりも、本物の料亭で本格的な懐石料理の味にふれることが、味覚を学ぶ上で肝心である。

3　カウンター割烹のような目の前に料理人がいる店で、気になったことをどんどん質問することが、和食のビギナーにとって味覚を学ぶ第一歩である。

4　カウンター割烹であれば比較的カジュアルな気持ちで行けるし、周りを気にすることなく一人で味を楽しむことができるので、和食のビギナーにはお勧めである。

5　和食のビギナーは、まず客席に座ることが第一目標であるので、どんな店でもいいから予約を取って店内に入ることが重要である。

| 解 説 | 正解　3 |

1　×　「信頼できるコーチと一緒に」という箇所が誤り。第1段落に、周囲に適当なコーチがいることは稀だろうと書かれている。

2　×　「本物の料亭で本格的な懐石料理の味にふれる」という箇所が誤り。第2段落に、本格的な懐石料理が食べられる料亭は「入りづらい」とあるうえ、初心者にはカウンター割烹の利用を勧めている。

3　○　第2段落以降の内容と合致する。また、和食ビギナーが和食の味覚を学ぶための方法が述べられており、要旨としてふさわしい。

4　×　本文中にこのような記述は見られず、適切ではない選択肢である。

5　×　「どんな店でもいいから」という箇所が誤り。本文では、カウンター割烹を予約し、そこでとにかく質問することを筆者は勧めている。質問することについて触れていないため、要旨としても不十分である。

次の文章の要旨として、最も妥当なのはどれか。

　身近な生き物では、イモリの再生能力の高さがよく知られる。尾や足を切断しても完全に元に戻る。ヒドラやプラナリアは、さらに強い再生能力を持つ。プラナリアの一種であるナミウズムシは、体長2〜2.5cmの偏平なからだをした肉食の動物で、北海道北部を除く日本全域で湧水や河川に生息している。前後に3つに切ると、それぞれから失われた部分が再生されるという驚異の再生能力を誇る。

　組織の再生を可能とする原動力は「細胞分裂」だ。細胞分裂は、細胞の持つ自己複製能力によって実現される。細胞の自己複製は、成長、新陳代謝、環境適応に加え、子孫を作り出す場合にも、その根本となる重要な機能である。

　ヒトのからだはたった1つの受精卵から始まり、どんどん細胞分裂を行ってからだを作り上げてゆく。からだができ上がった後も、「新陳代謝」という形で日々新しい細胞を自己複製し、その過程で環境に適応するようにからだを少しずつ修正している。

　ロボット研究者が憧れるこうした機能が実現できるのは、生き物のからだが無数の小さな細胞から成り立っており、自己複製が個々の細胞単位で行われているからである。工学的に言えば、「分散型メカニズム」を採用していることが重要なカギを握っている。

　これに対してロボットは、細胞のような個別ユニットの組み合わせから構成されているわけではない。脚の骨は1本の金属の塊であり、脚の皮膚は1枚のプラスチックカバーである。カバーの一部が破損した場合には、新しいカバーを作って、まるまる取り替える必要がある。このような構造では、自己複製は無理なのだ。

1　ロボットの構造はもともと生き物を参考にしており、イモリやプラナリアなどの強い再生能力を持つ生き物を参考にすることで、いずれは自己複製も可能になると考えられる。

2　ロボットは生き物と違い素材が金属であることがネックとなり、生き物の細胞分裂のような自己複製能力は獲得できていない。

3　生き物の再生能力は、個々の細胞単位で自己複製をする「分散型メカニズム」によるものであるので、それぞれのパーツが1つの部品でできているロボットには不可能である。

4　生き物のように「分散型メカニズム」を採用し、無数の小さな細胞からできているようなロボットの研究は、現在進められているところである。

5　たった1つの受精卵からからだを作り上げてゆく生き物の仕組みは、神秘に包まれており解析できないため、ロボットに真似をすることは不可能である。

解 説　　**正解　3**

1　✕　生物の持つ再生能力はロボット研究者が憧れるものであるが、最終段落には構造上ロボットには不可能であることが書かれている。

2　✕　前半が誤り。ロボットは素材ではなく構造の都合のため自己複製は不可能であると書かれている。

3　◯　生物の持つ再生能力とロボットの構造の特徴が述べられており、要旨としてもふさわしい。

4　✕　本文中にこのような記述は見られない。

5　✕　「神秘に包まれており解析できない」という文は本文には見られない。また、ロボットが生物のような再生能力を持てないのは、構造が生物と異なるためである。

次の文章の要旨として、最も妥当なのはどれか。

　完全無欠のマニュアルというものは存在せず、完璧な作業手順というものもない。どんなマニュアルであっても、さらなる改良の余地はある。

　改良の努力を絶やしてはいけない。時代の変化によって、改訂しなければならない事項は自然と生じる。また、他社との競争に負けないためにも、手順を改善し、マニュアルをより使いやすくする努力をやめることはできない。

　しかし、いつも平穏無事に作業ができている職場で、「マニュアルを改善せよ」と号令をかけても、どこを直せばよいのか誰もピンとこない。一方、トラブルが多発している職場では、仕事に追われており、マニュアルを改善する作業に時間を割けない。

　どちらにせよ、マニュアルは現状のまま放置されがちである。すでにそれなりに出来上がっている文書を改訂させるべく職場を奮起させるには、大きなエネルギーが必要なのである。

　よって、小さなエネルギーでできる範囲でジワジワと改善を始めるのが正しい。人は作業中に、マニュアルの間違っている記述や、もっとうまい方法がある手順、失敗しやすいポイントなどを、ふと見つけるものだ。その時を逃さず、コメントをマニュアルのその箇所の余白に直接に赤ペンで書き込んでもらう。実際に作業で失敗してしまったら、そのあらましをそこに書いてもらう。こうしてダメ出しコメントを溜めていく。

　ある程度コメントが溜まってきたら、本部で回収し、改善のためのアイデアとして役立てる。書き込みだらけの部分が出てきたら、要はそこの手順がダメという動かぬ証拠である。手順の優劣が露骨に「見える化」される。

　なので、コメントといっても長々と作文する必要はない。最低限、「ここが難しい」の一言でよい。それだけで、マニュアルの欠陥は「見える化」される。

1　完全なマニュアルなどは存在しないので、マニュアルに頼らず、作業者がそれぞれの経験を積み上げて、自分だけのマニュアルを頭の中に作成するべきである。

2　作業手順の不明点や失敗しやすいポイントを現場に赴いてよく聞き取り、本部で改善のためのアイデアを練ることが、マニュアル改訂のもっとも効率的な方法である。

3　時代の変化への対応や、他社との競争のためにも、マニュアルは定期的に見直し、大規模な改訂作業を行わなくてはならない。

4　作業中に不明点や改善点を見つけ次第マニュアルに書き込むだけで、マニュアルの欠陥が「見える化」され、小さなエネルギーでマニュアルを改訂することができる。

5　マニュアルの改訂作業には大きなエネルギーが必要であり非効率的なので、初めの作成時に、改訂を必要としない万能のマニュアルを目指すべきである。

解説　　正解　**4**

1　✕　後半部分が誤り。本文中にこのような記述は見られない。

2　✕　第5段落にマニュアル改善は「小さなエネルギーでできる範囲で」とあるのに対し、選択肢のような作業は記述がなく、また正反対となる作業である。

3　✕　後半が本文中に見られない内容である。第3段落に、マニュアル改訂がなかなか進まない理由が述べられており、その内容と合致しない。

4　〇　マニュアル改訂のための方法が、マニュアルの「見える化」という本文のテーマに沿ったものであり、要旨としてふさわしい。

5　✕　第1段落に「完全無欠のマニュアルというものは存在せず、完璧な作業手順というものもない」と書かれており、本文の内容とも合致していない。

　40人の学生に、体育、美術、音楽の中から得意な科目について尋ねたところ、体育が得意だと答えた者が18人、美術が得意だと答えた者が18人、音楽が得意だと答えた者が18人、3科目のうち2科目だけが得意だと答えた者が10人、3科目とも得意だと答えた者が5人であった。このとき、3科目とも得意でないと答えた者の人数として、最も妥当なのはどれか。ただし、学生の回答は、「得意だ」か「得意でない」の2つだけだったものとする。

1　2人

2　3人

3　4人

4　5人

5　6人

解 説　　　**正解　5**

　体育と美術の2科目のみ、音楽と体育の2科目のみ、美術と音楽の2科目のみがそれぞれ得意だと答えた人をa[人]、b[人]、c[人]とおく。さらに3科目とも得意でないと答えた人をx[人]とおき、わかっている数値をベン図に書き入れると図1のようになる。

　体育のみ、美術のみ、音楽のみがそれぞれ得意だと答えた人は、図1より、$18-(a+b+5)=13-(a+b)$[人]、$18-(a+c+5)=13-(a+c)$[人]、$18-(b+c+5)=13-(b+c)$[人]と表すことができる（図2）。

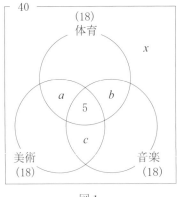

図1

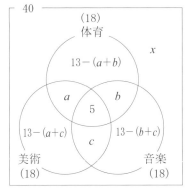

図2

　全体の40人は、図2の8つの領域の人数を足した人数と同じであるので、次の式が成り立つ。

$$\{13-(a+b)\}+\{13-(a+c)\}+\{13-(b+c)\}+a+b+c+5+x=40$$

$$\Leftrightarrow\quad 44-(a+b+c)+x=40\cdots①$$

　また、条件より$a+b+c=10$が成り立つので、①に代入すると、$44-10+x=40$となり、$x=6$[人]となる。

　よって、正解は**5**である。

ある会社の社員30人に海外旅行の経験の有無についてアンケートを行ったところ、アメリカへ旅行したことがある人は18人、中国へ旅行したことがある人は15人、オーストラリアへ旅行したことがある人は12人であった。また、この3か国のいずれか2か国へ旅行したことがある人は13人、3か国とも旅行したことがある人は2人であった。このとき、いずれの国にも旅行したことがない人の数として、最も妥当なのはどれか。

1 1人

2 2人

3 3人

4 4人

5 5人

解説　　**正解　2**

アメリカと中国の2か国のみ、オーストラリアとアメリカの2か国のみ、中国とオーストラリアの2か国のみにそれぞれ旅行した人をa[人]、b[人]、c[人]とおく。さらにいずれの国にも旅行したことがない人をx[人]とおき、わかっている数値をベン図に書き入れると図1のようになる。

アメリカのみ、中国のみ、オーストラリアのみにそれぞれ旅行した人は、図1より、$18-(a+b+2)=16-(a+b)$[人]、$15-(a+c+2)=13-(a+c)$[人]、$12-(b+c+2)=10-(b+c)$[人]と表すことができる（図2）。

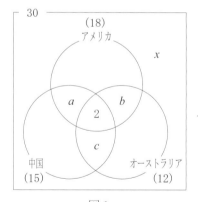
図1

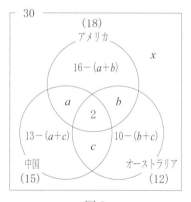
図2

全体の30人は、図2の8つの領域の人数を足した人数と同じであるので、次の式が成り立つ。

$$\{16-(a+b)\}+\{13-(a+c)\}+\{10-(b+c)\}+a+b+c+2+x=30$$
$$\Leftrightarrow\quad 41-(a+b+c)+x=30\cdots①$$

また、条件より$a+b+c=13$が成り立つので、①に代入すると、$41-13+x=30$となり、$x=2$[人]となる。

よって、正解は**2**である。

法律　政治　経済　社会　国語　英文法　英文　現代文　判断推理

応援政党についてアンケートを取り、次のア～キのことがわかっているとき、A党とC党の両方を支持し、かつB党を支持しない者の数として、最も妥当なのはどれか。

ア　A党の支持者は32名である。

イ　B党の支持者は26名である。

ウ　C党の支持者は31名である。

エ　A党の支持者であってC党を支持しない者は20名である。

オ　B党の支持者であってC党を支持しない者は11名である。

カ　B党とC党の両方を支持しかつA党を支持しない者は、A党とB党の両方を支持しかつC党を支持しない者の4倍である。

キ　A党のみの支持者は18名である。

1　5人

2　6人

3　7人

4　8人

5　9人

解説　　**正解　1**

ベン図を用いて整理する。条件ア〜オおよび条件キを図に入れると、図1のようになる。

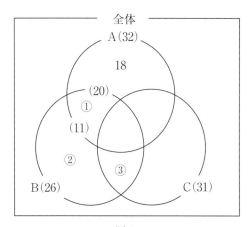

図1

図1より、A党とB党の両方を支持しかつC党を支持しない者（図1の①）は20−18＝2［人］で、これにより、B党のみの支持者（図1の②）は11−2＝9［人］となる。また、条件カより、B党とC党の両方を支持しかつA党を支持しない者（図1の③）は2×4＝8［人］となる（図2）。

図2より、A党、B党、C党すべての支持者（図2の④）は26−（2+8+9）＝7［人］で、これにより、A党とC党の両方を支持しかつB党を支持しない者（図2の⑤）は32−（7+2+18）＝5［人］となる。なお、C党のみの支持者（図2の⑥）は31−（7+8+5）＝11［人］となる（図3）。

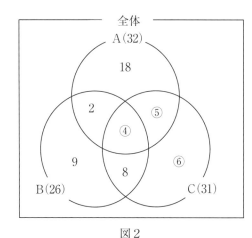

図2

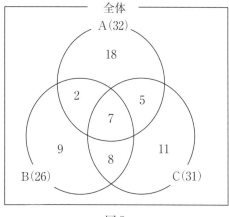

図3

よって、図3より正解は**1**である。

判断推理 | 集合

ある学生のクラスで通学方法と実家暮らしか下宿しているかのアンケートを取り、次のア～オのことがわかっている。このとき、確実にいえることとして、最も妥当なのはどれか。ただし、通学方法は徒歩、自転車、車、電車のいずれかであり、すべての通学方法に対して少なくとも一人はその方法で通学する人がいるものとする。

ア　下宿している人の中には、自転車で通学している人がいる。
イ　徒歩で通学している人は、全員下宿している。
ウ　車で通学している人は、全員実家暮らしである。
エ　下宿している人の中には、電車で通学している人はいない。
オ　実家暮らしの人の中には、電車で通学している人がいる。

1　下宿している人は、自転車か徒歩のいずれかで通学している。

2　自転車で通学している人の中には、実家暮らしの人がいる。

3　実家暮らしの人の中には、徒歩で通学している人がいる。

4　実家暮らしの人は、全員電車で通学している。

5　下宿している人の中には、車で通学している人がいる。

解説　　正解　**1**

それぞれの通学方法について、その方法で通学する人がいるかいないかを表にし、条件ア～オと書き入れると、下表のようになる（いる：○、いない：×）。

	徒歩	自転車	車	電車
実家	×		○	○
下宿	○	○	×	×

上の表をもとに各選択肢を検討する。

1　**○**　車と電車で通学している人は全員が実家暮らしであるので、下宿している人はいない。かつ、徒歩で通学している人は全員が下宿しており、自転車で通学している人の中に下宿している人がいるので、確実にいえる。

2　**×**　自転車で通学している人の中に実家暮らしの人がいるかどうかは上の表からはわからないので、確実にはいえない。

3　**×**　実家暮らしの人の中には徒歩で通学している人はいないので、誤りである。

4　**×**　実家暮らしの人の中には、車で通学している人もいるので、誤りである。

5　**×**　下宿している人の中には、車で通学している人はいないので、誤りである。

あるクラスの学生に好きな科目についてアンケートを実施したところ、次のことが分かった。このとき確実にいえることとして、最も妥当なのはどれか。

- ◯ 社会が好きな学生は、体育が好きである。
- ◯ 数学が好きな学生は、国語が好きではない。
- ◯ 数学が好きな学生は、音楽が好きではない。
- ◯ 理科が好きな学生は、社会が好きである。
- ◯ 数学が好きではない学生は、社会が好きである。

1 体育が好きではない学生は、国語が好きではない。

2 音楽が好きな学生は、国語が好きである。

3 社会が好きな学生は、国語が好きではない。

4 理科が好きな学生は、数学が好きである。

5 国語が好きではない学生は、体育が好きではない。

解 説　　**正解　1**　　　　　　　　　TAC生の正答率 **85%**

問題の各命題を記号化して、対偶をとると下表のようになる。

命題	対偶
社→体 …①	$\overline{体}$→$\overline{社}$ …⑥
数→$\overline{国}$ …②	国→$\overline{数}$ …⑦
数→$\overline{音}$ …③	音→$\overline{数}$ …⑧
理→社 …④	$\overline{社}$→$\overline{理}$ …⑨
$\overline{数}$→社 …⑤	$\overline{社}$→数 …⑩

各命題とその対偶に三段論法を用いて、各選択肢を検討していく。

1 ◯　⑥、⑩、②を用いれば、「$\overline{体}$→$\overline{社}$→数→$\overline{国}$」となり、「$\overline{体}$→$\overline{国}$」が成り立つ。

2 ✕　「音」で始まるもの、「国」で終わるものが①～⑩にない。

3 ✕　「社」で始まり「$\overline{国}$」で終わるものは①と②であるが、①の結論である「体」から始まるものが①～⑩にない。

4 ✕　「理」で始まり「数」で終わるものは④と⑩であるが、④の結論である「社」と⑩の仮定である「$\overline{社}$」をつなげるものが①～⑩にない。

5 ✕　「国」で始まるもの、「$\overline{体}$」で終わるものが①～⑩にない。

A〜Eの5人のうち、2人だけが勉強している。次のア、イのことが分かっているとき、確実にいえることとして、最も妥当なのはどれか。

ア　Aが勉強していれば、Bも勉強している。
イ　Cが勉強していなければ、Dも勉強していない。

1　Aが勉強していなければ、Cは勉強している。

2　Bが勉強していれば、Cも勉強している。

3　Cが勉強していなければ、Eは勉強していない。

4　Dが勉強していなければ、Aは勉強している。

5　Eが勉強していれば、Aは勉強していない。

解説　　**正解　5**

5人のうち2人が勉強しているが、その2人の組合せは$_5C_2 = 10$［通り］ある（次表：○＝勉強している）。この10通りの組合せのうち、条件ア、イを満たさないものを除外する。

	A	B	C	D	E
①	○	○			
②	○		○		
③	○			○	
④	○				○
⑤		○	○		
⑥		○		○	
⑦		○			○
⑧			○	○	
⑨			○		○
⑩				○	○

条件アより、Aが勉強している場合、Bも勉強しているはずだから、Aが勉強しているのにBが勉強していない②、③、④は除外される。

条件イより、Cが勉強していない場合、Dも勉強していないはずだから、Cが勉強していないのにDが勉強している（③、）⑥、⑩は除外される。

よって、あり得るのは、以下の①、⑤、⑦、⑧、⑨の5通りの組合せとなる。

	A	B	C	D	E
①	○	○			
⑤		○	○		
⑦		○			○
⑧			○	○	
⑨			○		○

1 ✕　Aが勉強していないのは⑤、⑦、⑧、⑨であるが、⑦はCが勉強していない。

2 ✕　Bが勉強しているのは①、⑤、⑦であるが、①、⑦はCが勉強していない。

3 ✕　Cが勉強していないのは①、⑦であるが、⑦はEが勉強している。

4 ✕　Dが勉強していないのは①、⑤、⑦、⑨であるが、⑤、⑦、⑨はAが勉強していない。

5 ○　Eが勉強しているのは⑦、⑨であり、いずれもAは勉強していない。

　A～Eの5人は、警察官、教師、銀行員、医師、税理士のいずれかの異なる職業に就いている。次のア～キのことが分かっているとき、確実にいえることとして、最も妥当なのはどれか。

ア　Aの年齢は銀行員の年齢の2倍である。

イ　東京都に在住しているのは、Bと最年少の者の2人である。

ウ　Cは千葉県に在住している34歳である。

エ　税理士はEよりも10歳年上である。

オ　警察官は神奈川県在住で、税理士と2歳差である。

カ　埼玉県に在住している者は、48歳で、教師ではない。

キ　5人の年齢は、24歳、29歳、32歳、34歳、48歳のいずれかであり、同じ年齢の者はいない。

1　Aは東京に住んでいる。

2　Bは教師である。

3　Cは医師である。

4　Dは29歳である。

5　Eは税理士である。

解説　　**正解　2**

　集合が人物、職業、年齢、居住地の４種類あるので、○×対応表ではなく、人物を基準にして直接書き込む表にする。条件ア、キより、年齢で２倍の関係になるのは24歳と48歳のみであるから、Aは48歳で、銀行員は24歳となる。このことと条件カより、Aは埼玉に在住していることもわかる。条件エ、オより、年齢で10歳差の関係になるのは24歳と34歳のみであるから、Eは24歳で、税理士は34歳となる。よって、Eは24歳の銀行員で、条件ウより、Cは税理士とわかる（表１）。

　条件イより、東京都に在住しているのはBと24歳のEの２人とわかる。これにより、条件オについて、神奈川に在住しているのは残るDであるから、Dは警察官であり、34歳の税理士と２歳差であるから、条件キより、32歳であることもわかる（表２）。

表１	職業	年齢	居住地
A		48	埼玉
B			
C	税理士	34	千葉
D			
E	銀行員	24	

表２	職業	年齢	居住地
A		48	埼玉
B			東京
C	税理士	34	千葉
D	警察官	32	神奈川
E	銀行員	24	東京

　年齢で残るのは29歳で、これがBであり、条件カよりAは教師ではないので医師であり、Bが教師となる（表３）。

表３	職業	年齢	居住地
A	医師	48	埼玉
B	教師	29	東京
C	税理士	34	千葉
D	警察官	32	神奈川
E	銀行員	24	東京

　よって、表３より正解は**2**である。

　ある大学のサークルに在籍するA〜Eの5人の活動状況について、次のことがわかっているとき、確実にいえることとして、最も妥当なのはどれか。

○　5人は、英会話、軽音楽、テニスのサークルのうち、少なくとも1つ以上に所属している。

○　Aは、英会話サークルに所属しているが、軽音楽サークルには所属していない。

○　軽音楽サークルに所属している者は、テニスサークルに所属しておらず、英会話サークルに所属している。

○　Aは、Bと共通するサークルに所属していない。

○　Cは、Bと共通するサークルに所属していない。

○　Dは、Eと共通するサークルに所属していない。

○　2つのサークルに所属している人は2人いる。

1　Aはテニスサークルに所属している。

2　テニスサークルには3人が所属している。

3　Dは英会話サークルに所属している。

4　Eは軽音楽サークルに所属している。

5　英会話サークルには3人が所属している。

各サークルを頭文字で表し、次のように対応表を書いて考える。2つ目の条件より、表1となる。

表1	英	軽	テ	○の数
A	○	×		
B				
C				
D				
E				
○の数				

　4つ目の条件より、Bは英会話サークルに所属していない。また、3つ目の条件を記号化すれば、「軽→テ」、「軽→英」より、対偶を取れば、「テ→軽」、「英→軽」も成り立つ。よって、Bは軽音楽サークルにも所属していない。また、1つ目の条件より、Bはテニスサークルに所属しており、4つ目および5つ目の条件からAとCはテニスサークルに所属していない。さらに、6つ目および7つ目の条件より、DとEがともに2つのサークルに所属することはありえない。したがって、7つ目の条件の「2つのサークルに所属している人」の一方はCである。以上を反映したものが表2である。

表2	英	軽	テ	○の数
A	○	×	×	1
B	×	×	○	1
C	○	○	×	2
D				
E				
○の数				

　1つ目の条件と、6つ目および7つ目の条件より、DとEの所属するサークルの数は（D, E）=（2, 1）または（1, 2）である。ここで、軽音楽サークルはD、Eのいずれか一方のみが所属し、3つ目の条件である「軽→テ」、「軽→英」を用いれば、（英, 軽, テ）=（○, ○, ×）…①であるから、D、Eのどちらか一方が①であり、他方は（英, 軽, テ）=（×, ×, ○）である。以上を反映したものが表3である。

表3	英	軽	テ	○の数
A	○	×	×	1
B	×	×	○	1
C	○	○	×	2
D/E	○	○	×	2
E/D	×	×	○	1
○の数	3	2	2	7

　よって、正解は**5**である。

A〜Eの5人の学生が学習塾でアルバイトをしており、英語、国語、数学、理科、社会の科目を担当している。学生はそれぞれ1科目以上3科目以内の科目を教えている。次のア〜キのことがわかっているとき、確実に言えることとして、最も妥当なのはどれか。

ア　英語を教えている人は2人いる。
イ　国語を教えている人は2人いて、そのうち1人はAである。
ウ　数学を教えている人は3人いて、そのうち1人はAである。
エ　理科を教えている人は3人いて、そのうち2人はAとDである。
オ　社会を教えている人は4人いる。
カ　AとEは同じ科目を教えていない。
キ　Cは、英語と理科は教えていない。

1　Bは英語を教えている。

2　Bは数学を教えている。

3　Cは理科を教えている。

4　Dは数学を教えている。

5　Dは社会を教えている。

　表を用いて整理する。縦に人物、横に科目をとり、条件ア～オおよび条件キを表に入れると、表1のようになる。

　各学生が担当しているのは3科目以内であるから、Aは英語と社会を教えておらず、これにより、社会を教えている4人はB、C、D、Eとなる。また、条件カより、Eは国語、数学、理科を教えていないことになる（表2）。この時点で、Dが社会を教えているのは確実なので、正解は**5**である。

表1	英	国	数	理	社	計
A		○	○	○		
B						
C	×			×		
D				○		
E						
計	2	2	3	3	4	14

表2	英	国	数	理	社	計
A	×	○	○	○	×	3
B					○	
C	×			×	○	
D				○	○	
E		×	×	×	○	
計	2	2	3	3	4	14

　なお、さらに表を埋めてみると、表2より、Bは理科を教えている。また、5人で延べ14科目を教えているが、各人3科目以内であるので、教えている科目数の組合せは（3, 3, 3, 3, 2）となる。よって、表2より、Eは2科目で英語を教えており、B、C、Dはそれぞれ3科目を教えている。これにより、Cは国語と数学を教えている。しかし、BとDが英語と数学のうち、それぞれどちらを教えているかは不明である（表3）。

表3	英	国	数	理	社	計
A	×	○	○	○	×	3
B		×		○	○	3
C	×	○	○	×	○	3
D		×		○	○	3
E	○	×	×	×	○	2
計	2	2	3	3	4	14

判断推理 | 対応関係

2021年度 ❶
教養 No.37

　A～Dの4人はそれぞれ、野球、サッカー、テニス、ゴルフの4種目のスポーツの中から2種目を選んだ。以下のことがわかっているとき、確実にいえることとして、最も妥当なのはどれか。

○　4人の選んだ種目の組合せはそれぞれ異なっていた。

○　AとBは同じ種目を選ばなかった。

○　Cは野球を選んだ。

○　サッカーを選んだものはテニスも選んだ。

1　Aは野球を選んだ。

2　Bはサッカーを選ばなかった。

3　Cはテニスを選ばなかった。

4　Dはゴルフを選んだ。

5　サッカーを選んだのは2人だけだった。

　4人は4種目中2種目を選んでいるから、選び方の総数は $_4C_2 = 6$［通り］ある（表1）。このうち、4つ目の条件より、①、④の組合せはあり得ず、1つ目の条件から、A〜Dの4人は、②、③、⑤、⑥の組合せのうち異なる1つずつの選び方をしたことになる（表2）。

表1	野球	サッカー	ゴルフ	テニス
①	○	○		
②	○		○	
③	○			○
④		○	○	
⑤		○		○
⑥			○	○

表2	野球	サッカー	ゴルフ	テニス
②	○		○	
③	○			○
⑤		○		○
⑥			○	○

　2つ目の条件より、AとBは4種目から異なる2種目ずつを選んだことになる。よって、A、Bのうち一方は唯一サッカーを選んでいる⑤の選び方で、もう一方は⑤と同じ種目を選んでいない②の選び方になる。残る③と⑥のうち、3つ目の条件より野球を選んだCは③の選び方で、残るDが⑥の選び方となる（表3）。

表3	野球	サッカー	ゴルフ	テニス	
②	○		○		A/B
③	○			○	C
⑤		○		○	B/A
⑥			○	○	D

　よって、表3より、正解は**4**である。

　ある会社では、月曜日から土曜日までの6日間、A〜Fの6人の社員が、毎日2人ずつ交代で夜間勤務を行っている。この夜間勤務は、勤続5年以上の人と5年未満の人の組み合わせで行われ、Eは勤続5年以上である。ある週の月曜日から土曜日までの勤務状況について、次のア〜オのことがわかっているとき、確実にいえることとして、最も妥当なのはどれか。

ア　6人とも2回ずつ夜間勤務を行った。

イ　Aは火曜日、Cは木曜日、Eは金曜日に夜間勤務を行った。

ウ　Aが夜間勤務を行った前の日は、必ずBが夜間勤務を行っていた。

エ　AはEと1回夜間勤務を行い、FはB、Cと1回ずつ夜間勤務を行った。

オ　この1週間の間に、1人の社員が2日連続して夜間勤務に就くことはなかった。

1　Bは金曜日に夜間勤務を行った。

2　CとDで夜間勤務を行ったことがある。

3　Dは勤続5年未満である。

4　Fは勤続5年以上である。

5　Fは木曜日に夜間勤務を行った。

　6人の勤務状況を表にまとめる。条件より、勤務は勤続5年以上の人と5年未満の人の組合せとなり、Eは5年以上であり、条件エより、AはEと勤務しているから、Aは5年未満となる。条件イ、ウをまとめると表1となる。

表1	月	火	水	木	金	土	
5年以上					E		E
5年未満		A					A
		B		C			

　条件エより、勤務の組合せは、（A，E）、（F，B）、（F，C）が1回ずつあるが、Fが5年以上ならB、Cは5年未満となり、Fが5年未満ならB、Cが5年以上となる。場合分けして検討する。

（i）　Fが5年以上で、B、Cが5年未満の場合

　5年以上はD、E、F、5年未満はA、B、Cとなる。5年未満の人の勤務は、月曜日がB、木曜日がCとなる。条件オより、水曜日はB、金曜日はA、土曜日はCとなるが、条件ウを満たさないため不適である（表2）。

表2	月	火	水	木	金	土	
5年以上					E		D，E，F
5年未満	B	A	B	C	A	C	A，B，C

（ii）　Fが5年未満で、B、Cが5年以上の場合

　5年以上はB、C、E、5年未満はA、D、Fとなる。5年以上の人の勤務は、月曜日がB、木曜日がC、金曜日がEとなる。条件ア、オより、Aは火曜日に勤務しているから、あとの1回は木曜日、金曜日、土曜日のいずれかであるが、条件ウより木曜日となり、水曜日にBが勤務したこととなる。条件エより、AはEと1回同じ日に勤務しているから、火曜日にEが勤務したこととなり、土曜日にCが勤務したこととなる（表3）。

表3	月	火	水	木	金	土	
5年以上	B	E	B	C	E	C	B，C，E
5年未満		A		A			A，D，F

　5年未満の人の勤務は、条件エより、FはB、Cと1回ずつ勤務しているから、Fは土曜日と、月曜日または水曜日に勤務したことになる。よって、Dは金曜日と、月曜日または水曜日に勤務したことになる（表4）。

表4	月	火	水	木	金	土	
5年以上	B	E	B	C	E	C	B，C，E
5年未満	F/D	A	D/F	A	D	F	A，D，F

　よって、表4より、正解は**3**である。

　ある会社で部対抗スポーツ大会を行った。営業部、企画部、総務部、IS部、購買部、人事部が参加し、それぞれ各部のカラーが、赤、白、青、緑、紫、黒のいずれかの色になっている。次の点数結果表とア～キのことがわかっているとき、確実にいえることとして、最も妥当なのはどれか。

順位	1位	2位	3位	4位	5位	6位
点数	4100	3790	3680	3630	3570	3390

ア　白の点数は、紫よりも500点以上高い。

イ　点数差が最小なのは、営業部と人事部である。

ウ　赤の点数は、青より400点高い。

エ　企画部は、購買部より上位である。

オ　黒は、営業部より下位である。

カ　IS部は紫である。

キ　購買部は最下位ではない。

1　1位は、企画部で緑である。

2　2位は、購買部で緑である。

3　3位は、人事部で赤である。

4　4位は、営業部で黒である。

5　6位は、総務部で青である。

解説　**正解　5**

順序を主体とした表を用いて整理する（表1）。

表1

順位	1位	2位	3位	4位	5位	6位
点数	4100	3790	3680	3630	3570	3390
部						
色						

条件アより、白は1位、紫は5位または6位となる。条件イより、営業部と人事部はそれぞれ3位または4位である。条件ウより、赤は2位、青は6位で、これにより紫は5位となる（表2）。

表2

順位	1位	2位	3位	4位	5位	6位
点数	4100	3790	3680	3630	3570	3390
部			営/人	人/営		
色	白	赤			紫	青

条件カより、紫のIS部は5位である。条件キより、購買部は1位または2位であるが、条件エより購買部は2位で、企画部が1位となり、残る総務部が6位となる。また、条件オより黒は4位、営業部は3位となり、人事部が4位、緑が3位となる（表3）。

表3

順位	1位	2位	3位	4位	5位	6位
点数	4100	3790	3680	3630	3570	3390
部	企画	購買	営業	人事	IS	総務
色	白	赤	緑	黒	紫	青

よって、表3より正解は**5**である。

ある旅行会社のＡ支店とＢ支店に、合わせて７人の社員が新しく配属された。この７人の年齢層は、10代（18歳以上20歳未満）が３人、20代（20歳以上30歳未満）が２人、30代（30歳以上40歳未満）が２人である。このうち、５人は英語で会話ができ、２人はドイツ語で会話ができる。次のア～カのことがわかっているとき、確実にいえることとして、最も妥当なのはどれか。

ア　Ｂ支店には、10代、20代、30代すべての年齢層の社員が配属されたが、Ａ支店に配属された社員は、２つの年齢層であった。

イ　20代の社員で、英語でもドイツ語でも会話ができない社員が１人いる。

ウ　Ａ支店に配属された社員のうち、英語で会話ができるのは２人である。

エ　ドイツ語で会話ができる社員は、Ａ支店、Ｂ支店に１人ずつ配属された。そのうちＢ支店に配属された社員だけは、英語でも会話ができる。

オ　この７人のうち、Ｂ支店に配属された社員の平均年齢は、24歳である。

カ　Ａ支店、Ｂ支店それぞれに、同じ年齢層の社員が２人いる。

1　Ｂ支店に10代の社員２人が配属された。

2　Ａ支店に配属された社員の平均年齢は、22歳である。

3　Ｂ支店に10代で、英語で会話ができない社員が配属された。

4　Ａ支店に10代で、英語で会話ができてドイツ語で会話ができない社員が配属された。

5　Ｂ支店に配属された、英語とドイツ語のどちらでも会話ができる社員は30代である。

解 説　　**正解　4**

　７人について、２つの支店のどちらか、３つの年齢層のどれか、英語で会話ができるか否か、ドイツ語で会話ができるか否か、の４つの属性を考える必要がある。３種類に分けられる年齢層を基準にして表を作ると表１のようになる（ド語＝ドイツ語）。

　年齢層と支店に関する条件は条件ア、オ、カで、条件アよりＢ支店は少なくとも10代、20代、30代が１人ずついる。条件カより、Ａ支店に同じ年齢層が２人いるが、２人ずついる20代と30代はいずれも少なくとも１人がＢ支店であるので、Ａ支店の同じ年齢層は10代となる。条件カより、Ｂ支店にも同じ年齢層が２人いるので、20代、30代のいずれかが２人ともＢ支店の社員となる。条件オについて、Ｂ支店の社員は10代、20代、30代が１人ずつともう１人が20代、30代のいずれかの合計４人であり、４人の平均年齢が24歳ということは、４人の年齢の合計が24×４＝96［歳］である。10代、20代、30代の３人の年齢の合計は最大で19＋29＋39＝87［歳］、最小で18＋20＋30＝68［歳］であり、もう１人が30代の場合は４人の年齢の合計が最大で87＋39＝126［歳］、最小で68＋30＝98［歳］となり、この範囲に96歳はない。よって、Ｂ支店のもう１人は20代で、30代のもう１人はＡ支店の社員となる（表２）。

表1	年齢層	支店	英語	ド語
①	10代			
②	10代			
③	10代			
④	20代			
⑤	20代			
⑥	30代			
⑦	30代			

表2	年齢層	支店	英語	ド語
①	10代	B		
②	10代	A		
③	10代	A		
④	20代	B		
⑤	20代	B		
⑥	30代	B		
⑦	30代	A		

　条件イについて、20代の社員はいずれもB支店の社員で、このうち1人が英語、ドイツ語のどちらでも会話ができないことになる（仮に④とする）。条件ウについて、英語で会話ができる5人のうち2人がA支店の社員であるので、残り3人はB支店の社員である。B支店の社員4人のうち④は英語で会話できないので、残りのB支店の社員は全員英語で会話ができることになる（表3）。

　条件エより、④以外のB支店の社員のうち1人がドイツ語で会話ができるが、誰であるかは不明である。また、A支店のドイツ語で会話ができる社員は、英語では会話ができないから、A支店の3人の社員のうち、2人は英語のみで会話ができ、残る1人はドイツ語のみで会話ができるが、それぞれ誰であるかは不明である。

表3	年齢層	支店	英語	ド語
①	10代	B	○	
②	10代	A		
③	10代	A		
④	20代	B	×	×
⑤	20代	B	○	
⑥	30代	B	○	
⑦	30代	A		

選択肢を検討する。

1　×　B支店の10代の社員は1人である。

2　×　A支店の社員は10代が2人と30代が1人で、3人の年齢の合計は最大で19＋19＋39＝77［歳］、最小で18＋18＋30＝66［歳］であり、この最小の場合は平均年齢が66÷3＝22［歳］となるが、3人の年齢の合計は66〜77歳のいずれの可能性もあるので、平均年齢が22歳であると確実にはいえない。

3　×　B支店の10代の社員は英語で会話ができる。

4　○　A支店の10代の社員2人と30代の社員1人のうち、英語で会話ができてドイツ語で会話ができない社員は2人いる。この2人は10代の社員2人もしくは10代と30代の社員1人ずつの2通りの可能性があるが、いずれにしても10代で、英語で会話ができてドイツ語で会話ができない社員が少なくとも1人いる。

5　×　B支店の英語とドイツ語のどちらでも会話ができる社員の年齢層は不明である。

A～Eの5チームが、各チームとそれぞれ1回ずつの総当たり方式で野球の試合を行った。勝った チームは2点、負けたチームは0点、引き分けたチームはそれぞれのチームに1点の点数が与えられ る。試合の結果について次のア～オのことがわかっているとき、確実にいえることとして、最も妥当 なものはどれか。

ア　Aが勝った試合はなかった。
イ　Bは2勝1敗1分だった。
ウ　CはAと引き分け、点数の合計は3点だった。
エ　Dは全勝した。
オ　Eの点数の合計は2点だった。

1　AはEに負けていない。

2　BはEと引き分けていない。

3　CはEに勝っていない。

4　CはBに負けていない。

5　EはBに勝っていない。

解説　　正解　5

リーグ表を用いて整理する。条件ア～オを表に入れると、表1のようになる。なお、Bの点数の合 計は2×2+1×1＝5[点]、Dの点数の合計は2×4＝8[点]である。

表1	A	B	C	D	E	勝 敗 分	点数
A			△	×		0	
B				×		2 1 1	5
C	△			×			3
D	○	○	○		○	4 0 0	8
E				×			2

この時点でBは1敗しており、残りの試合では負けていないから、EがBに勝っていないのは確実 である。よって、正解は**5**である。

なお、最後まで表を埋めていくと、次のようになる。

表1よりCは、残りのBとEとの2試合の点数の合計が2点であり、その内訳は①1勝1敗、②2 引き分け、の2通りの可能性がある。ここで場合分けをする。

（i）Cの残りの2試合が1勝1敗の場合

CがBに勝った場合、BはC、Dに負けて2敗となるので、1敗であったことと矛盾する。よって、 CはEに勝ち、Bに負けたことになる（表2）。

表2	A	B	C	D	E	勝 敗 分	点数
A			△	×		0	
B			○	×		2 1 1	5
C	△	×		×	○	1 2 1	3
D	○	○	○		○	4 0 0	8
E			×	×			2

　Bは残りのAとEとの試合で1勝1引き分けであり、Aに勝ち、Eと引き分けた場合は表3、Aと引き分け、Eに勝った場合は表4となる。

表3	A	B	C	D	E	勝 敗 分	点数
A		×	△	×	△	0 2 2	2
B	○		○	×	△	2 1 1	5
C	△	×		×	○	1 2 1	3
D	○	○	○		○	4 0 0	8
E	△	△	×	×		0 2 2	2

表4	A	B	C	D	E	勝 敗 分	点数
A		△	△	×	×	0 2 2	2
B	△		○	×	○	2 1 1	5
C	△	×		×	○	1 2 1	3
D	○	○	○		○	4 0 0	8
E	○	×	×	×		1 3 0	2

(ⅱ)　Cの残りの2試合が2引き分けの場合

　表5のようになる。Bは残りのA、Eとの試合ではともに勝ったことになり、Eの点数が2点だから、EはAと引き分けたことになる（表6）。

表5	A	B	C	D	E	勝 敗 分	点数
A			△	×		0	
B			△	×		2 1 1	5
C	△	△		×	△	0 1 3	3
D	○	○	○		○	4 0 0	8
E			△	×			2

表6	A	B	C	D	E	勝 敗 分	点数
A		×	△	×	△	0 2 2	2
B	○		△	×	○	2 1 1	5
C	△	△		×	△	0 1 3	3
D	○	○	○		○	4 0 0	8
E	△	×	△	×		0 2 2	2

　以上より、表3、表4、表6の3通りの可能性があるが、いずれもEはBに勝っていない。

　A～Gの7人が1対1のゲームをしたところ、表のような結果になった。ただし、表の一部の空欄のところは、結果が見えなくなっている。勝った人に2点、引き分けた人に1点、負けた人には0点のポイントを加えたところ、1位が同点でAとE、3位が同点でFとGであった。このとき確実にいえることとして、最も妥当なのはどれか。なお、表は縦軸のチームを基準にして対戦結果を示しており、表中の○は勝ち、×は負け、△は引き分けを表している。また、1位と3位がそれぞれ同点のため、2位と4位は考慮しないものとする。

	A	B	C	D	E	F	G
A		○	○	○	×	○	×
B	×		△	○		△	×
C	×	△		○	×	×	○
D	×	×	×		×	×	
E	○	×	○	○			
F	×	△	○	○			
G	○		×				

1 EはFに勝った。

2 EはGに勝った。

3 EはFとGに引き分けた。

4 GはFに勝った。

5 GはDに引き分けた。

解説　　**正解　5**　　TAC生の正答率 **64%**

　1位の得点はAの8点なので、もう一人の1位のEも8点である。また、6点のBは3位でないので、3位は7点である。したがって、3位のFとGは7点である。これを踏まえて、問題の条件を整理すると表1のようになる。

表1	A	B	C	D	E	F	G	得点	順位
A		○	○	○	×	○	×	8点	1位
B	×		△	○	○	△	×	6点	
C	×	△		○	×	×	○	5点	
D	×	×	×		×	×			
E	○	×	○	○				8点	1位
F	×	△	○	○				7点	3位
G	○	○	×					7点	3位

Eの対戦結果が不明の相手は（F，G）であり、この2試合で2点を取ればよいので、（F，G）=（○，×）、（×，○）、（△，△）が考えられる。これで場合分けをする。

(i) Eの対戦結果が（F，G）=（○，×）の場合
E、F、Gの得点から、表の空欄を埋めると表2になる。

表2	A	B	C	D	E	F	G	得点	順位
A		○	○	○	×	○	×	8点	1位
B	×		△	○	○	△	×	6点	5位
C	×	△		○	×	×	○	5点	6位
D	×	×	×		×	×	△	1点	7位
E	○	×	○	○		○	×	8点	1位
F	×	△	○	○	×		○	7点	3位
G	○	○	×	△	○	×		7点	3位

(ii) Eの対戦結果が（F，G）=（×，○）の場合
E、F、Gの得点から、表の空欄を埋めると表3になる。

表3	A	B	C	D	E	F	G	得点	順位
A		○	○	○	×	○	×	8点	1位
B	×		△	○	○	△	×	6点	5位
C	×	△		○	×	×	○	5点	6位
D	×	×	×		×	×	△	1点	7位
E	○	×	○	○		×	○	8点	1位
F	×	△	○	○	○		×	7点	3位
G	○	○	×	△	×	○		7点	3位

(iii) Eの対戦結果が（F，G）=（△，△）の場合
E、F、Gの得点から，表の空欄を埋めると表4になる。

表4	A	B	C	D	E	F	G	得点	順位
A		○	○	○	×	○	×	8点	1位
B	×		△	○	○	△	×	6点	5位
C	×	△		○	×	×	○	5点	6位
D	×	×	×		×	×	△	1点	7位
E	○	×	○	○		△	△	8点	1位
F	×	△	○	○	△		△	7点	3位
G	○	○	×	△	△	△		7点	3位

よって、表2、3、4より正解は **5** である。

判断推理　リーグ戦

　A～Eの5人が卓球のリーグ戦を行った。AはCとDに勝利、BはEに勝利、CはDとEに敗北、EはA、Dに勝利しているとき、確実に言えることとして、最も妥当なのはどれか。ただし、勝利数が最少のものは2人いた。

1　Bは単独最多勝者である。

2　BがAに勝利しているならば、DはBに勝利している。

3　DがBに勝利しているならば、AがBに勝利している。

4　DがBに勝利しているならば、BがAに勝利している。

5　Eは単独最多勝者である。

解 説　　**正解　3**

　条件より、リーグ表を作ると表1のようになる。

表1	A	B	C	D	E	勝	敗
A			○	○	×		
B					○		
C	×			×	×		
D	×		○		×		
E	○	×	○	○		3	1

　この時点でのそれぞれの勝利数は、A＝2、B＝1、C＝0、D＝1、E＝3である。Cは残り1試合であるから、Cの勝利数は0か1となるが、勝利数が最少の者は2人であるから、Cの勝利数は1となり、CはBに勝って1勝3敗となる（表2）。

表2	A	B	C	D	E	勝	敗
A			○	○	×		
B			×		○		
C	×	○		×	×	1	3
D	×		○		×		
E	○	×	○	○		3	1

　勝利数が1となるもう1人がBかDで場合分けをして、残りの試合結果を検討する。

（ⅰ）　勝利数１がBの場合

BはAとDに負け１勝３敗となる（表３）。

表３	A	B	C	D	E	勝	敗
A		○	○	○	×	3	1
B	×		×	×	○	1	3
C	×	○		×	×	1	3
D	×	○	○		×	2	2
E	○	×	○	○		3	1

（ⅱ）　勝利数１がDの場合

DはBに負け１勝３敗となる。残りのAとBの試合について、Aが勝った場合、Aが３勝１敗、Bが２勝２敗となる（表４）。

表４	A	B	C	D	E	勝	敗
A		○	○	○	×	3	1
B	×		×	○	○	2	2
C	×	○		×	×	1	3
D	×	×	○		×	1	3
E	○	×	○	○		3	1

また、AとBの試合について、Bが勝った場合、Bが３勝１敗、Aが２勝２敗となる（表５）。

表５	A	B	C	D	E	勝	敗
A		×	○	○	×	2	2
B	○		×	○	○	3	1
C	×	○		×	×	1	3
D	×	×	○		×	1	3
E	○	×	○	○		3	1

表３、４、５より、選択肢を検討する。

1　×　表３、４、５とも３勝１敗が２人おり、Bは単独最多勝者ではない。

2　×　表５より、BがAに勝利している場合、DはBに勝利していない。

3　○　表３より、DがBに勝利している場合、AがBに勝利している。

4　×　表３より、DがBに勝利している場合、BはAに勝利していない。

5　×　表３、４、５とも３勝１敗が２人おり、Eは単独最多勝者ではない。

判断推理 ｜ 数量推理

　A、B、Cの3人が、赤、黄、紫のいずれかの色の花が一輪だけ咲いている植木鉢をいくつか購入した。さらに次のことがわかっているとき、確実にいえることとして、最も妥当なのはどれか。

ア　3人が購入した鉢の数の合計の内訳は、赤色の花が咲いている鉢が4つ、黄色の花が咲いている鉢が3つ、紫色の花が咲いている鉢が3つであった。

イ　3人が購入した鉢の数は、それぞれAが4つ、BとCがそれぞれ3つであった。

ウ　3人とも赤色の花が咲いている鉢を購入した。

エ　黄色の花が咲いている鉢を購入した人は、紫色の花が咲いている鉢も購入した。

1　Aは、紫色の花が咲いている鉢を1つ購入した。

2　Bは、赤、黄、紫の3色すべての花の鉢を購入した。

3　Bは、黄色の花が咲いている鉢を1つ購入した。

4　Cは、赤色の花が咲いている鉢を1つ購入した。

5　Cは、赤、黄、紫の3色すべての花の鉢を購入した。

解 説　　**正解　1**　　　　　　TAC生の正答率　**70%**

表を用いて整理する。

条件ア、イより、表1のようになる。条件ウについて、購入した赤色の花が咲いている鉢は全部で4つあり、3人とも購入しているので、1人が2鉢、2人が1鉢ずつ購入したことになる。2鉢購入したのが誰かで場合分けをする。

表1	赤	黄	紫	計
A				4
B				3
C				3
計	4	3	3	10

(i) Aが赤色の花が咲いている鉢を2鉢購入した場合（表2）

3人とも、残りの黄色、紫色の花が咲いている鉢を合計2鉢ずつ購入したことになり、その内訳は、(黄, 紫) = (2, 0)、(1, 1)、(0, 2) のいずれかであるが、条件エより (黄, 紫) = (2, 0) の可能性はない。よって、3人とも購入した黄色の花が咲いている鉢の数は1か0であり、黄色、紫色の花が咲いている鉢はそれぞれ3鉢ずつ購入されているので、条件を満たす購入の仕方は3人とも (黄, 紫) = (1, 1) であるときのみとなる（表3）。

表2	赤	黄	紫	計
A	2			4
B	1			3
C	1			3
計	4	3	3	10

表3	赤	黄	紫	計
A	2	1	1	4
B	1	1	1	3
C	1	1	1	3
計	4	3	3	10

(ii) Bが赤色の花が咲いている鉢を2鉢購入した場合（表4）

Bの残り1鉢は、(黄, 紫) = (1, 0)、(0, 1) のいずれかであるが、条件エより (黄, 紫) = (1, 0) の可能性はないので、(黄, 紫) = (0, 1) となる。Cの残り2鉢は条件エを考慮すると、(黄, 紫) = (1, 1)、(0, 2) のいずれかであり、Cが (黄, 紫) = (1, 1) の場合はAの残り3鉢が (黄, 紫) = (2, 1) となって条件を満たすが（表5）、Cが (黄, 紫) = (0, 2) の場合はAの残り3鉢が (黄, 紫) = (3, 0) となって条件エに反する。

表4	赤	黄	紫	計
A	1			4
B	2	0	1	3
C	1			3
計	4	3	3	10

表5	赤	黄	紫	計
A	1	2	1	4
B	2	0	1	3
C	1	1	1	3
計	4	3	3	10

(iii) Cが赤色の花が咲いている鉢を2鉢購入した場合

(ii)のBとCが入れ替わるだけなので、条件を満たす内訳は表6となる。

表6	赤	黄	紫	計
A	1	2	1	4
B	1	1	1	3
C	2	0	1	3
計	4	3	3	10

よって、表3、表5、表6より、正解は**1**である。

1～13までの数字を1つずつ書いた13枚のカードをA～Dの4人に配った。以下のア～エのことがわかっているとき、確実にいえることとして、最も妥当なのはどれか。

ア　Aには2枚のカードを配った。

イ　Bには3枚のカードを配り、その中には「1」と書かれたカードがあり、3枚の数字の合計は21である。

ウ　Cには4枚のカードを配り、その中には「13」と書かれたカードがあり、4枚の数字の合計は38である。

エ　Dには4枚のカードを配り、その4枚のカードに書かれた数字はすべて奇数である。

1　Aは「2」と書かれたカードを持っている。

2　Aは「6」と書かれたカードを持っている。

3　Cは「9」と書かれたカードを持っている。

4　Cは「11」と書かれたカードを持っている。

5　Dは「9」と書かれたカードを持っている。

条件ア～エを表にまとめると、表1のようになる。

表1	カード			備考	残り
A					2、3、4、5、
B	1			和21	6、7、8、9、
C	13			和38	10、11、12
D				すべて奇数	

　条件エの「Dのカードはすべて奇数」について、残りの奇数のカードは、3、5、7、9、11の5枚であり、このうち4枚がDに配られたことになる。また、Cに配られたうちの1枚が奇数の13であり、4枚の和が偶数の38であるから、Cには少なくとももう1枚奇数が配られたことになる。よって、残る5枚の奇数のうち4枚がD、1枚がCに配られ、AとBに配られた残りのカードはすべて偶数となるので、Bに配られた残りの2枚は8と12のカードとなる（表2）。

表2	カード			備考	残り
A					（奇数）
B	1	8	12	和21	3、5、7、9、11
C	13			和38	（偶数）
D				すべて奇数	2、4、6、10

　残りの偶数のカードの4枚は、AとCに2枚ずつ配られていることになる。Cに配られた残りの3枚のカードの数字の和は38－13＝25であり、2枚が偶数、1枚が奇数で、3枚の数字の和が25になる組合せは（4, 10, 11）、（6, 10, 9）の2通りある。Cに配られたのが（4, 10, 11）なら表3、（6, 10, 9）なら表4のようになる。

表3	カード				備考
A	2	6			
B	1	8	12		和21
C	13	4	10	11	和38
D	3	5	7	9	すべて奇数

表4	カード				備考
A	2	4			
B	1	8	12		和21
C	13	6	10	9	和38
D	3	5	7	11	すべて奇数

よって、表3、表4より、正解は**1**である。

　A～Fの6人が受けたテストの結果について、次のア～カのことがわかっているとき、確実にいえることとして、最も妥当なのはどれか。

ア　同じ点の者はいなかった。
イ　AとBの点数差は2点であった。
ウ　AとEの点数差は2点であった。
エ　BとFの点数差は3点であった。
オ　CはEより1点低かった。
カ　Eの点は、Fよりも高く、Dよりも低かった。

1　AとFの点数差は4点であった。

2　Bの点はFより低かった。

3　CとDの点数差は3点であった。

4　DとFの点数差は9点であった。

5　Dの点が最も高かった。

解説　　正解　5

　条件イ、ウについて、BとEがともにAより2点高い場合、または2点低い場合、BとEは同じ点数になるので、条件アと矛盾する。よって、BとEは、一方がAより2点高く、他方はAより2点低いことになる。Aの点数を基準（0）とし、線分図で表すと、図1または図2となる。場合分けして考える。

（ⅰ）図1の場合

　条件カより、FはEよりも低い点数である。BはEと4点差で、FはEよりも点数が低いから、BとFの点数差は4点よりも大きいことになる（図3）。しかし、条件エより、BとFの点数差は3点であるので、条件エに矛盾する。よって、この場合は不適である。

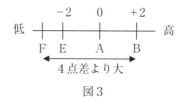

（ⅱ）図2の場合

　条件オより、Cは+1、条件エよりFは-2+3＝+1または-2-3＝-5である。Fが+1の場合はCと同じ点数で条件アと矛盾するので、Fは-5となる。Dの点数は不明であるが、条件カよりEよりも高いのは確実である（図4）。

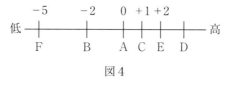

　よって、図4より正解は**5**である。

A～Cの3人が、正午にイベント会場の入口で待ち合わせたところ、それぞれが異なる時刻に到着した。会場の入口にある時計は正確な時刻を示している。次のア～エのことがわかっているとき、確実にいえることとして、最も妥当なのはどれか。

ア　Aが到着した時、Aの時計は12時01分を示しており、Aが到着して3分後にBが到着した。

イ　Bの時計は、会場の入口の時計と同じ時刻を示していた。

ウ　Bが到着した時、Cの時計は11時57分を示していたが、Cの時計は、会場の入口の時計より5分進んでいた。

エ　Cが到着した時、Aの時計は12時06分を示していた。

1　3人全員が、約束の時間までに会場の入口に到着した。

2　Aは正確な時刻では11時48分に会場の入口に到着した。

3　Aの時計は、正確な時刻より11分進んでいた。

4　Bが到着した時、Aの時計は12時02分だった。

5　Cが到着した時、Cの時計は11時57分だった。

解説　　**正解　1**

　縦に時計、横に人物を書き、各人が到着したときに各時計が示していた時刻を書き入れる表で整理する。条件アの前半、条件ウの前半、条件エより、表1のようになる。なお、問題文と条件イより、Bの時計、会場の入口の時計は正確な時刻を示しているので、これらはまとめて一列で表す。

表1	A	B	C
Aの時計	12：01		12：06
B／会場の時計・正確			
Cの時計		11：57	

　条件ウの後半より、Cの時計の時刻は会場の時計の時刻より5分進んでいるから、Bが到着したときの会場の時計は11時52分を示していたことになる。また、条件アの後半より、BはAの3分後に到着したから、Bが到着したときのAの時計は12時04分を示していたことになる（表2）。Aの時計の時刻差により、AはBの3分前、CはBの2分後に到着したこともわかるので、到着時刻の差で表の残りも時刻を書き入れることができる（表3）。

表2	A	B	C
Aの時計	12：01	12：04	12：06
B／会場の時計・正確		11：52	
Cの時計		11：57	

表3	A	B	C
Aの時計	12：01	12：04	12：06
B／会場の時計・正確	11：49	11：52	11：54
Cの時計	11：54	11：57	11：59

　よって、表3より正解は**1**である。

判断推理 　順序関係

　A〜Eの5つのアサガオの鉢があり、それぞれにいくつか花が咲いている。次のア〜エのことが分かっているとき、咲いた花の数が2番目に多い鉢と4番目に多い鉢との差として、最も妥当なのはどれか。

ア　Aに咲いていた花の数は、Bより1輪多く、また、Dの2倍だった。

イ　Cには2輪が咲いていた。

ウ　Dに咲いていた花の数は、Eの3倍だった。

エ　5つの鉢に咲いていた花を合計すると17輪だった。

1　1

2　2

3　3

4　4

5　5

解説　　正解　**3**

　条件ア、ウより、A、D、Eの花の数の組合せは（E，D，A）＝（1，3，6）、（2，6，12）、…と考えられるが、E＝2の（E，D，A）＝（2，6，12）でも花の数の合計が17より多くなるので、条件エと矛盾する。

　よって、E＝1、D＝3、A＝6となる。さらに、条件イよりC＝2で、条件アよりB＝6－1＝5となる。5つの鉢の花の数の合計は6＋5＋2＋3＋1＝17で、条件エと矛盾しない。

　以上より、咲いた花の数が2番目に多い鉢はBの5輪、4番目に多いのはCの2輪で、その差は5－2＝3［輪］となるから、正解は**3**である。

　A～Eの5人のマラソンの順位について、次のア、イのことが分かっている。このとき確実にいえることとして、最も妥当なのはどれか。

ア　Eは2位ではなく、Bより速かった。
イ　CはEより遅く、DはAより速かった。

1　Aが2位であれば、Eは3位である。

2　Bが3位であれば、Cは4位である。

3　Cが3位であれば、Aは2位である。

4　Dが2位であれば、Bは3位である。

5　Eが1位であれば、Aは4位である。

かぎカッコ内において、左を速かった方、右を遅かった方とすると、条件アの後半より「E – B」…①、条件イより「E – C」…②および「D – A」…③となる。

1　○　Aが2位の場合、③よりDが1位となる。残る3人について、①、②よりEはB、Cより速かったからEが3位となるが、残りのBとCの順位は確定しない（下表）。

1	2	3	4	5
D	A	E	B	C
D	A	E	C	B

2　×　Bが3位の場合、①およびE≠2位であるので、Eが1位となる。しかし、残りの条件を考えてもCの順位は確定しない（下表）。

1	2	3	4	5
E	C	B	D	A
E	D	B	C	A
E	D	B	A	C

3　×　Cが3位の場合、②およびE≠2位であるので、Eが1位となる。しかし、残りの条件を考えてもAの順位は確定しない（下表）。

1	2	3	4	5
E	B	C	D	A
E	D	C	B	A
E	D	C	A	B

4　×　Dが2位の場合、①、②、③よりA、B、Cは自分より速かった人がいるので、Eが1位となる。しかし、すべての条件を考えてもBの順位は確定しない（下表）。

1	2	3	4	5
E	D	A	B	C
E	D	A	C	B
E	D	B	A	C
E	D	C	A	B
E	D	B	C	A
E	D	C	B	A

5　×　Eが1位の場合、例えば、「EDCBA」の順位も成り立つので、Aが4位であるとはいえない。

　A～Eの5人が100メートル走を3回行った。それぞれの順位について、次のことがわかっているとき、確実にいえることとして、最も妥当なのはどれか。

- ○　Aは、2回目は3位だった。
- ○　Bは、1回目は3位だった。
- ○　Cは、2回目より1回目の方が上位であり、1回目より3回目の方が上位だった。
- ○　Dは、2回目より3回目の方が上位であり、3回目より1回目の方が上位だった。
- ○　Eは、3回目より2回目の方が上位であり、2回目より1回目の方が上位だった。
- ○　1回目、2回目、3回目のいずれにおいても同じ順位になった者はいなかった。

1　Aは1回目に4位だった。

2　Bは2回目に5位だった。

3　Cは2回目に4位だった。

4　Dは3回目に3位だった。

5　Eは3回目に4位だった。

以下のような順位表を書いて考える。1つ目と2つ目の条件を反映した表1から考えていく。

表1	1位	2位	3位	4位	5位
1回目			B		
2回目			A		
3回目					

　1回目の順位を考える。4つ目および5つ目の条件より、DおよびEの順位は3位以上である。これより、4位と5位のいずれかにはCが入るが、3つ目の条件よりCの順位は5位ではないので、Cの順位は4位である。よって、5位は残りのAに決まる。

　次に2回目の順位を考える。3つ目と4つ目の条件より、CおよびDの順位は3位以下であり、6つ目の条件より、Cは1回目と同順位の4位ではなく5位に決まる。したがって、4位はDである。また、5つ目の条件よりEの順位は2位以下である。よって、Eの順位は2位となり、残るBは1位に決まる。

　これで2回目の順位が決定し、1回目の1位と2位も2回目と同順位にならないようにすれば、表2となる。

表2	1位	2位	3位	4位	5位
1回目	E	D	B	C	A
2回目	B	E	A	D	C
3回目					

　3回目の順位を考える。4つ目の条件より、Dの順位は3位である。3つ目および4つ目の条件より、Cは1位または2位、Eは4位または5位である。ここまでを整理すれば表3である。

表3	1位	2位	3位	4位	5位
1回目	E	D	B	C	A
2回目	B	E	A	D	C
3回目		C		D	E

この時点で、正解は**4**である。

なお、3回目の残りのA、Bの順位は6つ目の条件に注意して考えていけばよい。

　A〜Fの6人で5km走を行い、そのタイム差について次のア〜カのことがわかっている。このときゴールをした順位が3位であった者として、最も妥当なのはどれか。

ア　AとBは4分差であった。
イ　AとFは6分差であった。
ウ　BとDは6分差であった。
エ　CとEは10分差であった。
オ　EはFより13分遅かった。
カ　DとCは5分差であった。

1　A

2　B

3　C

4　D

5　E

解　説　　**正解　3**　　　TAC生の正答率 **46%**

　Aのタイムを基準の±0として、条件をア、イ、ウ、オ、エの順に、タイムが速い方を（−）、遅い方を（＋）として、両開き樹形図にすると次の図のようになる。

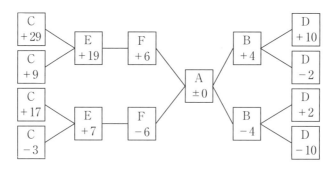

　条件カの「DとCは5分差」を満たすのは、D（＋2）、C（−3）の場合のみであり、この場合のそれぞれのタイムは、速い順にF（−6）、B（−4）、C（−3）、A（±0）、D（＋2）、E（＋7）となり、3位はCとなる。

　よって、正解は**3**である。

下図のように東西に走る通り沿いに、パン屋、肉屋、文房具店、薬局、本屋、花屋が1軒ずつ、コンビニエンスストアとカフェが各2軒ずつある。パン屋が通りの北側の東端にあり、次のことがわかっているとき、確実にいえることとして、最も妥当なのはどれか。

○　肉屋の1軒置いて東隣に文房具店がある。

○　薬局の東隣に本屋があり、本屋の向かいにコンビニエンスストアがある。

○　カフェ2軒は同じ並びにあり、いずれもコンビニエンスストアの隣にある。

○　花屋の向かいの店の隣にカフェがある。

1　文房具店の隣に花屋がある。

2　肉屋は5軒並びの中央にある。

3　パン屋の向かいにカフェがある。

4　花屋は通りの北側にある。

5　2軒のカフェのうち、1軒は西端にある。

解 説　　正解　1　　　　　　　　TAC生の正答率 **40%**

以下のように、表を作成していく。ただし、表中の各店舗の名称は頭文字のみで表す。

				パ

問題の条件を上から順に「1つ目」～「4つ目」と呼ぶ。3つ目の条件を除き、残りの条件をブロック化すれば、次のようになる。

ここで、①の間に入るのは、東端にあるパン屋でなく、2つ目の条件より薬局、本屋でもなく、3つ目の条件よりカフェでもない。したがって、コンビニエンスストアか花屋が入る。

3つ目の条件を考える。カフェ2軒とコンビニエンスストアの少なくとも1軒が同じ側にあるので、カフェ側には「残り2軒」が入る。「残り2軒」の店舗の組合せとして、(i)①の肉屋と文房具屋、(ii)②または③の薬局と本屋、(iii)もう1軒のコンビニエンスストアとパン屋が考えられる。これで場合分けをする。

(i)　カフェ側に①の肉屋と文房具屋がある場合

問題の10店舗は通りを挟んで下表のように分かれる。

カフェ側店舗	カフェ2軒、コンビニエンスストア、肉屋、文房具店
向かい側店舗	花屋、コンビニエンスストア、薬局、本屋、パン屋

パン屋が通りの北側にあるので、この場合は②でなく③を、⑤でなく④を考えればよい。また、①の間に入るのはコンビニエンスストアである。しかしこの場合、3つ目の条件にある、カフェ2軒をコンビニエンスストアの隣に置くことができない。

(ii)　カフェ側に②または③の薬局と本屋がある場合

問題の10店舗は通りを挟んで下表のように分かれる。

カフェ側店舗	カフェ2軒、コンビニエンスストア、薬局、本屋
向かい側店舗	花屋、コンビニエンスストア、肉屋、文房具店、パン屋

パン屋が通りの北側にあるので、この場合は③でなく②を、⑤でなく④を考えればよい。また、3つ目の条件より、カフェ2軒がコンビニエンスストアを挟むように配置する。これを踏まえて表を作成すれば表1のようになる。

表1

肉	コ	文	花	パ
薬	本	カ	コ	カ

(iii)　カフェ側にもう1軒のコンビニエンスストアとパン屋がある場合

問題の10店舗は通りを挟んで下表のように分かれる。

カフェ側店舗	カフェ2軒、コンビニエンスストア2軒、パン屋
向かい側店舗	花屋、薬局、本屋、肉屋、文房具店

パン屋が通りの北側にあるので、この場合は③でなく②を、④でなく⑤を考えればよい。また、3つ目の条件より、カフェ2軒がコンビニエンスストアを挟むように配置する。また、①の間に入るのは花屋（⑤）である。これを踏まえて表を作成すれば表2のようになる。

表2

カ	コ	カ	コ	パ
薬	本	肉	花	文

表1および表2より、正解は**1**である。

A〜Lの12人は、下図のような16部屋からなる4階建てのアパートのうちのいずれか1部屋を借りて住んでおり、残りの4部屋は空き部屋である。次のア〜オのことがわかっているとき、確実にいえることとして、最も妥当なのはどれか。

西 ←

401	402	403	404
301	302	303	304
201	202	203	204
101	102	103	104

→ 東

ア　Aの両隣の部屋にはEとGが住んでおり、Aの真下の部屋にはFが住んでいる。

イ　Kの東隣の部屋にはJが住んでおり、Kの真下の部屋にはDが住んでいる。

ウ　Iの真下の部屋にはBが住んでおり、Iの西隣の部屋にはCが住んでいる。

エ　Dの両隣の部屋にはHとLが住んでいる。

オ　Cの両隣の部屋のうち、1つのみ空き部屋である。

1　301にはGが住んでいる。

2　303にはCが住んでいる。

3　402は空き部屋である。

4　1階には空き部屋はない。

5　KはEよりも上の階に住んでいる。

解説　　正解　3

条件ア〜オをブロック化して表すと、次のようになる（×は空き部屋）。

条件ア

○：EまたはG

条件イ＋エ

△：HまたはL

条件ウ＋オ

条件イ＋エのブロックの配置場所で場合分けをする。

（ⅰ）3〜4階に配置する場合

図1、図2の2通りがあるが、どちらであっても条件ア、条件ウ＋オのブロックはともに1〜2階に配置することになり、2階が6部屋必要となるので、不適である。

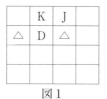

図1　　　　　　　　　図2

(ii)　2〜3階に配置する場合

　　図3、図4の2通りがあるが、図3では条件アのブロック、図4では条件ウ＋オのブロックを配置
できないので、不適である。

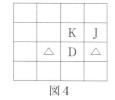

図3　　　　　　　　　図4

(iii)　1〜2階に配置する場合

　　図5－1、図6－1の2通りがある。図5－1では条件アのブロックは3〜4階に配置することに
なり、図5－2、5－3の2通りがある。しかし、どちらに配置しても条件ウ＋オのブロックを配置
できないので、不適となる。

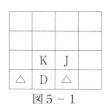

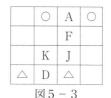

図5－1　　　　　　　　　図5－2　　　　　　　　　図5－3

　　図6－1では、条件アのブロックを3〜4階に配置すると、図6－2、6－3の2通りがある。ど
ちらに配置しても条件ウ＋オのブロックを配置できないが、条件アのブロックを2〜3階に配置する
と、図6－4のようにすべて配置することができ、残りの部屋はすべて空き部屋となる。

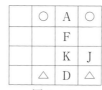

図6－1　　　　　　　　　図6－2　　　　　　　　　図6－3　　　　　　　　　図6－4

　　よって、正解は**3**である。

法律

政治

経済

社会

国語

英文法

英文

現代文

判断推理

A～Fの6人が広い平原の異なる位置に立っている。このときの位置関係について、次のア～オのことがわかっているとき、確実にいえることとして、最も妥当なのはどれか。

ア　AとBは、Fからともに直線距離で10m離れて立っている。

イ　DとAは、Cからともに直線距離で10m離れて立っている。

ウ　BとDは、Eからともに直線距離で10m離れて立っている。

エ　Fは、Eの真北に立っている。

オ　AとCとFは一直線上に立っている。

1　Aは、Dの真北に立っている。

2　Bは、Aの真西に立っている。

3　Cは、Aの真東に立っている。

4　Dは、Bの真北に立っている。

5　Dは、Cの真南に立っている。

解 説 　　**正解　なし**

条件アより、AとBはFを中心とした半径10mの円周上にいる。同様に、条件イより、DとAはCを中心とした半径10mの円周上、条件ウより、BとDはEを中心とした半径10mの円周上にいる（図1、2、3）。

A、Bは円周上のいずれか
図1

D、Aは円周上のいずれか
図2

B、Dは円周上のいずれか
図3

Aは、図1、図2の円のいずれの円周にもいることから、図1の円と図2の円は共有点を持つ。ただし、図1と図2の円が異なる点で交わっている場合は図4のようになり、条件オの「AとCとFは一直線上に立っている」という条件と矛盾する。よって、図1と図2は接していることになり、その接点にAがいることになる（図5；方角が確定していないので図5の向きは現時点では未確定）。

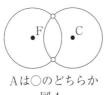
Aは○のどちらか
図4

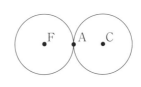
図5

同様に、Bは、図1、図3の円のいずれの円周にもいることから、図1の円と図3の円は共有点を

持つ。条件エより、FとEの位置関係は判明するが、2つの円が接するか交わるかは不明なので、場合分けをする。

(i)　図1と図3の円が接する場合

　条件エと合わせて図6のようになる。さらに、図5のように、Cが中心の円とFが中心の円が接するようにする。一例として、図7のようにすべての円が接するような図が描け、この場合は**1**が正解となる。しかし、条件にはCが中心の円とEが中心の円が接するような図になるものがないので、この2つの円は交わっていてもよいことになり、一例として、図8のような図が描ける。図8の場合、選択肢のうち、確実にいえるものはない。

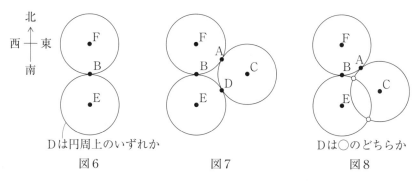

図6　　　　　　　　　図7　　　　　　　　　図8

(ii)　図1と図3の円が交わる場合

　この場合、図9のような図を描くことができ、**1**が正解となる。

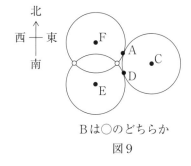

Bは○のどちらか
図9

　A～Fの6人が円形のテーブルの周りに等間隔に置かれた椅子に座っている。6人のうち3人はテーブルの中央の方を向いて座り、残りの3人はテーブルを背にして座っている。A～Eの5人が、それぞれ自分から見た他の者の座り方について次のように発言したとき、確実にいえることとして、最も妥当なのはどれか。

A　「私の右隣にF、左隣にDが座っている。」
B　「私の右隣にE、さらにその隣にCが座っている。」
C　「私の右隣にE、左隣にDが座っている。」
D　「私の右隣にC、左隣にAが座っている。」
E　「私の左隣にB、さらにその隣にFが座っている。」

1　Aがテーブルの方を向いて座っているとき、Cもテーブルの方を向いて座っている。

2　Bがテーブルに背を向けて座っているとき、Dはテーブルの方を向いて座っている。

3　Cがテーブルに背を向けて座っているとき、Eもテーブルに背を向けて座っている。

4　Dがテーブルの方を向いて座っているとき、Fはテーブルに背を向けて座っている。

5　Eがテーブルに背を向けて座っているとき、Aはテーブルの方を向いて座っている。

解説　　正解　**2**

　テーブルの中央の方を向いて座っている者と背にして座っている者で、左右関係が逆になることに注目する。

　5人の発言について、左右の位置関係のみをまとめると、次のようになる。

	左←　　　→右
A	D － A － F
B	B － E － C
C	D － C － E
D	A － D － C
E	F － B － E

　AとDの発言についてみると、AとDの位置関係が左右逆であるので、AとDの向いている方向は異なる。同様に、BとCの発言についてみると、CとEの位置関係が左右逆であるので、BとCの向いている方向は異なる。また、CとDの発言についてみると、CとDの位置関係が左右同じであるので、CとDの向いている方向は同じであり、同様に、BとEの発言についてみると、BとEの位置関係が左右同じであるので、BとEの向いている方向は同じである。Cを基準にまとめると、CとDは同方向を向いており、CとBは逆方向を向いている。Dと逆方向を向いているAと、Bと同方向を向いているEもCとは逆方向を向いていることになる。以上より、A、B、Eの3人が同じ方向を向いており、C、Dと残りのFの3人が同じ方向を向いていることになる。

　よって、正解は**2**である。

　図のような待合室で、A〜Jの客10人が、①〜⑩の座席に1人ずつ、テレビのある方向を向いて座っている。次のア〜オのことがわかっているとき、確実にいえることとして、最も妥当なのはどれか。

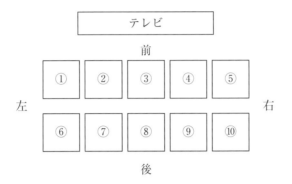

ア　AとIは隣同士に座っている。

イ　CはDの真後ろの座席の隣に座っている。

ウ　DとGは隣同士で、かつDとGを間に挟みこむ形でその両隣にBとIが座っている。

エ　Eの両隣にはJとCが座っている。

オ　FはAの真後ろの座席の隣に座っている。

1　①にはAが座っている。

2　③にはGが座っている。

3　⑤にはBが座っている。

4　⑧にはCが座っている。

5　⑩にはHが座っている。

まず、前列か後列かを判明させる。条件イ、オよりD、Aは前列、C、Fは後列となる。このこと
と条件ウよりG、B、Iは前列となり、残るE、H、Jは後列となる（表1）。

表1	①	②	③	④	⑤	A, B, D, G, I
	⑥	⑦	⑧	⑨	⑩	C, E, F, H, J

条件ア、ウよりB、D、G、Iの4人が隣り合って座り（順序は不明）、Iの隣にAが座っている
から、Aは端の①、⑤のいずれかに座っていることになる。Aが①に座っている場合、⑤に座ってい
る場合それぞれにおいて、座り方は2通りの可能性がある（表2～5）。

表2	A	I	D	G	B		表3	A	I	G	D	B
	⑥	⑦	⑧	⑨	⑩			⑥	⑦	⑧	⑨	⑩

表4	B	D	G	I	A		表5	B	G	D	I	A
	⑥	⑦	⑧	⑨	⑩			⑥	⑦	⑧	⑨	⑩

表2の場合、条件オよりFは⑦で、条件エよりEは⑨、JとCが⑧または⑩となるが、どちらであっ
ても条件イを満たさないので不適である。

表3の場合、条件オよりFは⑦で、条件エよりEは⑨、JとCが⑧または⑩となるが、どちらであっ
ても条件イを満たす。残るHは⑥となる（表6）。

表4の場合、条件オよりFは⑨で、条件エよりEは⑦、JとCが⑥または⑧となるが、どちらであっ
ても条件イを満たす。残るHは⑩となる（表7）。

表5の場合、条件オよりFは⑨で、条件エよりEは⑦、JとCが⑥または⑧となるが、どちらであっ
ても条件イを満たさないので不適である。

表6	A	I	G	D	B		表7	B	D	G	I	A
	H	F	C/J	E	J/C			C/J	E	J/C	F	H

よって、表6、7より、正解は**2**である。

　　以下に示すのはある建物の1つのフロアの見取り図で、①〜⑪と書かれた正方形がフロア内の1室を表している。A〜Fの6人がいずれかの部屋に1人ずつ住み、それ以外は空室となっている。次のア〜カのことがわかっているとき、確実に言えることとして、最も妥当なのはどれか。

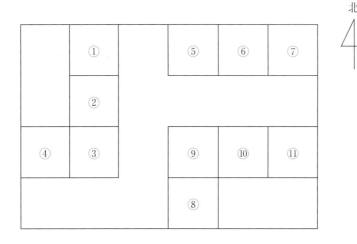

ア　Aの隣室は2部屋とも空室である。

イ　Bの居室はAの居室の真西にある。

ウ　Cの居室はEの居室の真向かいである。

エ　Dの居室の真東と真西には部屋がない。

オ　Eの居室は他の5人の居室よりも北にある。

カ　Fの隣室は2部屋とも居住者がいる。

1　Aの真向かいにEが住んでいる。

2　BはCの隣に住んでいる。

3　Dの居室は他の5人の居室よりも南にある。

4　Eの隣の住人はFである。

5　Fの隣の住人はB、Dである。

条件ウ、オより、CとEの居室は向かい合っており、Eの居室は他の5人より北であるから、CとEの居室の組合せは、（C，E）=（⑨，⑤）、（⑩，⑥）、（⑪，⑦）のいずれかとなる。ここで、CとEの居室について場合分けして検討する。

（i）　（C，E）=（⑨，⑤）の場合

①、⑥、⑦は空室となる。条件アより、Aの居室は②または③となる。Aの居室が②の場合、条件イを満たすBの居室がない（図1）。また、Aの居室が③の場合、Aの隣室の②、④は空室となり、条件イを満たすBの居室がない（図2）。よって、不適である。

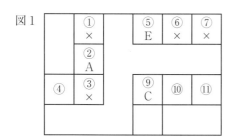
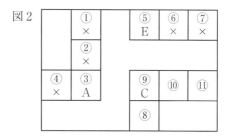

（ii）　（C，E）=（⑩，⑥）の場合

①、⑤、⑦は空室となる。条件アより、Aの居室は②または③となるが、(i)同様、いずれも条件イを満たすBの居室がないため、不適である（図3、4）。

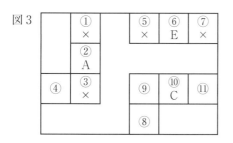
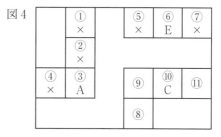

（iii）　（C，E）=（⑪，⑦）の場合

①、⑤、⑥は空室となる。条件アより、Aの居室は②、③、⑨のいずれかであるが、前述より②、③は不適であるので⑨となり、Aの隣室の⑧、⑩は空室となる。条件エより、Dの居室は②となる。条件カより、Fの居室は③となる。残りの④がBの居室となり条件イを満たす（図5）。

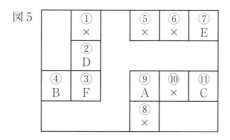

よって、図5より、正解は**5**である。

　ある検定試験を受験したA～Eの5人が、試験の合否について、次のように発言している。4人だけが本当のことを言っているということが分かっているとき、確実にいえることとして、最も妥当なのはどれか。

A「Cは試験に合格した」
B「Eは試験に合格した」
C「私は不合格でした」
D「CとEのいずれかは試験に不合格でした」
E「試験に合格したのは私だけでした」

1　Cは試験に合格した。

2　Eは試験に合格した。

3　Dはうそを言っている。

4　Eはうそを言っている。

5　CとEは2人とも試験に不合格だった。

解説　　正解　2　　　　　　　　　　　　TAC生の正答率　**79%**

　A、Cが2人とも本当のことを言っているとすれば、発言内容が対立し矛盾する。したがって、どちらかがうそを言っている。5人中1人だけがうそを言っているので、それはAかCのどちらか一方だとわかる。これで場合分けをする。

(i)　Aがうそを言っているとき

　B〜Eは本当のことを言っている。そこで、B〜Eの発言をもとに真偽（真であれば○、偽であれば×）および合否結果を整理すると表1のようになる。

表1	A	B	C	D	E
真偽	×	○	○	○	○
合否結果	否	否	否	否	合

　このとき、特に矛盾は生じない。

(ii)　Cがうそを言っているとき

　A、B、D、Eは本当のことを言っている。そこで、A、Bの発言をもとに真偽および合否結果を整理すると表2のようになる。

表2	A	B	C	D	E
真偽	○	○	×	○	○
合否結果			合		合

　このとき、DおよびEの発言内容に矛盾する。

　よって、Aはうそを言っており、表1より正解は**2**である。

　A、B、C、Dの4人が等間隔で円陣を組んで座り、A、B、Cの3人が席順について次のように証言している。A、B、Cのうち1人は嘘つきであるとき、座り方の組合せの数として、最も妥当なのはどれか。

A　「私の真向かいはDではない。」
B　「私の隣はAである。」
C　「私はDとは隣り合っていない。」

1　2通り

2　3通り

3　4通り

4　5通り

5　6通り

解説　正解　**3**　TAC生の正答率 45%

4人が等間隔で円陣を組んで座るので、任意の2人の席は、「隣り合う」か「向かい合う」のどちらかとなる。A、B、Cそれぞれの証言が正しい場合と、嘘である場合の席の状況をまとめると、次の表のようになる。

	証言が正しい場合の状況	証言が嘘である場合の状況
Aの証言	AとDは隣り合う…①	AとDは向かい合う…②
Bの証言	AとBは隣り合う…③	AとBは向かい合う…④
Cの証言	CとDは向かい合う…⑤	CはDと隣り合う…⑥

A、B、Cのうち1人は嘘つきであるから、嘘つきがA、B、Cのそれぞれの場合で検討する。

(i) 嘘つきがAの場合
状況は②、③、⑤であり、向かい合う組が、AとD、CとDとなり矛盾するので不適である。

(ii) 嘘つきがBの場合
状況は①、④、⑤であり、座り方は図1のように2通りとなる。

(iii) 嘘つきがCの場合
状況は①、③、⑥であり、座り方は図2のように2通りとなる。

	A				A	
C	○	D		D	○	C
	B				B	

図1

	A				A	
B	○	D		D	○	B
	C				C	

図2

以上より、座り方の組合せの数は2+2=4[通り]となるから、正解は**3**である。

　A〜Eの5人が教室で使っている自分のロッカーについて、以下のように話した。ロッカーは横一列に5つ並んでいて、1人につき1つのロッカーを使用している。向かって一番右のロッカーを使っている人だけが真実と異なる発言をしているとき、Eの使っているロッカーの位置として、最も妥当なのはどれか。ただし、A〜Eの発言はロッカーに向かいあった位置から見たときの発言とする。

A　「私は左から2番目を使っています。」
B　「私はAより左側のロッカーを使っています。」
C　「私は真ん中のロッカーは使っていません。」
D　「私はCより右側のロッカーを使っています。」
E　「私はCより左側のロッカーを使っています。」

1　一番左側

2　左から2番目

3　左から3番目

4　左から4番目

5　一番右側

解説　　正解　1

　以下のような表にロッカーの位置を整理し、A〜Eのうち誰が真実と異なる発言をしているかで場合分けをしていく。

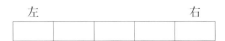

（ⅰ）　Aが真実と異なる発言をしている場合

　真実と異なる発言をしているAの位置と、Cの発言を書き入れると表1のようになる。D、Eの発言より、C、D、Eの並び順は、左からE、C、Dとなる。よって、Cは左から2番目か、左から3番目を使っていることになるが、表1より、左から3番目ではないので、Cの位置は左から2番目となる（表2）。

×C
（表1）

（表2）

　Eの発言より、Eは一番左側を使っていることになる。また、BとDは左から3番目、左から4番

目のどちらであってもそれぞれの発言を満たすので、この時点で正解は**1**となる。

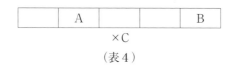

E	C	B/D	D/B	A

（表3）

　なお、B〜Eが真実と異なる発言をしている場合は以下のようになる。

(ⅱ)　Bが真実と異なる発言をしている場合
　真実と異なる発言をしているBの位置と、A、Cの発言を書き入れると表4のようになる。この場合、Cの位置は一番左側か左から4番目となる。D、Eの発言より、C、D、Eの並び順は、左からE、C、Dとなるが、Cの位置が一番左側であるときはEの発言を満たすことができず、Cの位置が左から4番目であるときはDの発言を満たすことができない。したがって、この場合は不適である。

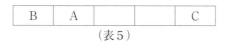

	A			B

×C

（表4）

(ⅲ)　Cが真実と異なる発言をしている場合
　真実と異なる発言をしているCの位置と、A、Bの発言を書き入れると表5のようになる。

B	A			C

（表5）

　この場合は、Dの発言を満たすことができないので、不適である。

(ⅳ)　Dが真実と異なる発言をしている場合
　真実と異なる発言をしているDの位置と、A、B、Cの発言を書きこむと表6のようになるので、Dの発言が正しいことになり、この場合は不適である。

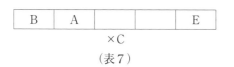

B	A			D

×C

（表6）

(ⅴ)　Eが真実と異なる発言をしている場合
　真実と異なる発言をしているEの位置と、A、B、Cの発言を書き入れると表8のようになるので、Cの位置は左から4番目、Dの位置は左から3番目となる（表9）。この場合、Dの発言と矛盾するので、不適である。

B	A			E

×C

（表7）

B	A	D	C	E

（表8）

次の数字の列 ［6，5，8，0，3，4］と ［5，9，4，6，7，3］は、それぞれある数字を表している。次のア〜クの規則に従ってそれぞれの表す数字を求めたとき、この2つの数字の差として、最も妥当なのはどれか。

ア 数字の列に0があるときは、先に0を数字の列から削除する。

イ 一番左から右へ連続する3つの数字を取り出す。

ウ 取り出した3つの数字のうち、左の数字と右の数字の積を真ん中の数字で割る。

エ ウの計算の余りが奇数である場合、取り出した3つの数字を余りの数字1つに置き換えて、列の1番左に戻す。余りが偶数または0である場合、取り出した3つの数字を真ん中の数字1つに置き換えて、列の1番左に戻す。

オ 数字の列の数字が3つ以上の場合、ア〜エを繰り返す。

カ 数字の列の数字が2つになった場合、その2つの数字を掛け合わせた数字がその列の表す数字となる。

キ 数字の列の数字が1つになった場合、その数字がその列の表す数字である。

ク 数字は正の整数のみとし、数字の列は入れ換えないものとする。

1 3

2 4

3 5

4 6

5 7

解説　　**正解　4**

［6，5，8，0，3，4］について

①規則アより、［6，5，8，3，4］となる。

②規則イ、ウより、取り出した3つは（6，5，8）で、(6×8)÷5=9余り3である。

③規則エより、（6，5，8）→（3）となり、数字の列は［3，3，4］となる。

④規則オを適用し、規則イ、ウより取り出した3つは（3，3，4）で、(3×4)÷3=4余り0である。

⑤規則エより（3，3，4）→（3）となり、数字の列は［3］となる。

⑥規則キより、この列の表す数字は3である。

［5，9，4，6，7，3］について

①規則イ、ウより、取り出した3つは（5，9，4）で、(5×4)÷9=2余り2である。

②規則エより、（5，9，4）→（9）となり、数字の列は［9，6，7，3］となる。

③規則オを適用し、規則イ、ウより取り出した3つは（9，6，7）で、(9×7)÷6=10余り3である。

④規則エより（9，6，7）→（3）となり、数字の列は［3，3］となる。

⑤規則カより、この列の表す数字は3×3=9である。

以上より、2つの数字の差は9−3=6であるので、正解は**4**である。

判断推理　操作手順

2022年度 ❶ 教養 No.38

３種の記号□、△、○からなる記号列を考える。記号列は次のア～エの操作でのみ変形することができるとき、

○△□○△□○△□○△□○△□○△□

を変形することで得られる記号列として、最も妥当なのはどれか。

ア　記号列中の□□、△△、○○は削除してよい。
イ　記号列中の隣接した□と○は、その順を並び換えてよい。
ウ　記号列中の３つ並んだ次の記号列は以下の等号の両辺で置き換えてよい。

□△□＝△□△
△○△＝○△○

エ　（　　）は変形する記号列を示す。例えば次のような変形は許される。

□(○△○)△○△○□→□△○(△△)○△○□
→□△(○○)△○□
→□(△△)○□
→□(○□)
→(□□)○
→○

1　○□

2　△□

3　○△□△

4　△□○△

5　○△○□△

正解 4

　元の記号列を、操作イにより隣接した□と○を並び換えると、○△○や□△□の部分ができる。これを、操作ウの置き換えにより△○△や△□△に変形し、操作アにより△△、○○、□□の部分を削除していく。この操作を繰り返していく。

　次の図のように、初めに、元の記号列の□○の部分のみ操作イにより並び換え①とする。このとき、すべての「□○」の部分を並び換えると○△○や□△□ができなくなるため、「□○」を一つ置きに並び換える。以後、①は操作ウにより②に、②は操作アにより③に、③は操作イにより④に、④は操作アにより⑤になる。

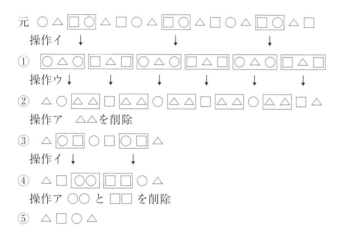

よって、正解は**4**である。

数的推理 | 連立方程式

1人4,500円の会費で同窓会を行った。支払いの際、9,800円不足していたので、男性だけ、追加で500円ずつ集めたところ、200円余った。男性の参加者は女性の参加者より5人多かった。このとき、全員が同じ金額の会費を支払うとした場合の会費として、最も妥当なのはどれか。

1 4,780円

2 4,980円

3 5,030円

4 5,100円

5 5,120円

解説　　正解　1

TAC生の正答率　57%

男性の参加者の数をx[人]とおくと、女性の参加者は$x-5$[人]とおける。同窓会の支払総額をy[円]とおくと、1人4,500円の会費では支払額より9,800円足りないから、$4500 \times (x+x-5) = y-9800 \Leftrightarrow 9000x - y = 12700 \cdots$①が成り立つ。また、男性が$4,500+500$[円]、女性が4,500円の会費とすると支払額より200円多くなることから、$5000 \times x + 4500 \times (x-5) = y+200 \Leftrightarrow 9500x - y = 22700 \cdots$②が成り立つ。①、②を連立させて解くと$x=20$[人]で、①に代入すると$y=167300$[円]となる。

よって、全員が同じ金額を払う場合、$20+15=35$[人]が、167,300円の支払いを等分するから、$167300 \div 35 = 4780$より、1人当たり4,780円を支払うことになる。

したがって、正解は**1**である。

ある2人の現在の年齢の積と、1年後の2人の年齢の積を比較するとその差は90である。また数年前の2人の年齢の積は1100であった。2人のうち1人の年齢の10の位が3年後に1増加するとき、3年後の2人の年齢の積として、最も妥当なのはどれか。

1 1890

2 1920

3 1950

4 1980

5 2010

解 説　　**正解　3**　　TAC生の正答率 **42%**

2人の現在の年齢をx、yとおく（$x \leqq y$）。現在の2人の年齢の積はxyであり、1年後の2人の年齢の積は$(x+1)(y+1)$であり、その差が90であるから、$(x+1)(y+1)-xy=90$となる。これを整理すると、$x+y=89$…①となり、現在の2人の年齢の和が89とわかる。

次に、数年前の2人の年齢の積が1100であったことから、$1100=2^2 \times 5^2 \times 11$より、2人の年齢の組合せは（1, 1100）、（2, 550）、（4, 275）、（5, 220）、（10, 110）、（11, 100）、（20, 55）、（22, 50）、（25, 44）となるが、現在の2人の年齢の和が89であるから、（20, 55）、（22, 50）、（25, 44）のいずれかとなる。この3通りについて検討する。

2人の年齢の差は、（20, 55）の場合は$55-20=35$、（22, 50）の場合は$50-22=28$、（25, 44）の場合は$44-25=19$となる。数年後、年齢の和は大きくなるが、年齢の差は一定であるため、現在の2人の年齢の差は、$y-x=35$…②、$y-x=28$…③、$y-x=19$…④のいずれかとなる。①と②を連立すると$x=27$、$y=62$となり、①と③ではx、yは整数にならないため不適となり、①と④では$x=35$、$y=54$となる。

ここで、3年後に年齢の十の位が1増加する者は、現在の年齢の一の位は7、8、9のいずれかであり、これを満たすのは$x=27$、$y=62$であり、3年後の2人の年齢の積は$(27+3) \times (62+3)=1950$となる。

よって、正解は**3**である。

赤色と白色のビー玉と赤色と白色のおはじきが入った袋がある。数は合わせて300個未満であり、内訳は赤色：白色＝5：9、ビー玉：おはじき＝9：4であることがわかっている。このとき、赤色のビー玉と白いおはじきの数の差として、最も妥当なのはどれか。

1　8個

2　9個

3　10個

4　11個

5　12個

解 説　　**正解　2**　　TAC生の正答率　**39%**

　赤色：白色＝5：9の比の合計は5＋9＝14であるから、個数の合計は14の倍数となる。ビー玉：おはじき＝9：4の比の合計は9＋4＝13であるから、個数の合計は13の倍数となる。赤色と白色の数の合計と、ビー玉とおはじきの数の合計は等しい数であり、14と13の最小公倍数を求めると14×13＝182となるから、合計は182の倍数であるが、300未満であるから、合計は182個となる。よって、それぞれの個数は、赤色は5×13＝65[個]、白色は9×13＝117[個]、ビー玉は9×14＝126[個]、おはじきは4×14＝56[個]となる。

　ここで、赤色のビー玉の数をx[個]とおいて表に整理すると、白色のビー玉の数は126−x[個]となり、白いおはじきの数は117−(126−x)＝x−9[個]となる。

	赤色	白色	合計
ビー玉	x	126−x	126
おはじき	65−x	x−9	56
合計	65	117	182

　以上より、赤色のビー玉の数と白色のおはじきの数の差はx−(x−9)＝9[個]となるので、正解は**2**である。

　ある企業は本社と支店があり、社員は合計で180人が在籍している。本社に勤務している社員のうち男性の割合は3割で、支店に勤務している男性の人数は63人である。ある年度の人事異動で、支店の社員が本社に30人異動することになった。その結果、本社に勤務する男性の割合は4割になり、支店に勤務する社員のうち男性の割合は5割となった。このとき、異動した男性の人数として、最も妥当なのはどれか。

1　12人

2　14人

3　16人

4　18人

5　20人

解 説　　**正解　4**　　

　人事異動前について、本社に勤務している社員のうち男性の割合は3割であるから、男性の人数：女性の人数＝3：7より、異動前の本社の社員の男性と女性の人数は比例定数kを用いて、それぞれ、$3k$[人]、$7k$[人]と表せる。同様に、異動後の本社の社員の男性と女性の人数比は4：6＝2：3より、比例定数lを用いて、それぞれ、$2l$[人]、$3l$[人]、異動後の支社の社員の男性と女性の人数比は5：5＝1：1より、比例定数mを用いて、それぞれ、m[人]、m[人]と表せる。

　以上より、異動前と異動後の人数を表に整理すると次のようになる。

異動前	男性	女性	合計
本社	$3k$	$7k$	$10k$
支社	63	$117-10k$	$180-10k$
合計	$3k+63$	$117-3k$	180

異動後	男性	女性	合計
本社	$2l$	$3l$	$5l$
支社	m	m	$2m$
合計	$2l+m$	$3l+m$	180

　支社から本社へ30人が移動したので、異動後と異動前の本社の社員数の合計に対し、$5l=10k+30$ $\Leftrightarrow$ $l=2k+6$…①が成り立つ。同様に、異動後と異動前の支社の社員数の合計に対し、$2m=180-10k-30$ $\Leftrightarrow$ $m=-5k+75$…②が成り立つ。また、異動前後で男性の社員数の合計は変わらないので、$3k+63=2l+m$…③が成り立つ。

　そこで、①～③を連立すると、①、②を③に代入してl、mを消去すれば、$3k+63=2(2k+6)-5k+75$より$k=6$を得る。このとき、①、②より、$l=18$、$m=45$となる。この結果を反映した表は次のようになる。

異動前	男性	女性	合計
本社	18	42	60
支社	63	57	120
合計	81	99	180

異動後	男性	女性	合計
本社	36	54	90
支社	45	45	90
合計	81	99	180

　本社の男性が異動前後で18人から36人に増えたので、支社から本社に異動した男性は$36-18=18$[人]である。

　よって、正解は**4**である。

| 数的推理 | 平均 | 2021年度 ❶
教養 No.45 |

　ある学校の入学試験で、受験者の25%が合格した。合格者の平均点は合格点より 4 点高く、不合格者の平均点は合格点より12点低かった。また、全受験者の平均点は52点であった。合格者の平均点として、最も妥当なのはどれか。

1　56点

2　58点

3　60点

4　62点

5　64点

| 解説 | 正解　**5** | TAC生の正答率　**37%** |

　合格点をx[点]とすると、合格者の平均点は$x+4$[点]、不合格者の平均点は$x-12$[点]となる。また、受験者全体の人数をy[人]とすると、合格者は受験者の25%だから、$\dfrac{25}{100}y$[人]、不合格者は受験者の$100-25=75$[%]だから、$\dfrac{75}{100}y$[人]となる。（平均）×（人数）＝（総量）　より、それぞれにおける総得点を求めると、合格者の総得点は $(x+4)\times\dfrac{25}{100}y$[点]、不合格者の総得点は $(x-12)\times\dfrac{75}{100}y$[点]で、受験者全体の総得点は$52\times y$[点]となる。

　よって、$(x+4)\times\dfrac{25}{100}y+(x-12)\times\dfrac{75}{100}y=52\times y$が成り立ち、整理すると $(x+4)+3(x-12)=52\times 4$で、これを解くと$x=60$[点]となる。

	合格者	不合格者	全体
平均	$x+4$	$x-12$	52
人数	$\dfrac{25}{100}y$	$\dfrac{75}{100}y$	y
総得点	$(x+4)\times\dfrac{25}{100}y$	$(x-12)\times\dfrac{75}{100}y$	$52\times y$

　したがって、合格者の平均点は$60+4=64$[点]となるので、正解は**5**である。

数的推理	濃度	2022年度 ❶ 教養 No.47

　濃度のわからない食塩水Aと濃度4%の食塩水Bがいずれも100gずつある。食塩水Aの半分を食塩水Bに混ぜ合わせる。次に、混ぜ合わせた後の食塩水Bの半分を食塩水Aに混ぜ合わせる。このときできた食塩水の濃度が6%であるとき、食塩水Aと食塩水Bを混合する前の食塩水Aの濃度に近いものとして、最も妥当なのはどれか。

1　6.7%

2　6.9%

3　7.1%

4　7.3%

5　7.5%

解 説　　　**正解　4**　　　　　　　　　　　TAC生の正答率　**36%**

　食塩水Aの濃度をa%とおく。100gの食塩水A、Bに含まれる食塩の重さはそれぞれa[g]、4gである。食塩水Aの半分を食塩水Bに混ぜると、食塩水Bの重さは$100+50=150$[g]となり、含まれる食塩は、$\left(\dfrac{a}{2}+4\right)$[g]となる。また、食塩水Aの重さは50gとなり、含まれる食塩は$\dfrac{a}{2}$[g]となる。

　次に、食塩水Bの半分をAに混ぜ合わせると、食塩水Aの重さは$50+150÷2=125$[g]となり、含まれる食塩は、$\dfrac{a}{2}+\left(\dfrac{a}{2}+4\right)×\dfrac{1}{2}=\dfrac{a}{2}+\dfrac{a}{4}+2=\dfrac{3a}{4}+2$[g]となる。これが6%であるから、$\left(\dfrac{3a}{4}+2\right)×\dfrac{1}{125}×100=6$が成り立つ。これを解くと$a=7.33…$となり、食塩水Aの濃度は約7.3%となる。

　よって、正解は**4**である。

　AとBの2人が、目的地Zへ向かう。Zは路線バスのバス停Xとバス停Yの間にある。AとBはともに、歩く速度が一定で、時速4 kmである。また、バスは時速40kmで走る。AとBが、同じバスに乗り、AはZの手前のバス停Xで降りてZに向けて歩き、BはZを通り過ぎたバス停Yで降りてZに向かって歩いたところ、2人はZに同時に着いた。このとき、XからZまでの距離と、YからZまでの距離の比を表したものとして、最も妥当なのはどれか。

1　$2:3$

2　$5:6$

3　$8:5$

4　$11:9$

5　$12:5$

解 説　　**正解　4**　　　　　　　　TAC生の正答率　**43%**

　Aがバスを降りてからBがバスを降りる時間をt_1[時間]、BがYからZまで歩く時間をt_2[時間]とする。このとき、Aがバスを降りてから2人がZで出会うまでの様子は下図のダイヤグラムで表される。

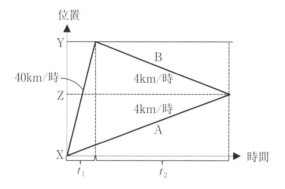

　Aのグラフより、$XZ = 4(t_1 + t_2)$ と表せ、Bのグラフより、$XZ = XY - YZ = 40t_1 - 4t_2$と表される。よって、$4(t_1 + t_2) = 40t_1 - 4t_2 \Leftrightarrow t_1 = \dfrac{2}{9}t_2 \cdots$①が成り立つ。

　ここで、$XZ : YZ = 4(t_1 + t_2) : 4t_2 = (t_1 + t_2) : t_2$より、①を代入すれば、$XZ : YZ = \dfrac{11}{9}t_2 : t_2 = 11 : 9$となり、正解は**4**である。

数的推理	旅人算	2021年度 ❸ 教養 No.46

　周回サーキットを、Ａ、Ｂの２台の自動車がそれぞれ一定の速さで走っている。反対方向に走っている時は１分12秒毎にすれ違い、同じ方向に走るときは６分毎にＢがＡを追い越す。また、ＡがＢより２km先行した状態で、同時に同方向にスタートすると、２分24秒後にＢはＡに追いついた。このとき、Ａの速さとして、最も妥当なのはどれか。

1　時速50km

2　時速75km

3　時速100km

4　時速125km

5　時速150km

解 説　　**正解　3**

　サーキットの一周の長さをx[m]、Ａの速さをa[m/秒]、Ｂの速さをb[m/秒]とおく。反対方向に走っている時は１分12秒（＝72秒）ごとにすれ違うので、（Ａの速さ＋Ｂの速さ）×（すれ違うまでの時間）＝（サーキットの一周の長さ）より、$(a+b)\times72=x\cdots$①となる。また、同じ方向に走っている時は６分（＝360秒）ごとにＢがＡを追い越すので、（Ｂの速さ－Ａの速さ）×（追い越すまでの時間）＝（サーキットの一周の長さ）より、$(b-a)\times360=x\cdots$②となる。

　また、ＡがＢより２km先行した状態で同時に同方向にスタートすると２分24秒（＝144秒）後にＢがＡに追い付くので、$(b-a)\times144=2000 \Leftrightarrow (b-a)=\dfrac{2000}{144}\cdots$③となる。③を②に代入すると、$\dfrac{2000}{144}\times360=x$となり、$x=5000$となる。①、②に$x=5000$を代入すると、$(a+b)\times72=5000 \Leftrightarrow a+b=\dfrac{5000}{72}\cdots$④、$(b-a)\times360=5000 \Leftrightarrow b-a=\dfrac{5000}{360}\cdots$⑤となる。④－⑤より、$a=\dfrac{250}{9}$となるので、Ａの秒速は$\dfrac{250}{9}$m/秒となる。これを時速にすると、$\dfrac{250}{9}\times60\times60\times\dfrac{1}{1000}=100$[km/時]となる。

　したがって、正解は**3**である。

数的推理 | 仕事算

　ある作業をA、Bの2人が一緒に行うとx日で終了する。この作業をAだけで行うと2人で行うよりも8日多くかかり、BだけでおこなうとAだけで行うよりも10日多くかかるとする。このとき、Bだけでこの作業を終えるために必要な日数として、最も妥当なのはどれか。ただし、A、Bそれぞれの1日あたりの仕事量は日によらず一定であるとする。

1　10日

2　15日

3　20日

4　25日

5　30日

解 説　　　**正解　5**　　　TAC生の正答率 **30%**

　作業全体の仕事量を1とおく。A、Bの2人が行うとx[日]で終了するから、2人での1日あたりの仕事量は$\dfrac{1}{x}$となる。Aだけで行うと$(x+8)$[日]かかるから、Aの1日あたりの仕事量は$\dfrac{1}{x+8}$となる。Bだけで行うと$(x+18)$[日]かかるから、Bの1日あたりの仕事量は$\dfrac{1}{x+18}$となる。A、Bの2人の1日あたりの仕事量は、Aだけの1日あたりの仕事量と、Bだけの1日あたりの仕事量の和であるから、$\dfrac{1}{x}=\dfrac{1}{x+8}+\dfrac{1}{x+18}$が成り立つ。両辺に$x(x+8)(x+18)$をかけて分母を払うと$(x+8)(x+18)=x(x+18)+x(x+8)$となり、展開すると$x^2+26x+144=x^2+18x+x^2+8x$となる。これを整理すると、$x^2=144$となり、$x>0$より$x=\sqrt{144}=12$[日]となる。よって、Bだけで作業を終えるのに必要な日数は、$12+18=30$[日]となる。

　よって、正解は**5**である。

数的推理 | ニュートン算

コンサートの入場口にすでに500人の客が並んでおり、その数は1分間に3人ずつ増え続けている。1つの受付でチケットを確認して入場をさせることができる客の数が1分間に5人であるとき、15分以内に全員の客を入場させるために必要な受付の数のうち、最小となる受付の数として、最も妥当なのはどれか。

1 5

2 6

3 8

4 9

5 11

解説　　**正解　3**　　　　　　　　　　　　　TAC生の正答率 **75%**

受付数をxにすると、1分間で入場する（減る）行列の人数は$x \times 5$［人］、1分間で増える行列の人数は3人だから、1分で$5x-3$［人］だけ行列の人数が減ったことになる。15分以内に500人の行列をなくすためには、15分で行列の人数を500人以上減らせばよいことになる。よって、$(5x-3) \times 15 \geqq 500$が成り立つような最小の整数$x$を求めればよい。整理すると$75x \geqq 545 \Leftrightarrow x \geqq \dfrac{109}{15} = 7\dfrac{4}{15}$となる。

したがって、条件を満たす最小の受付数は8となるので、正解は**3**である。

数的推理　　　整数

　2つの整数A、B（A＞B）の最大公約数は13である。A、Bの和が3952、差が2626であるとき、A÷Bの値として、最も妥当なのはどれか。

1 $\dfrac{187}{39}$

2 $\dfrac{143}{51}$

3 $\dfrac{253}{51}$

4 $\dfrac{187}{69}$

5 $\dfrac{221}{69}$

解 説　　**正解　3**

　A、Bの和が3952、差が2626であるから、$A + B = 3952 \cdots ①$、$A - B = 2626 \cdots ②$が成り立つ。①、②を連立させて解くと、$A = 3289$、$B = 663$となるから、A÷Bの値は$\dfrac{3289}{663}$となる。AとBの最大公約数が13ということは、AとBはともに13で割り切れ、それ以外に割り切れる数はないから、$\dfrac{3289}{663}$の分母と分子を13で約分すると$\dfrac{3289}{663} = \dfrac{253}{51}$となる。

　したがって、正解は**3**である。

次の4つの式のA～Gには、それぞれ2～8のいずれかの異なる正の整数が当てはまる。このとき、Eに当てはまる正の整数として、最も妥当なのはどれか。

$$G + A = F$$
$$F - E = B$$
$$A \times B = D$$
$$C \div G = B$$

1　2

2　3

3　4

4　5

5　6

解説　　正解　4

「A × B = D」について、2～8の2数の積が2～8のいずれかになるのは、2×3=6と2×4=8の2通りだけである。よって、A、Bは2、3、4のいずれかで、一方が2である。

Bが4の場合、A＝2となるが、「C÷G＝B」を満たすのは8÷2＝4のみで、G＝2となり、条件に反して不適である。同様に、Bが3の場合、A＝2となるが、「C÷G＝B」を満たすのは6÷2＝3のみで、G＝2となり、条件に反して不適である。よって、B＝2となり、A＝3または4となる。さらに場合分けをする。

〔ⅰ〕　A＝3の場合

「C÷G＝B」を満たすのは6÷3＝2と8÷4＝2の2通りであるが、A＝3であるので8÷4＝2の方で、C＝8、G＝4となる。G＋A＝FよりF＝7、F－E＝BよりE＝5となり、これはすべての条件に適する。

〔ⅱ〕　A＝4の場合

「C÷G＝B」を満たすのは6÷3＝2と8÷4＝2の2通りであるが、A＝4であるので6÷3＝2の方で、C＝6、G＝3となる。G＋A＝FよりF＝7、F－E＝BよりE＝5となり、これはすべての条件に適する。

以上より、〔ⅰ〕、〔ⅱ〕のいずれの場合もE＝5であるので、正解は**4**である。

| 数的推理 | 整数 | 2023年度 ❷ 教養 No.46 |

2つの整数1848と1530のそれぞれの約数の和をA、Bとするとき、AとBの差の約数の個数として、最も妥当なのはどれか。

1 8

2 12

3 18

4 27

5 36

解 説　　**正解　3**

1848を素因数分解すると$2^3 \times 3^1 \times 7^1 \times 11^1$となるので、1848の約数の和Aは、 $A = (2^0 + 2^1 + 2^2 + 2^3) \times (3^0 + 3^1) \times (7^0 + 7^1) \times (11^0 + 11^1) = 15 \times 4 \times 8 \times 12 = 5760$となる。

同様に、1530を素因数分解すると$2^1 \times 3^2 \times 5^1 \times 17^1$となるので、1530の約数の和Bは、 $B = (2^0 + 2^1) \times (3^0 + 3^1 + 3^2) \times (5^0 + 5^1) \times (17^0 + 17^1) = 3 \times 13 \times 6 \times 18 = 4212$となる。

よって、AとBの差は$5760 - 4212 = 1548$となる。1548を素因数分解すると$2^2 \times 3^2 \times 43^1$となるので、約数の個数は $(2+1) \times (2+1) \times (1+1) = 18$[個]となる。

したがって、正解は**3**である。

数的推理 | 整数

ある正の整数 n の約数は、小さい数から順に並べると p_1, p_2, p_3…, p_8 となり、$p_1 = 1$、$p_8 = n$ である。次の①・②となるとき、n の値として、最も妥当なのはどれか。

$$p_1 + p_2 + p_3 + p_4 + p_5 + p_6 + p_7 + p_8 = 96 \qquad \cdots ①$$

$$\frac{1}{p_1} + \frac{1}{p_2} + \frac{1}{p_3} + \frac{1}{p_4} + \frac{1}{p_5} + \frac{1}{p_6} + \frac{1}{p_7} + \frac{1}{p_8} = \frac{16}{7} \quad \cdots ②$$

1 36

2 38

3 40

4 42

5 44

解 説   正解 **4**

未知数の多い問題であるから、選択肢を利用する。

n の約数は $p_1 \sim p_8$ の 8 個ある。**1** の36の場合、素因数分解すれば $36 = 2^2 \times 3^2$ となるので、約数の個数は $(2+1) \times (2+1) = 9$[個]であり、8 個にならない。同様に、**2**〜**5** について調べていくと、**2** の場合、$38 = 2^1 \times 19^1$ より、約数の個数は $(1+1) \times (1+1) = 4$[個]、**3** の場合、$40 = 2^3 \times 5^1$ より、約数の個数は $(3+1) \times (1+1) = 8$[個]、**4** の場合、$42 = 2^1 \times 3^1 \times 7^1$ より、約数の個数は $(1+1) \times (1+1) \times (1+1) = 8$[個]、**5** の場合、$44 = 2^2 \times 11^1$ より、約数の個数は $(2+1) \times (1+1) = 6$[個]である。よって、約数の個数が 8 個になるのは **3** と **4** である。

条件②より、約数の逆数の和の分母は 7 であるから、約数には 7 が含まれる。**3** の場合、$40 = 2^3 \times 5^1$ より、約数に 7 は含まれないが、**4** の場合、$42 = 2^1 \times 3^1 \times 7^1$ より、約数に 7 が含まれる。

よって、正解は **4** である。

なお、**4** の42の場合、約数は小さい順に、1、2、3、6、7、14、21、42の 8 個あり、これがそれぞれ $p_1 \sim p_8$ である。このとき、$1 + 2 + 3 + 6 + 7 + 14 + 21 + 42 = 96$ となり、条件①を満たし、$\frac{1}{1} + \frac{1}{2} + \frac{1}{3} + \frac{1}{6} + \frac{1}{7} + \frac{1}{14} + \frac{1}{21} + \frac{1}{42} = \frac{16}{7}$ となり、条件②を満たす。

数的推理　　剰余

　箱の中に250個以上300個未満のミカンが入っている。これらのミカンを袋に7個ずつ入れると4個余り、8個ずつ入れると5個余る。ミカンを9個ずつ入れたときの余りの個数として、最も妥当なのはどれか。

1　4

2　5

3　6

4　7

5　8

解説　　**正解　4**

　ミカンの総数をxとすると、「7個ずつ入れると4個余り」より、$x＝(7の倍数)＋4$、「8個ずつ入れると5個余る」より、$x＝(8の倍数)＋5$、と表せる。$x＝(7の倍数)＋4$は、$(7の倍数)＋4＝(7の倍数)＋7－3＝(7の倍数)－3$より、$x＝(7の倍数)－3…①$とも表せ、$x＝(8の倍数)＋5$は、$(8の倍数)＋5＝(8の倍数)＋8－3＝(8の倍数)－3$より、$x＝(8の倍数)－3…②$とも表せる。よって、①、②より$x$は、7の倍数かつ8の倍数より3小さいから、$x＝(7と8の公倍数)－3$となり、7と8の最小公倍数の56を用いて、$x＝(56の公倍数)－3…③$と表すことができる。

　③を満たすのは$56×1－3＝53$、$56×2－3＝109$、$56×3－3＝165$、$56×4－3＝221$、$56×5－3＝277$、$56×6－3＝333$、…で、ミカンの総数は250個以上300個未満であるから、$x＝277$となる。

　よって、$277÷9＝30余り7$となるので、正解は**4**である。

数的推理	剰余	2021年度 ❶ 教養 No.47

6で割ると4余り、7で割ると3余り、11で割ると9余る正の整数のうち、最も小さい数の各位の和として、最も妥当なのはどれか。

1 9

2 10

3 11

4 12

5 13

解 説　　**正解　2**　　　　　TAC生の正答率 **40%**

求める整数をxとすると、xは6で割ると4余るから$x =$（6の倍数）$+4$とおけ、$4-6 = -2$より、$x =$（6の倍数）$-2\cdots$①ともおける。同様に、xは11で割ると9余るから$x =$（11の倍数）$+9$とおけ、$9-11 = -2$より、$x =$（11の倍数）$-2\cdots$②ともおける。①、②より、$x =$（6、11の倍数）-2とおけ、6、11の最小公倍数が66であるから、$x =$（66の倍数）$-2\cdots$③とおける。

③を満たすようなxを正の整数の小さい順に並べると、64、130、196、…となり、以降は66ずつ増加していく。これらのうち、7で割ると3余る最小の正の整数を見つける。

64は$64 \div 7 = 9$あまり1で不適である。

130は$130 \div 7 = 18$あまり4で不適である。

196は$196 \div 7 = 28$あまり0で不適である。

262は$262 \div 7 = 37$あまり3で適する。

よって、求める値は262で、$2+6+2 = 10$となるから、正解は**2**である。

数的推理　｜　規則性

次に示す数列の和として、最も妥当なのはどれか。

$$\frac{1}{1\times3} \quad \frac{1}{2\times4} \quad \frac{1}{3\times5} \quad \cdots \quad \frac{1}{18\times20}$$

1 $\dfrac{331}{760}$

2 $\dfrac{431}{760}$

3 $\dfrac{531}{760}$

4 $\dfrac{631}{760}$

5 $\dfrac{731}{760}$

解 説　　**正解　3**

$\dfrac{1}{1\times3}$ を $\left(\dfrac{1}{1}-\dfrac{1}{3}\right)\times\dfrac{1}{2}$ と変形すると、数列の和は次のように変形できる。

$$\left(\frac{1}{1}-\frac{1}{3}\right)\times\frac{1}{2}+\left(\frac{1}{2}-\frac{1}{4}\right)\times\frac{1}{2}+\left(\frac{1}{3}-\frac{1}{5}\right)\times\frac{1}{2}+\cdots+\left(\frac{1}{16}-\frac{1}{18}\right)\times\frac{1}{2}+\left(\frac{1}{17}-\right.$$

$$\left.\frac{1}{19}\right)\times\frac{1}{2}+\left(\frac{1}{18}-\frac{1}{20}\right)\times\frac{1}{2}\cdots\text{①}$$

＋、－の両方で登場する値を相殺して、整理すると、①は次のようになる。

$$\left(\frac{1}{1}+\frac{1}{2}-\frac{1}{19}-\frac{1}{20}\right)\times\frac{1}{2}\cdots\text{②}$$

②を計算すると、$\left(\dfrac{1}{1}+\dfrac{1}{2}-\dfrac{1}{19}-\dfrac{1}{20}\right)\times\dfrac{1}{2}=\dfrac{380+190-20-19}{380}\times\dfrac{1}{2}=\dfrac{531}{380}\times\dfrac{1}{2}=\dfrac{531}{760}$ となる。

よって、正解は**3**である。

数的推理	規則性	2022年度 ❷ 教養 No.43

　白色と黒色の2種類のタイルがある。横に15枚、縦に9枚を、白色と黒色を交互に並べる。1番左上に黒色タイルを置くとき、確実にいえることとして、最も妥当なのはどれか。

1　白色タイルは、全部で67枚ある。

2　タイルの枚数は、白色の方が多い。

3　左から7番目、上から5番目の位置にあるタイルは白色である。

4　1番右上にあるタイルは、白色である。

5　中央の位置にあるタイルは黒色である。

解 説　　**正解　1**

　上から1番目と2番目のタイルの色は下図のようになる。よって、奇数番目は黒色が8枚で白色が7枚、偶数番目は黒色が7枚で白色が8枚並ぶことになる。

上から1番目
　　2番目
⋮

　選択肢ごとに考える。

1　○　タイルは全部で15×9＝135［枚］であり、上から1、3、5、7、9番目は黒色が白色より1枚多く、上から2、4、6、8番目は白色が黒色より1枚多い。よって、全体では黒色が白色より1枚多いので、135÷2＝67余り1より、黒色タイルは68枚、白色タイルは67枚となる。

2　×　**1**の解説より、タイルの枚数は黒色の方が多い。

3　×　上から5番目は奇数番目なので、左から1番目のタイルは黒色である。左から1、3、5、7、9、…番目が黒色となるので、左から7番目、上から5番目のタイルは黒色である。

4　×　図より、1番右上のタイルは黒色である。

5　×　縦は9枚だから中央は上から5番目、横は15枚だから中央は左から8番目である。**3**の解説より、奇数番目の左から1、3、5、7、9、…番目が黒色となるので、左から8番目のタイルは白色である。

2進法で10010と表される数Aと、5進法で104と表される数Bがある。このとき、B－A（BからAを引いた数）を4進法で表したものとして、最も妥当なのはどれか。

1　20

2　21

3　22

4　23

5　24

解説　　正解　**4**

2進法で10010で表される数Aと、5進法で104と表される数Bを10進法に変換すると、それぞれ以下のようになる。

$10010_{(2)} = 16 \times 1 + 8 \times 0 + 4 \times 0 + 2 \times 1 + 1 \times 0 = 18$

$104_{(5)} = 25 \times 1 + 5 \times 0 + 1 \times 4 = 29$

よって、B－Aは、29－18＝11となる。11を4進法で表すと、11÷4＝2あまり3となるので、4の位は2、1の位は3となり、23となる。

よって、正解は**4**である。

数的推理 | 魔方陣

　下図のような縦横4×4マスの盤があり、縦横それぞれの列に1〜4までの数字を同じ数字が重複しないように、すべてのマスに入れることとする。図のように既に数字が入っているとき、残りの空マスを数字で埋める組合せの数として、最も妥当なのはどれか。

1　1通り

2　2通り

3　3通り

4　4通り

5　5通り

		2	
1			
		3	
	4		

解 説　　正解　**2**

　マスの空欄を図1のようにA〜Lとおく。Eは、左に1、上に2、下に3があるため4となり、Kは1となる（図2）。

A	B		C
		2	
	D	E	F
1			
G	H		I
		3	
J		K	L
	4		

図1

A	B		C
		2	
	D	E	F
1		4	
G	H		I
		3	
J		K	L
	4	1	

図2

　ここで、D、Fに入る数の組合せは、（D，F）＝（2，3）、（3，2）のいずれかであるから、場合分けして検討する。

(i)　（D，F）＝（2，3）の場合

　Hは1となり、Bは3となる。次に、Aは4となり、Cは1となる。さらに、Gは2となり、Jは3、Iは4となり、Lは2となり、1通りに完成する（図3）。

(ii)　（D，F）＝（3，2）の場合

　Bは1となり、Hは2となる。次に、Gは4となり、Iは1となる。さらに、Aは3となり、Cは4となり、Jは2となり、Lは3となり、1通りに完成する（図4）。

A	B	C	
4	3	2	1
D	E	F	
1	2	4	3
G	H	I	
2	1	3	4
J	K	L	
3	4	1	2

図3

A	B	C	
3	1	2	4
D	E	F	
1	3	4	2
G	H	I	
4	2	3	1
J	K	L	
2	4	1	3

図4

　(i)、(ii)より2通りであるから、正解は**2**である。

数的推理　｜　場合の数

　ある作業を3人の1チームで行う。男性5人、女性5人、合わせて10人の中から3人を選び作業を行う。女性の中には、姉妹が1組、姉妹とは別の親族関係にある親子が1組いる。3人のうち1人は必ず女性を入れる必要があり、かつ3人とも親族関係にないことが必要であるとき、チームの組合せの数として、最も妥当なのはどれか。なお、男性の中に親族関係にある者はいない。

1　78通り

2　82通り

3　86通り

4　90通り

5　94通り

解 説　　**正解　5**

　10人のうち3人を選ぶ組合せの総数は$_{10}C_3 = 120$[通り]ある。

　このうち、条件を満たさない場合を考えると、3人の組合せが①男性のみ3人、②姉妹2人がともにいる、③親子2人がともにいる、の3パターンがあり、これらが重複することはないので、それぞれの場合の数の合計が、条件を満たさない場合の総数となる。

　①は、男性5人から3人を選ぶ組合せで、$_5C_3 = 10$[通り]である。

　②は、姉妹2人と、もう1人を残り8人から選ぶ組合せで、$_8C_1 = 8$[通り]である。

　③は、親子2人と、もう1人を残り8人から選ぶ組合せで、$_8C_1 = 8$[通り]である。

　よって、条件を満たさないのは$10 + 8 + 8 = 26$[通り]であるから、条件を満たすのは$120 - 26 = 94$[通り]となる。

　したがって、正解は**5**である。

数的推理　場合の数

30を連続した正の整数の和で表す方法は、全部で何通りあるか。

1　2通り

2　3通り

3　4通り

4　5通り

5　6通り

解　説　　**正解　2**　　TAC生の正答率　**45%**

連続した正の整数のうち、最小の値をxとする。

(i)　連続した2整数の場合

　$x+(x+1)=30$が成り立ち、これを解くと$x=14.5$となるが、整数でないので不適である。

(ii)　連続した3整数の場合

　$x+(x+1)+(x+2)=30$が成り立ち、これを解くと$x=9$となる。よって、$9+10+11$と表せる。

(iii)　連続した4整数の場合

　$x+(x+1)+(x+2)+(x+3)=30$が成り立ち、これを解くと$x=6$となる。よって、$6+7+8+9$と表せる。

(iv)　連続した5整数の場合

　$x+(x+1)+(x+2)+(x+3)+(x+4)=30$が成り立ち、これを解くと$x=4$となる。よって、$4+5+6+7+8$と表せる。

(v)　連続した6整数の場合

　$x+(x+1)+(x+2)+(x+3)+(x+4)+(x+5)=30$が成り立ち、これを解くと$x=2.5$となるが、整数でないので不適である。

(vi)　連続した7整数の場合

　$x+(x+1)+(x+2)+(x+3)+(x+4)+(x+5)+(x+6)=30$が成り立ち、これを解くと$x≒1.29$となるが、整数でないので不適である。

　これ以降は、$x=1$のときのみ条件を満たすが、1から始まる連続した整数の和は、1から7までの和が$(1+7)×7÷2=28$、1から8までの和が$28+8=36$で、和が30となる組合せはない。

　よって、条件を満たす方法は3通りであるから、正解は**2**である。

数字1、2、3、4を書いた箱がそれぞれ1箱ずつ、数字4、5、6、7を書いた玉がそれぞれ1個ずつある。4つの箱に、玉をそれぞれ1個ずつ入れるとき、4つの箱すべてにおいて、玉の数字が箱の数字より大きくなる確率として、最も妥当なのはどれか。

1 $\dfrac{1}{4}$

2 $\dfrac{5}{12}$

3 $\dfrac{5}{8}$

4 $\dfrac{3}{4}$

5 $\dfrac{7}{8}$

解 説　　**正解　4**

5、6、7の玉は、どの箱に入っても玉の数字が箱の数字より大きくなるから、「4つの箱すべてにおいて、玉の数字が箱の数字より大きくなる」という条件を満たさないのは、4の数字が書かれた玉が4の数字が書かれた箱に入ったときのみである。4の数字が書かれた玉が、4つの箱のうち4の数字が書かれた箱に入る確率は$\dfrac{1}{4}$である。よって、条件を満たさない確率は$\dfrac{1}{4}$であるから、条件を満たすのは$1-\dfrac{1}{4}=\dfrac{3}{4}$となる。

よって、正解は**4**である。

　各面に $1 \sim 6$ の異なる数字が書かれたサイコロを 1 個投げて、1 の目または 2 の倍数の目が出れば得点が 3 点増え、それ以外の目が出れば得点が 1 点減るというゲームをする。はじめの持ち点が 6 点のとき、サイコロを 6 回投げて得点が 12 点となる確率として、最も妥当なのはどれか。

1　$\dfrac{40}{243}$

2　$\dfrac{80}{243}$

3　$\dfrac{160}{243}$

4　$\dfrac{80}{729}$

5　$\dfrac{160}{729}$

解 説　　**正解　5**

　得点が 3 点増えた回数を x[回]とすると、1 点減った回数は $6-x$[回]となる。6 点から始めて 6 回振った後に 12 点になったことから、$6+3 \times x-1 \times (6-x)=12$ が成り立ち、これを解くと $x=3$ となる。よって、3 点増えたのが 3 回、1 点減ったのが 3 回となる。

　1 回ごとに 3 点増えるのは 1、2、4、6 のいずれかの目が出たときであるから、確率は $\dfrac{2}{3}$ で、1 回ごとに 1 点減るのは 3、5 のいずれかの目が出たときであるから、確率は $\dfrac{1}{3}$ である。6 回振って得点の結果が「$+3$，$+3$，$+3$，-1，-1，-1」の順になる確率は $\dfrac{2}{3} \times \dfrac{2}{3} \times \dfrac{2}{3} \times \dfrac{1}{3} \times \dfrac{1}{3} \times \dfrac{1}{3}=\left(\dfrac{2}{3}\right)^3 \times \left(\dfrac{1}{3}\right)^3$ であるが、$+3$ 点の 3 回、-1 点の 3 回が出る順番は、3 回の「$+3$」と 3 回の「-1」の並び方の総数と考えれば、$\dfrac{6\,!}{3\,! \times 3\,!}=20$[通り]ある。

　よって、求める確率は $\left(\dfrac{2}{3}\right)^3 \times \left(\dfrac{1}{3}\right)^3 \times 20=\dfrac{160}{729}$ となるので、正解は **5** である。

数的推理	確率	2022年度 ❷ 教養 No.40

3人でじゃんけんを繰り返し行う。ただし、負けた人は次の回から参加できないこととする。2回じゃんけんを行って、初めて勝者が2人決まり、3回目で1人の勝者が決まる確率として、最も妥当なのはどれか。

1 $\dfrac{1}{27}$

2 $\dfrac{2}{27}$

3 $\dfrac{1}{9}$

4 $\dfrac{4}{27}$

5 $\dfrac{5}{27}$

解 説　　**正解　2**

問題の条件より、1回目は3人のじゃんけんであいこ、2回目は3人のじゃんけんで2人が勝ち、3回目は2人のじゃんけんで1人が勝ち、となる確率を求める。

3人でじゃんけんをした場合、手の出し方は$3^3 = 27$[通り]である。このうち、1人が勝つ手の出し方は、誰が勝つかが${}_3C_1 = 3$[通り]、何の手で勝つかが3通りだから、$3 \times 3 = 9$[通り]である。また、2人が勝つ手の出し方は、どの2人が勝つかが${}_3C_2 = 3$[通り]、何の手で勝つかが3通りだから、$3 \times 3 = 9$[通り]である。残りの手の出し方はあいことなり、$27 - (9 + 9) = 9$[通り]ある。よって、3人でじゃんけんした場合は、1人が勝つ確率、2人が勝つ確率、あいこになる確率はそれぞれ$\dfrac{9}{27} = \dfrac{1}{3}$となる。

2人でじゃんけんをした場合、手の出し方は$3^2 = 9$[通り]である。このうち、1人が勝つ手の出し方は、どちらが勝つかが${}_2C_1 = 2$[通り]、何の手で勝つかが3通りだから、$2 \times 3 = 6$[通り]である。残りの手の出し方はあいことなり、$9 - 6 = 3$[通り]ある。よって、2人でじゃんけんした場合は、1人が勝つ確率は$\dfrac{6}{9} = \dfrac{2}{3}$、あいこになる確率は$\dfrac{3}{9} = \dfrac{1}{3}$となる。

このことより、1回目に3人のじゃんけんであいことなる確率は$\dfrac{1}{3}$、2回目に3人のじゃんけんで2人が勝つ確率は$\dfrac{1}{3}$、3回目に2人のじゃんけんで1人が勝つ確率は$\dfrac{2}{3}$であるので、求める確率は$\dfrac{1}{3} \times \dfrac{1}{3} \times \dfrac{2}{3} = \dfrac{2}{27}$となる。

したがって、正解は**2**である。

　1～8の異なる数字が全ての目に1つずつ書かれた正八面体のサイコロがある。このサイコロを2回振った時に出る目の和が、素数となる確率として、最も妥当なのはどれか。

1　$\dfrac{21}{64}$

2　$\dfrac{11}{32}$

3　$\dfrac{23}{64}$

4　$\dfrac{3}{8}$

5　$\dfrac{25}{64}$

解　説　　　**正解　3**

　1～8の数が書かれた正八面体のサイコロを2回振ったときの出る目の総数は$8^2=64$[通り]である。このうち、和が素数となる場合の数を求める。

　出る目の和の最小値は$1+1=2$、最大値は$8+8=16$であり、この範囲にある素数は、2、3、5、7、11、13である。

　和が2となるのは（1，1）の1通りある。

　和が3となるのは（2，1）、（1，2）の2通りある。

　和が5となるのは（4，1）、（3，2）、（2，3）、（1，4）の4通りある。

　和が7となるのは（6，1）、（5，2）、（4，3）、（3，4）、（2，5）、（1，6）の6通りある。

　和が11となるのは（8，3）、（7，4）、（6，5）、（5，6）、（4，7）、（3，8）の6通りある。

　和が13となるのは（8，5）、（7，6）、（6，7）、（5，8）の4通りある。

　よって、和が素数となるのは$1+2+4+6+6+4=23$[通り]で、求める確率は$\dfrac{23}{64}$となるので、正解は**3**である。

数的推理 | 確率

　白玉が1個、赤玉が2個、青玉が3個入っている抽選箱から、2個玉を取り出す。白玉が2点、赤玉が1点、青玉が0点とした場合、2個の合計が2点以上になる確率として、最も妥当なのはどれか。

1 $\dfrac{1}{6}$

2 $\dfrac{1}{3}$

3 $\dfrac{1}{5}$

4 $\dfrac{2}{5}$

5 $\dfrac{2}{3}$

解説　　正解　**4**

　同じ色の玉も区別すると、6個の玉から2個の玉を取り出す方法は全部で$_6C_2 = 15$[通り]ある。2個の玉の取り出し方で、合計が2点以上になるのは、(i)白玉1個と赤玉1個、(ii)白玉1個と青玉1個、(iii)赤玉2個、の3パターンがある。

　(i)の取り出し方は白玉1個から1個、赤玉2個から1個であるから、$_1C_1 \times _2C_1 = 2$[通り]である。

　(ii)の取り出し方は白玉1個から1個、青玉3個から1個であるから、$_1C_1 \times _3C_1 = 3$[通り]である。

　(iii)の取り出し方は赤玉2個から2個であるから、$_2C_2 = 1$[通り]である。

　よって、合計が2点以上になる取り出し方は$2 + 3 + 1 = 6$[通り]であり、確率は$\dfrac{6}{15} = \dfrac{2}{5}$となるので、正解は**4**である。

下図のような△ABCにおいて、辺ABを2：1の比に内分する点をP、辺BCを3：2の比に内分する点をQ、辺CAを3：1の比に内分する点をRとする。AB＝3cm、BC＝5cm、CA＝4cmであるとき、△PQRの面積として、最も妥当なのはどれか。

1 $\dfrac{6}{5}$ cm^2

2 $\dfrac{7}{5}$ cm^2

3 $\dfrac{8}{5}$ cm^2

4 $\dfrac{9}{5}$ cm^2

5 2 cm^2

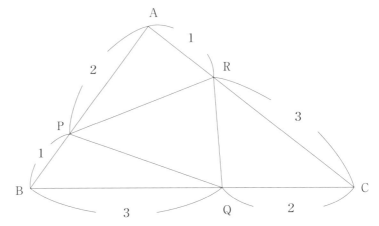

解説　　**正解　5**

　下図のように、外側の三角形と内側の三角形が1つの内角を共有しているとき、面積比は角をはさんでいる2辺の比の積になることを利用する。

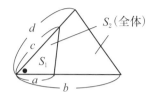

共有している角をはさむ2辺の比が$a:b$および$c:d$のとき
→面積比は$S_1 : S_2 = (a \times c) : (b \times d)$

　△ABCは辺の長さの比が3：4：5であるから、∠A＝90°の直角三角形で、面積は$\frac{1}{2} \times 3 \times 4 = 6$[cm^2]である。この△ABCと、△APR、△PBQ、△RQCはそれぞれ1つの内角を共有しているので、これらの三角形との面積比を求める。

　△APRと△ABCは、共有角をはさむ2辺の比がそれぞれ2：(2＋1)＝2：3と1：(1＋3)＝1：4であるから、面積比は$(2 \times 1) : (3 \times 4) = 2 : 12 = 1 : 6$となる。よって、△APR＝△ABC$\times \frac{1}{6}$である。

　△PBQと△ABCは、共有角をはさむ2辺の比がそれぞれ1：(1＋2)＝1：3と3：(3＋2)＝3：5であるから、面積比は$(1 \times 3) : (3 \times 5) = 3 : 15 = 1 : 5$となる。よって、△PBQ＝△ABC$\times \frac{1}{5}$である。

　△RQCと△ABCは、共有角をはさむ2辺の比がそれぞれ3：(3＋1)＝3：4と2：(2＋3)＝2：5であるから、面積比は$(3 \times 2) : (4 \times 5) = 6 : 20 = 3 : 10$となる。よって、△RQC＝△ABC$\times \frac{3}{10}$である。

　以上より、△ABCに対して、残りの△PQRの割合は$1 - (\frac{1}{6} + \frac{1}{5} + \frac{3}{10}) = 1 - \frac{5+6+9}{30} = \frac{1}{3}$で、△PQR＝△ABC$\times \frac{1}{3}$となる。

　よって、△PQR＝$6 \times \frac{1}{3} = 2$[cm^2]となるので、正解は**5**である。

平行四辺形ABCDの辺CD上にCE：ED＝1：3となる点Eをとり、線分AEの延長と辺BCの延長の交点をFとする。また、対角線BDと線分AFの交点をGとする。このとき、AG：GE：EFの比として、最も妥当なのはどれか。

1　10：8：7

2　11：8：7

3　12：9：7

4　13：9：7

5　14：9：8

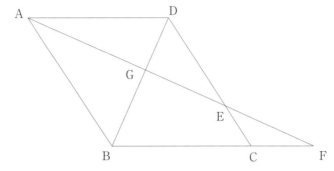

解説　正解　**3**

　△EDAと△ECFについて、ADとCFは平行で、平行線と交わる直線が作る錯角は等しいから∠EDA＝∠ECF、∠EAD＝∠EFCが成り立つ。よって、2組の角がそれぞれ等しいから、△EDAと△ECFは相似であり、ED：CE＝3：1より、相似比は3：1…①となる。△GDAと△GBFについて、ADとBFは平行で、平行線と交わる直線が作る錯角は等しいから∠GDA＝∠GBF、∠GAD＝∠GFBが成り立つ。よって、2組の角がそれぞれ等しいから、△GDAと△GBFは相似であり、DA：FB＝3：(3＋1)＝3：4…②となる。

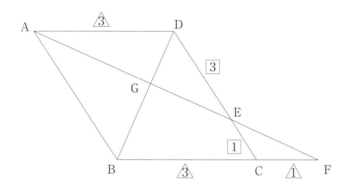

　AFについて、①よりAE：EF＝3：1で、②よりAG：GF＝3：4である。3＋1＝4および3＋4＝7より、AFの長さを4と7の最小公倍数の28とすると、①よりEF＝28×$\dfrac{1}{3+1}$＝7、②よりAG＝28×$\dfrac{3}{3+4}$＝12となり、GE＝AF－EF－AG＝28－7－12＝9となる。

　以上より、AG：GE：EF＝12：9：7となるので、正解は**3**である。

数的推理

空間把握

資料解釈

下図のような正方形の枠の中に、A〜Cの正方形を重ねたものがある。A〜Cは同じ面積の正方形であり、1番上にA、2番目にB、3番目にCの順に重なっている。それぞれ見えている部分の面積は、A＝100cm² B＝68cm² C＝52cm²である。このとき枠内の面積として、最も妥当なのはどれか。

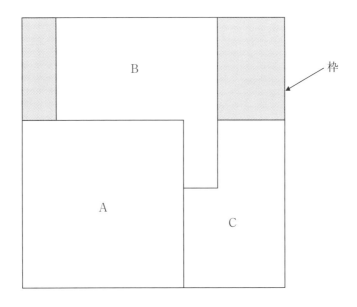

1 196cm²

2 225cm²

3 256cm²

4 289cm²

5 324cm²

解 説　　**正解　3**　　

　左上の網掛け部分の長方形の縦および横の長さをそれぞれ、x[cm]およびy[cm]とおく。A＝100cm²より、正方形A～Cの一辺の長さは10cmであり、枠も正方形であることから、枠の正方形の一辺の長さは$10+x$[cm]で、各部分の長さは下図のようになる（図中の単位[cm]は省略）。

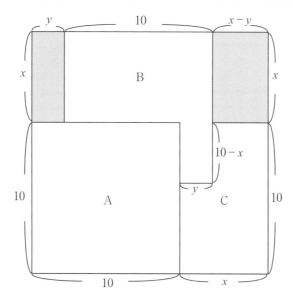

　B＝68cm²より、$10x+(10-x)y=68$ …① が成り立ち、C＝52cm²より、$10x-(10-x)y=52$ …② が成り立つ。①＋②を計算すれば、$20x=120$より$x=6$[cm]を得る。

　したがって、枠の正方形の面積は $(10+x)^2=16^2=256$[cm²]となるので、正解は**3**である。

数的推理

数的推理 | 平面図形

2023年度 ❶
教養 No.46

空間把握

資料解釈

直径10cmの円Oの円周上に点A、点Bをとる。点Aから、OBに垂線を引き接した点をHとする。AB＝6cmの場合、三角形ABHの面積として最も妥当なのはどれか。

1 3.36cm^2

2 6.25cm^2

3 8.64cm^2

4 10.8cm^2

5 14.4cm^2

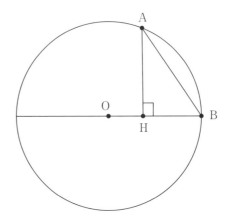

解説　　**正解　3**　　　　　　　TAC生の正答率　**40%**

△ABHの高さと底辺をそれぞれ、AH=x[cm]、BH=y[cm]とおく。ここで、OA=OB=5[cm]、AB=6[cm]、OH=5$-y$[cm]であるから、直角三角形である△ABHと△OAHに三平方の定理を用いれば、それぞれ、次の式が成り立つ。

　　$x^2+y^2=6^2$…①

　　$x^2+(5-y)^2=5^2$…②

①と②を連立して、x、yを求める。②の第2項を展開すれば、$x^2+5^2-10y+y^2=5^2$であるから、左辺のx^2+y^2に①を代入して整理すると、$-10y+36=0$より、$y=\dfrac{18}{5}$[cm]…③となる。①より、$x^2=6^2-y^2=(6-y)\times(6+y)$と変形し、③を代入すると、$\left(6-\dfrac{18}{5}\right)\times\left(6+\dfrac{18}{5}\right)=\dfrac{12}{5}\times\dfrac{48}{5}=\dfrac{12}{5}\times\dfrac{12}{5}\times4$であり、$x>0$より、$x=\dfrac{24}{5}$[cm]である。

したがって、△ABHの面積は$\dfrac{1}{2}xy=\dfrac{1}{2}\times\dfrac{24}{5}\times\dfrac{18}{5}=\dfrac{216}{25}=8.64$[cm²]となるので、正解は**3**である。

　下図の三角形ABCは正三角形である。辺の長さがそれぞれAB＝BE、AC＝AD、BC＝CF、DE＝EH、EF＝FI、DF＝DGであるとき、三角形ABCと三角形GHIの面積の比として、最も妥当なのはどれか。

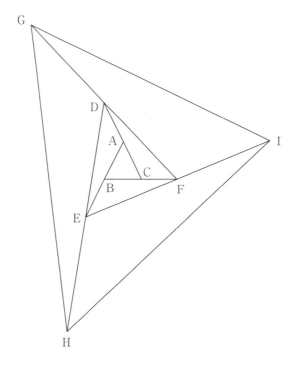

1　1：36

2　1：42

3　1：45

4　1：49

5　1：54

解説　**正解　4**

△ABCと△DEFについて考える。

AFに補助線を引くと、△ABCと△ACFは、底辺をそれぞれBC、CFとすると、高さが等しい三角形となるので、BC：CF＝1：1より、面積比は△ABC：△ACF＝1：1となる。また、△ACFと△DAFは、底辺をそれぞれAC：ADとすると、高さが等しい三角形となるので、AC：AD＝1：1より、面積比は△ACF：△DAF＝1：1となる。同様に、BD、CEに補助線を引くと、△DEFは△ABCを含む7つの三角形に分割でき、それぞれ△ABCと面積が等しいので、△ABCと△DEFの面積比は1：7となる。

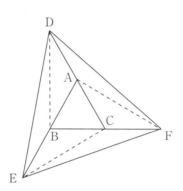

△DEFと△GHIの関係も△ABCと△DEFの関係と同様であり、△DEFと△GHIの面積も1：7となる。

よって、△DEFの面積比は7であるので、△GHIの面積比は7×7＝49となり、△ABCと△GHIの面積比は1：49となる。

したがって、正解は **4** である。

下図のように、扇形AOBに内接する長方形PQRSがあり、OP＝OS＝7、PQ：PS＝1：2であるとする。このとき扇形の面積として、最も妥当なのはどれか。

1 $\dfrac{239}{8}\pi$

2 $\dfrac{241}{8}\pi$

3 $\dfrac{243}{8}\pi$

4 $\dfrac{245}{8}\pi$

5 $\dfrac{247}{8}\pi$

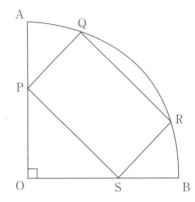

解説　　正解 **4**

扇形AOBの面積は、半径がOAの円の面積の$\frac{1}{4}$であるから、半径OAの長さがわかればよい。

OからRに補助線を引き、さらにRからOBに垂線を引き、OBとの交点をHとする。OA＝ORであるから、ORの長さを求める。

△POSは、OP＝OS、∠POS＝90°であるから、直角二等辺三角形である。また、△RHSは、∠RHS＝90°、∠RSH＝180－∠PSO－∠PSR＝180－45－90＝45°となるから、直角二等辺三角形である。よって、△POSと△RHSは相似であり、相似比はPS：RS＝PS：QP＝2：1となるから、RH（＝SH）の長さは、PO：RH＝7：RH＝2：1より、RH＝$\frac{7}{2}$となる。

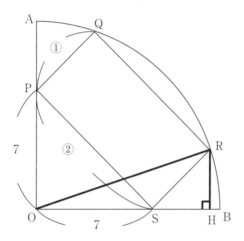

△ROHについて、三平方の定理より、$RH^2＋OH^2＝OR^2$が成り立つ。$OR^2＝\left(\frac{7}{2}\right)^2＋\left(7＋\frac{7}{2}\right)^2＝$
$\frac{49}{4}＋\left(49＋49＋\frac{49}{4}\right)＝\frac{49×5}{2}$となる。

求める面積は$OR^2×\pi×\frac{1}{4}＝\frac{49×5}{2}×\pi×\frac{1}{4}＝\frac{245}{8}\pi$となるので、正解は**4**である。

数的推理 | 立体図形

2023年度 ❸
教養 No.42

数的推理

空間把握

資料解釈

正四面体ABCDの4つの面の重心を線分で結ぶと、正四面体PQRSができる。このとき、正四面体PQRSと正四面体ABCDの体積の比として、最も妥当なのはどれか。

1 1：8

2 1：27

3 8：27

4 9：16

5 27：64

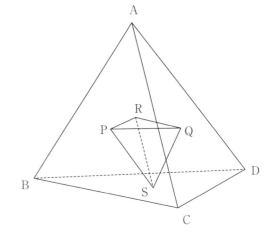

解 説　　**正解　2**

　正四面体どうしは相似な立体であるから、体積比は相似比で求めることができる。よって、正四面体どうしの1辺の長さの比を求める。

　面PQRを含む面を考える。点P、Q、Rを通るように、面BCDと平行な面で切断すると、切断面は図1の太線となる（太線の三角形の頂点をそれぞれL、M、Nとし、また、AからBCに引いた中線とBCの交点をHとする）。このとき、△ABCと△ALMは、LMとBCが平行であることから相似となり、△ABCの重心Pが、中線AHを2：1に内分することから、△ABCと△ALMの相似比は3：2となる。よって、BCとLMの長さの比も3：2…①となる。なお、△ACDと△AMN、△ADBと△ANLについても同様にいえる。

　次に、切断面の△LMNを上から見た図で考えると、図2のようになる。△NLMと△NRQはともに正三角形であるから相似であり、R、QがそれぞれNL、NMの中点であるから、相似比は2：1となる。よって、LMとQRの長さの比も2：1…②となる。

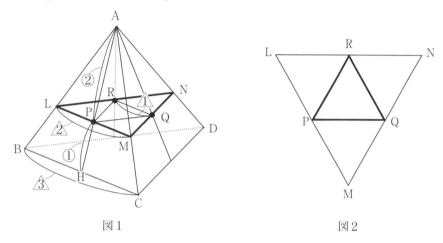

図1　　　　　　　　　　　　図2

　①、②より、BC：LM：RQ＝3：2：1となり、正四面体PQRSと正四面体ABCDの1辺の長さの比は、QR：BC＝1：3となる。

　よって、体積比は1^3：3^3＝1：27となるので、正解は**2**である。

下図のような四角形を、点線の軸を中心として一回転させた場合にできる立体の表面積として、最も妥当なのはどれか。

1 $(4 + 2\sqrt{2})\,\pi\,\mathrm{cm}^2$

2 $(9 + 3\sqrt{2})\,\pi\,\mathrm{cm}^2$

3 $(24 + 4\sqrt{2})\,\pi\,\mathrm{cm}^2$

4 $(25 + 5\sqrt{2})\,\pi\,\mathrm{cm}^2$

5 $(36 + 6\sqrt{2})\,\pi\,\mathrm{cm}^2$

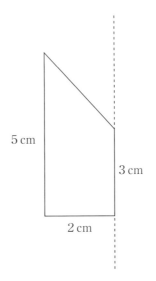

5 cm

3 cm

2 cm

解 説　**正解　3**

　できる立体は図のように、円柱から円錐をくり抜いたような立体となる。求める表面積は、①円柱の底面1面（上面の底面は存在しない）、②円柱の側面、③円錐の側面（立体の内側）、の3つの面積の合計となる。

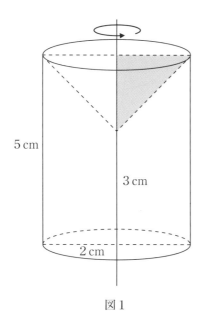

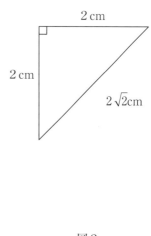

図1　　　　　　　　　　　　　　　図2

　①の円柱の底面は円であり、半径は2cmであるから、面積は$2^2 \times \pi = 4\pi$ [cm^2]である。

　②の円柱の側面は長方形であり、縦の長さは円柱の高さと同じ5cm、横の長さは底面の円の円周と同じ$2 \times 2 \times \pi = 4\pi$ [cm]であるから、面積は$5 \times 4\pi = 20\pi$ [cm^2]である。

　③の円錐の側面は扇形であるが、円錐の側面の扇形の面積は、（母線の長さ）×（底面の円の半径）×πで求められる。図1のグレーの部分に注目すると、直角をはさむ2辺がともに2cmの直角二等辺三角形であるから、母線の長さは直角を挟む2辺の$\sqrt{2}$倍の$2\sqrt{2}$cmである（図2）。よって、底面の円の半径は2cmであるから、面積は$2\sqrt{2} \times 2 \times \pi = 4\sqrt{2}\pi$ [cm^2]である。

　以上より、立体の表面積は$4\pi + 20\pi + 4\sqrt{2}\pi = 24\pi + 4\sqrt{2}\pi = (24 + 4\sqrt{2})\pi$ [cm^2]となるから、正解は**3**である。

空間把握	正多面体	2022年度 ❸ 教養 No.41

下図のように正八面体の隣り合う辺の中点を結び、切断面が正方形となるように全ての頂点を切り落としてできた、新たな立体の辺の総数と面の総数の組として、最も妥当なのはどれか。

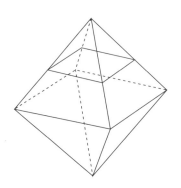

	辺	面
1	12	7
2	24	7
3	24	14
4	36	7
5	36	14

解説　　　**正解　3**

元の正八面体の 1 つの面とその周りについて、新たな立体ではどのようになっているかを考える。面 A に着目すると、各頂点を切断面が正方形となるように切り落としているから、頂点のあった部分には正方形ができる（下右図の濃いグレー）。また、正八面体の元の正三角形の面は、それぞれの辺の中点を結んだ正三角形の面として残る（下右図の薄いグレー）。

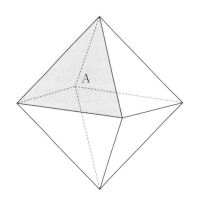

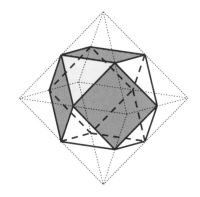

よって、新たな立体の面は、正三角形の面が元の正八面体の面の数と同じ 8 、正方形の面が元の正八面体の頂点の数と同じ 6 で、総数は 8 + 6 = 14 となる。また、新たな立体の辺について、立体を構成する 14 の面の辺の数は、辺が 3 の正三角形が 8 面で 3×8 = 24、辺が 4 の正方形が 6 面で 4×6 = 24 で合計 48 である。しかし、各辺は 2 つの面に共有されているから、辺の総数は 48÷2 = 24 となる。

以上より、正解は **3** である。

数的推理

空間把握

資料解釈

　12個の面があり全ての面が正五角形であるような正多面体を正十二面体と呼ぶ。このとき、正十二面体の頂点と辺の総数として、最も妥当なのはどれか。

1　20

2　30

3　40

4　50

5　60

解 説　　　**正解　4**

　頂点の数から考えていく。各面の頂点の個数の合計は、正五角形が12個あるので、$5 \times 12 = 60$［個］である。正十二面体は、下図の点Aに注目すると、３つの面で１つの頂点を構成していることがわかるので、正十二面体の頂点の個数は、$60 \div 3 = 20$［個］となる。

　次に辺の数を考える。各面の辺の本数の合計は、正五角形が12個あるので、$5 \times 12 = 60$［本］である。正十二面体は、下図の太線部分に注目すると、２つの面で１本の辺を構成していることがわかるので、正十二面体の辺の本数は、$60 \div 2 = 30$［本］である。

　よって、頂点と辺の総数は、$20 + 30 = 50$より、正解は **4** である。

　なお、オイラーの多面体定理より、（面の数）＋（頂点の数）－（辺の数）＝2であるので、頂点の数が20個とわかった時点で、辺の数は$12 + 20 - （辺の数）= 2$より、（辺の数）＝30と求めることができる。

1辺の長さが1の正四面体Aの4つの面に、面同士がぴったり重なるようにAと同じ大きさの正四面体を4つ張り付けて立体を作った。この立体の辺の本数として、最も妥当なのはどれか。

1　10

2　12

3　14

4　16

5　18

　正四面体の辺の数は6本で、1つの面の形は正三角形である。Aを含めた5つの正四面体の辺の数の合計は、6×5＝30［本］である。Aの4つの面にAと同じ大きさの正四面体4つを面どうしがぴったり重なるように張り付けると、重なった部分の辺は1本と数えることになる。4つの面で正三角形が重なるため、4×3＝12［本］の辺が重なることになる。

　よって、立体の実際の辺の数は30－12＝18［本］となるから、正解は**5**である。

空間把握 | 正多面体

正八面体があり、各辺の中点を頂点とする多面体を内部に作った。この多面体に関する記述として、最も妥当なのはどれか。

1 辺の数は18本である。

2 面の数は12面である。

3 頂点の数は正十二面体と同じである。

4 辺の数は正十二面体と同じである。

5 頂点の数は正二十面体と同じである。

　新しく内部に作った多面体をXとする。正八面体の辺は12本あるから、Xの頂点は12個あることになる。1つの頂点から最短距離となる頂点は、正八面体の同一面上にある4点であり、それぞれの頂点から同一平面上にある4点を結ぶと、Xの外形となる。よって、Xの辺の数は$4 \times 12 \div 2 = 24$［本］である。また、Xの面の数は、正三角形が8面、正方形が6面で、合計$8 + 6 = 14$［面］となる。なお、Xは、もとの正八面体において、正八面体のそれぞれの頂点を、最も近い4つの中点を通る平面（切り口が正方形）で切り落としたものである。

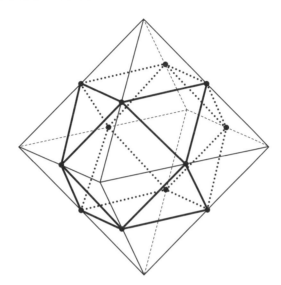

1　×　Xの辺の数は24本である。

2　×　Xの面の数は14面である。

3　×　Xの頂点の数は12個で、正十二面体の頂点の数は20個である。

4　×　Xの辺の数は24本で、正十二面体の辺の数は30本である。

5　○　Xの頂点の数と正二十面体の頂点の数はともに12個である。

空間把握　展開図

下図のような展開図から立体を作るとき、辺ア～オのうち、辺ABと重なる辺として、最も妥当なのはどれか。ただし、図中の実線は山折り、点線は谷折りにすることとする。

1 ア

2 イ

3 ウ

4 エ

5 オ

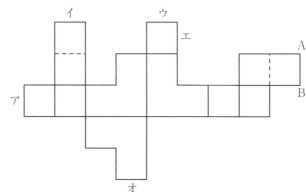

解説　　**正解　4**

L字型の面の中央の頂点は、それぞれ辺を内側に入れた谷状になっているので、この辺にあたる面が展開図でつながっている場合、その2つの面の境界は谷折りになる。下図では、①は山折りの部分、②は谷折りの部分となる。

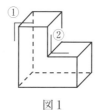

図1

上の図を基準に考えると、通常の山折りの部分に関しては、頂点には3つの面が集まっているから、展開図の頂点に3つの面が集まっている場合、頂点を中心として離れている辺どうしも、組み立てたときに重なることになる。正方形の1つの内角は90°であるから、3面が集まった点では360－90×3＝90°の余りができ、90°の開きがある辺どうしが重なることになる。

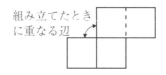

組み立てたときに重なる辺

これを踏まえて、図1と照らしあわせると、展開図のL字型の3面のうちの左上にある面の辺と重なる辺は、図2のようになる。また、展開図のL字型の3面のうちの右上にある面の辺と重なる辺は、90°の開きがある辺どうしが重なることから移動させると左側と左右対称になるので、図3のようになる（①、②の移動後の面の位置がそれぞれ❶、❷）。

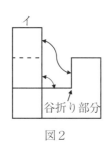

図2

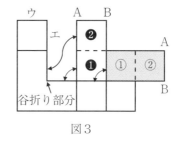

図3

図3の谷折り部分を切り離し、重なる辺をもとにさらに面を移動させると図4のようになる。

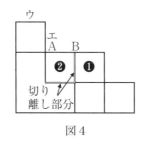

図4

図4より、山折りで90°の開きがある辺どうしの辺ABと辺エが重なることになる。

よって、正解は**4**である。

下図の展開図を組み立ててできる正四面体と同じ正四面体となる展開図として、最も妥当なのはどれか。ただし、すべて山折りとする。

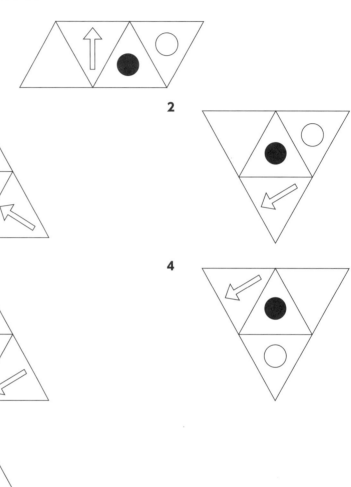

矢印の描かれた面に着目し、次のようにこの面の頂点をA、B、Cとする。

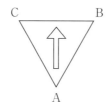

展開図より、簡単な特徴を整理しておく。

　特徴①：頂点Aには無印の面、矢印の描かれた面、●の描かれた面の3面が集まり、矢印の始点
　　　　　はA側である。

　特徴②：矢印の先の向く側の辺BCには○の描かれた面が接する。

　特徴③：AB側には●の描かれた面が、CA側には無印の面が接する。

これをもとに、消去法で正解肢を絞り込んでいく。

3および**5**は、矢印の先が頂点を向いているので、特徴②に合致しない。

2は、矢印の始点側の頂点に集まる面の組合せが特徴①に合致しない。

4は、CA側に●の面が接しており、特徴③に合致しない。

よって、正解は**1**である。

下図は、正六面体の展開図である。全て山折りして組み立てて正六面体を作ったとき、面オカキク と平行になる面として、最も妥当なのはどれか。

1　面アイサセ

2　面イウコサ

3　面ウクケコ

4　面エオクウ

5　面セサシス

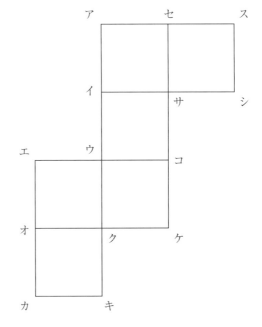

解 説　　正解　**2**

　正六面体の平行面は、展開図上では正方形の面が一直線上に3面並んだ両端の面どうしである。よって、展開図上で面オカキクを含む3面が一直線上に並べばよい。

　正六面体の展開図の辺で、90°の開きがある部分は、組み立てたときに重なる辺である。よって、90°の開きがある部分は、辺を重ねるように正方形の面を回転移動させることができる（図1）。問題の展開図で面オカキクを含む3面が一直線上に並ぶように面オカキクを回転移動させると、図2のようになる。このとき、面イウコサ、面ウクケコ、面オカキクが一直線上に並ぶので、面オカキクと面イウコサが平行な面となる。

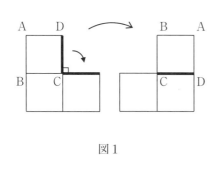

図1

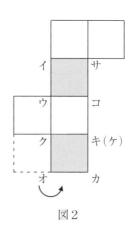

図2

　したがって、正解は**2**である。

[別　解]

　平行面どうしは共有点をもたない。面イウコサを見ると、面アイサセ、面セサシスとは点サを共有しており、面エオクウ、面ウクケコとは点ウを共有している。消去法より、面イウコサと平行であるのは面オカキクとなる。

　したがって、正解は**2**である。

下図は立方体の2つの角を切り落としてできた立体である。この立体の展開図として最も妥当なのはどれか。

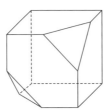

1

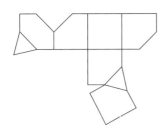

2

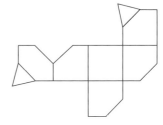

3

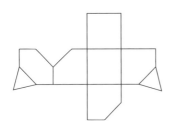

4

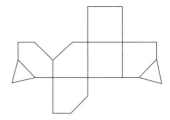

5

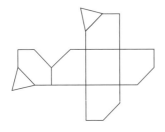

解説　　**正解　5**　　　　　　　　TAC生の正答率　**61%**

　問題の立体は、図1の正方形が1枚、図2の五角形が4枚、図3の六角形が1枚、図4の正三角形が2枚の計8枚の面によって構成されている。この立体は、立方体の2つの角を切り落としてできているので、図1、図2、図3の6面は、一例として、図5のような立方体の展開図の配置になり、図1と図3の面が平行の位置になる。

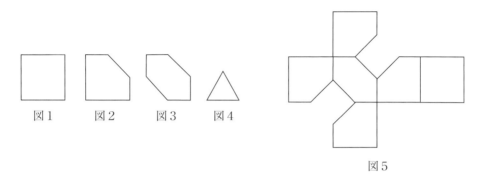

図1　　　図2　　　図3　　　図4

図5

　1は、図6のように、面①を移動して面②につけると、図1と図2と図3の6面の配置が立方体の展開図と異なり、組み立てると面①が面③と重なるため誤りである。

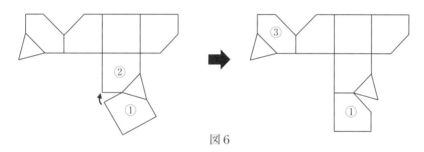

図6

　2は、図7のように、正三角形④が、正方形⑤と重なってしまうため誤りである。

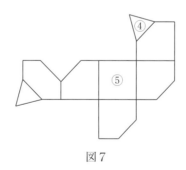

図7

　3、**4**は、正方形が2枚あるため誤りである。
以上より、消去法により、正解は**5**となる。

空間把握

展開図

2021年度 ❸
教養 No.44

数的推理

空間把握

資料解釈

以下の展開図を組み立ててできる立体の体積として、最も妥当なのはどれか。ただし、四角形は一辺が 2 cm の正方形であり、3 つの直角三角形は二等辺三角形であり、その他の三角形は正三角形であるとする。

1 $\dfrac{16}{3}$ cm^3

2 $\dfrac{17}{3}$ cm^3

3 6 cm^3

4 $\dfrac{19}{3}$ cm^3

5 $\dfrac{20}{3}$ cm^3

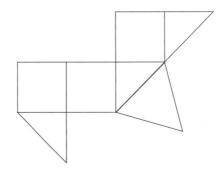

　展開図を組み立てたとき、図1の点線で結ばれた頂点どうしが重なる。図1をもとに、図2のように各頂点に記号をふる。

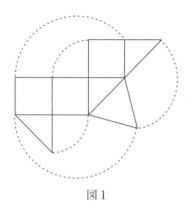

図1

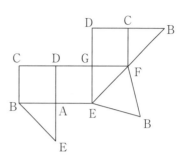

図2

　図2を組み立てると、図3のような立体となる。図3の立体は、一辺が2cmの立方体を図4の太線部分で切断し、手前の三角錐を取り除いた立体となる。一辺が2cmの立方体の体積は$2 \times 2 \times 2 = 8$ [cm³]であり、取り除く三角錐の体積は$2 \times 2 \times \dfrac{1}{2} \times 2 \times \dfrac{1}{3} = \dfrac{4}{3}$ [cm³]である。

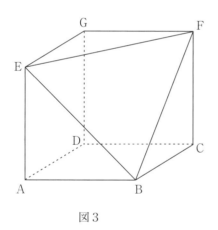

図3

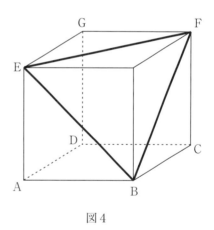

図4

　よって、求める立体の体積は、$8 - \dfrac{4}{3} = \dfrac{20}{3}$ [cm³]より、正解は**5**である。

下図のような立方体ABCD－EFGHがあり、辺BCの中点をMとする。この立方体を、3点D、E、Mを通る平面で切断して2つの立体に分け、頂点Aを含む立体を取り除く。次に、残った立体を、さらに3点D、G、Mを通る平面で切断して2つの立体に分け、頂点Cを含む立体を取り除く。残った立体の辺の数と面の数の組み合わせとして、最も妥当なのはどれか。

1　辺の数：10、面の数：6

2　辺の数：10、面の数：7

3　辺の数：12、面の数：6

4　辺の数：12、面の数：7

5　辺の数：12、面の数：8

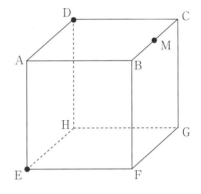

解説　　**正解　4**　　TAC生の正答率　**32%**

　立体を平面で切断するときの切り口は、同一平面上の点は直線でつなぎ、平行な面に現れる切断線（切り口の線分）は互いに平行になる。

　問題の立方体の3点D、E、Mを通る平面について考える。DとEは面AEHD上にあるので直線でつなぐ。面AEHDと面BFGCは平行であるから、Mを通りDEと平行な直線を引き、BFとの交点をNとする。同一平面上にあるDとM、EとNをそれぞれ直線でつなぐと、切り口は面DENMとなる（図1）。

　次に、頂点Aを含む立体を取り除き、残った立体の3点D、G、Mを通る平面について考える。DとM、MとG、GとDは、それぞれ同一平面上の点であるから直線でつなぐと、切り口は面DMGとなる（図2）。

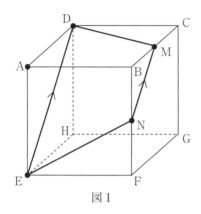
図1

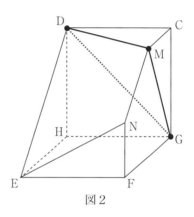
図2

　頂点Cを含む立体を取り除くと図3のようになり、残った立体の辺の数は、DM、DG、DE、DH、MN、MG、NE、NF、EF、FG、GH、HEの12となり、面の数は、DENM、MNFG、DMG、DGH、DEH、NEF、EFGHの7となる。

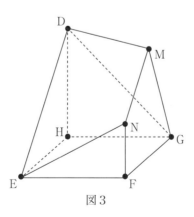
図3

　よって、正解は**4**である。

　6つの面からなる、ある立体Xの展開図を面ごとに切り分けて並べると、次の図Ⅰのようになった。同じ記号のついた辺の長さは等しくなっている。この立体Xは、一辺3cmの立方体をある2つの平面で切るとできることがわかっている。図Ⅱの一辺3cmの立方体において、点AからPの各点はそれぞれの辺を3等分する点である。立体Xをつくるために立方体を切る2つの平面の組合せとして、最も妥当なのはどれか。

図Ⅰ

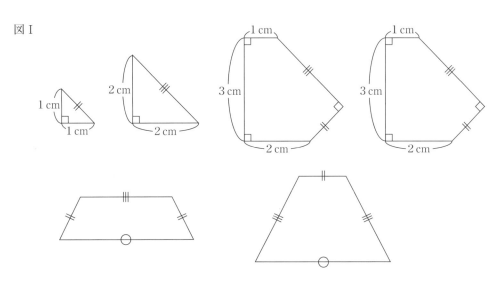

図Ⅱ

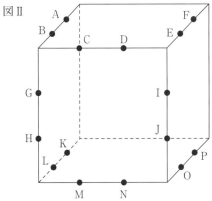

1　点A、D、Oを通る平面と、点E、K、Nを通る平面

2　点B、D、Pを通る平面と、点F、L、Nを通る平面

3　点A、C、Jを通る平面と、点E、H、Iを通る平面

4　点C、J、Oを通る平面と、点F、K、Nを通る平面

5　点C、F、Hを通る平面と、点I、L、Mを通る平面

解説　　**正解　4**　　　　　　　　　TAC生の正答率　**36%**

　立体を1つの平面で切断したとき、立体の各面にできる切断辺は、多くて1本なので、2つの平面で切ったときにできる切断辺は最大で2本である。よって、問題図Ⅰの2つの等脚台形は、いずれも切断面である。また、立方体を切断したときにできる等脚台形の平行辺は、通常は立方体の平面の切断辺である（図1）。よって、等脚台形の高さは、立方体の1辺の長さと同じかそれ以上の長さになるはずで、そうなっていないということとは、切断面どうしが交わり、交わった部分が等脚台形の1辺を作っていることになる。

図1

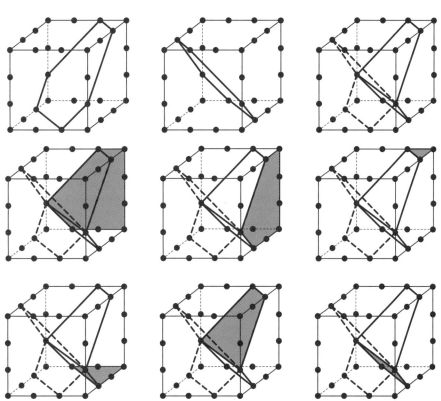

　問題図Ⅰの等脚台形では○の部分が、平面どうしが交わってできた線分となる。1つの平面で切断したときにできる切断面は1つだから、2つの平面で切断したときの切断面はこの2つの等脚台形であり、残りの4つの面はすべて、元の立方体の面の一部が切断されたものである。さらに、この4つの面は残っている部分または切り取られた部分がいずれも直角二等辺三角形であるから、立方体を切る平面は直角二等辺三角形をつくるような切断の仕方でなければならない。

　1のA、D、Oを通る平面は、側面が直角二等辺三角形とならない。**2**のB、D、Pを通る平面は、B、Dが直角二等辺三角形を作らない。**3**のA、C、Jを通る平面は、A、Cが直角二等辺三角形を作らない。**5**のC、F、Hを通る平面は、C、Hが直角二等辺三角形を作らない。

　よって、消去法より正解は**4**である。なお、立体Xを作る切断面と、立体Xの各面は以下のとおりである。

下図は、ある立体の正面図と平面図である。この立体の左側面図を考えたとき、当てはまらないものの組み合わせとして、最も妥当なのはどれか。

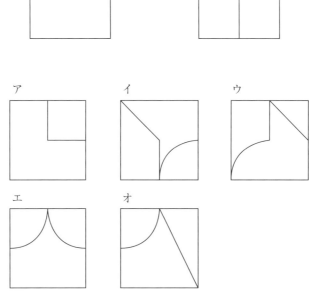

（正面図）　（平面図）

ア　イ　ウ

エ　オ

1 ア、イ

2 ア、オ

3 イ、エ

4 イ、オ

5 ウ、エ

解 説　　**正解　2**

　平面図で見える3つの面（①、②、③）が互いに隣り合っているということは、「上から見て高さが異なる面が3つあるか」、または、「少なくとも1つの面が地面に対して平行ではなく、斜めもしくは曲面を描くようになっているか」である。

 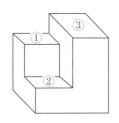 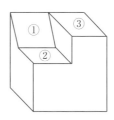 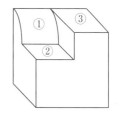

平面図

　左側面から見たア～オのうち、アは地面と平行な面が2か所しかないので、不適である。イ～オについては、地面と平行な面、斜めの面、曲面のうち、いずれかが3か所にあるので妥当である。

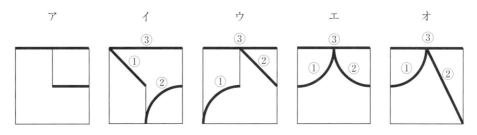

　選択肢を見ると、当てはまらないもののもう一方はイまたはオとなる。イは特に矛盾点がないが、オは上下につながる面②が左側面図の手前側（＝正面図の左側）に描かれており、問題の正面図と矛盾するので不適である。

　よって、アとオが当てはまらないので、正解は**2**である。

下図のような等辺の長さが1の直角二等辺三角形を、直線L上を滑ることなく矢印の方向に回転させる。点Aがふたたび直線Lに触れるまでの、点Aの描く軌跡と直線Lによって囲まれる部分の面積として、最も妥当なのはどれか。ただし、円周率はπとする。

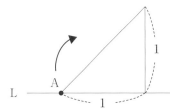

1 $\dfrac{1}{2}\pi + \dfrac{1}{2}$

2 $\pi + \dfrac{1}{2}$

3 π

4 $\dfrac{3}{2}\pi + 1$

5 $\pi + 1$

解 説　　正解　**2**

　初めの状態から直角二等辺三角形を滑らず回転させ、点Aが再び直線Lに触れるまでの、直角二等辺三角形の様子と点Aの軌跡は次の図のようになる。

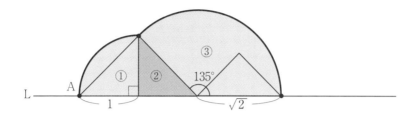

　点Aの軌跡と直線Lによって囲まれる部分の面積は①～③の合計で求めることができる。

①は、半径が1で中心角が90°の扇形であるから、面積は $\pi \times 1^2 \times \dfrac{90}{360} = \dfrac{1}{4}\pi$ である。

②は、等辺が1の直角二等辺三角形であるから、面積は $1 \times 1 \times \dfrac{1}{2} = \dfrac{1}{2}$ である。

③は、半径が $\sqrt{2}$ で中心角が135°の扇形であるから、面積は $\pi \times (\sqrt{2})^2 \times \dfrac{135}{360} = \dfrac{3}{4}\pi$ である。

　よって、面積の合計は $\dfrac{1}{4}\pi + \dfrac{1}{2} + \dfrac{3}{4}\pi = \pi + \dfrac{1}{2}$ であるから、正解は**2**である。

下図のようにABの長さが8cm、BCの長さが12cmの長方形ABCDがある。直径2cmの円を長方形ABCDに内接させながら一周して元の位置に戻るときの円が動いた範囲の面積と、直径2cmの円を長方形ABCDに外接させながら一周して元の位置に戻るときの円が動いた範囲の面積との差として、最も妥当なのはどれか。ただし、π＝3.14とする。

1 23.14cm²

2 25.28cm²

3 27.56cm²

4 29.42cm²

5 31.4cm²

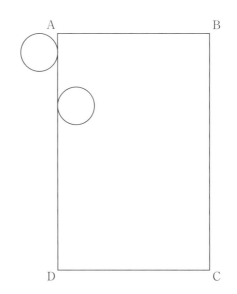

解説　　**正解　4**

　内接させた場合、長方形の隅の部分では隙間が生じ、円が通過しない（図の①）。また、辺上を動く場合、辺から最も遠い点までの距離は常に直径と等しい長さになるので、円が動いた範囲は長方形となる（図1）。

　よって、円が動いた部分は、8cm×12cmの長方形から、内部の4cm×8cmの長方形と、隅の①部分の4つを引いた残りである（図2）。隅の①部分は、図3のように4つ分を合わせると2cm×2cmの正方形から半径1cmの円を除いた残りとなるから（図3）、求める部分の面積は12×8−8×4−$(2^2 − π)$＝60＋$π$〔cm²〕となる。

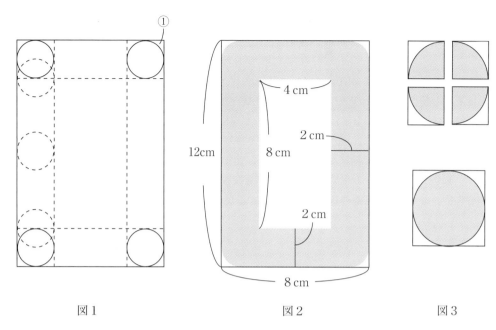

| 図1 | 図2 | 図3 |

外接させた場合、辺上を動く場合は内接させた場合と同様に、辺から最も遠い点までの距離は常に直径と等しい長さになるので、円が動いた範囲は長方形となる。また、長方形の頂点では、頂点と接している部分を回転の中心として、直径となる線分が扇形を描くように移動する。

よって、円が動いた部分は、上下にある $2\,\mathrm{cm} \times 8\,\mathrm{cm}$ の長方形2つと、左右にある $2\,\mathrm{cm} \times 12\mathrm{cm}$ の長方形2つと、四隅にある半径2で中心角90°の扇形4つの合計となる（図4）。中心角90°の扇形4つを組み合わせると円になるから、求める部分の面積は $2 \times 8 \times 2 + 2 \times 12 \times 2 + 2^2 \times \pi = 80 + 4\pi\ [\mathrm{cm}^2]$ となる。

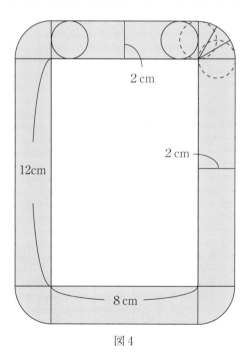

図4

以上より、動いた面積の差は $(80 + 4\pi) - (60 + \pi) = 20 + 3\pi\ [\mathrm{cm}^2]$ で、$\pi = 3.14$ を代入すると、$20 + 3 \times 3.14 = 29.42\ [\mathrm{cm}^2]$ となるから、正解は **4** である。

空間把握 | 軌跡

2022年度 ❶
教養 No.41

数的推理

空間把握

資料解釈

　下図のような三角柱ABC‐DEFがある。この三角柱ABC‐DEFは、側面の四角形ADEBと四角形ACFDは1辺の長さが2cmの正方形であり、∠BAC＝∠EDF＝90°である。この三角柱ABC‐DEFを水平な机の上に、面BCFEを下にして置き、辺CFを回転の軸として、面ACFDが下になるまで滑ることなく回転させる。次に、面ACFDが机の面と接した状態で、辺ACを回転の軸として、面ABCが下になるまで滑ることなく回転させる。さらに、面ABCが机の面と接した状態で、辺BCを回転の軸として、面BCFEが下になるまで滑ることなく回転させる。以上のように三角柱ABC‐DEFを動かしたときに、点Aが描く軌跡の長さとして、最も妥当なのはどれか。

1 $\dfrac{2+\sqrt{2}}{2}\pi$ cm

2 $\dfrac{3+\sqrt{2}}{2}\pi$ cm

3 $\dfrac{3+\sqrt{3}}{2}\pi$ cm

4 $\dfrac{5}{2}\pi$ cm

5 $\dfrac{7}{2}\pi$ cm

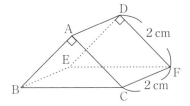

　△ABCは直角二等辺三角形であるから∠ACB＝45°であり、辺ACの長さは2cmである。図1のように、問題の三角柱を、辺CFを軸に面ACFDが下になるまで回転すると、図2のように、△ABCを点Cを中心に135°回転することになり、点Aの軌跡は半径2cm、中心角135°のおうぎ形の弧となる。よって、点Aの軌跡の長さは、$2\pi \times 2 \times \dfrac{135}{360} = \dfrac{3}{2}\pi$［cm］となる。

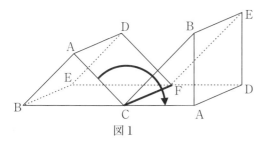

図1

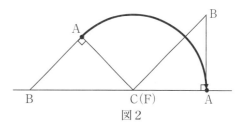

図2

　次に、図3のように、三角柱を、辺ACを軸に面ABCが下になるまで回転すると、図4のように正方形ADEBを点Aを中心に90°回転したことになる。このとき、点Aは移動しないので、軌跡の長さは0cmである。

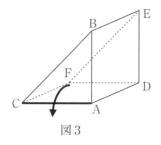

図3

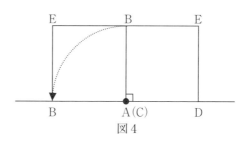

図4

　次に、図5のように、三角柱を辺BCを軸に面BCFEが下になるまで回転すると、△ABCは辺BCを軸に90°回転して、机の面に対して垂直に立った状態になる。図6のように、辺BCから点Aまでの距離は、点Aから辺BCに引いた垂線AHの長さと等しい。△ABHは直角二等辺三角形であるからAH：AB＝1：$\sqrt{2}$である。AB＝2cmより、AH：2＝1：$\sqrt{2}$となり、AH＝$\sqrt{2}$cmとなる。図7のように、点Aは点Hを中心に90°回転し、点Aの軌跡は、半径$\sqrt{2}$cm、中心角90°のおうぎ形の弧となる。よって、点Aの軌跡の長さは、$2\pi \times \sqrt{2} \times \dfrac{90}{360} = \dfrac{\sqrt{2}}{2}\pi$［cm］となる。

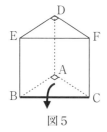

図5

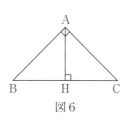

図6

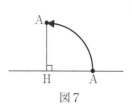

図7

　以上より、点Aが描く軌跡の長さは、$\dfrac{3}{2}\pi + \dfrac{\sqrt{2}}{2}\pi = \dfrac{3+\sqrt{2}}{2}\pi$［cm］となるから、正解は**2**である。

　下図のように、半径1cm、中心角60°の扇形が、直線と半径1cmの半円を組み合わせた図形の線上を、下図の位置から滑らないように矢印の方向へ点Qの位置まで回転した。このとき、この扇形上にある点Pの軌跡を太線で表した形として、最も妥当なのはどれか。

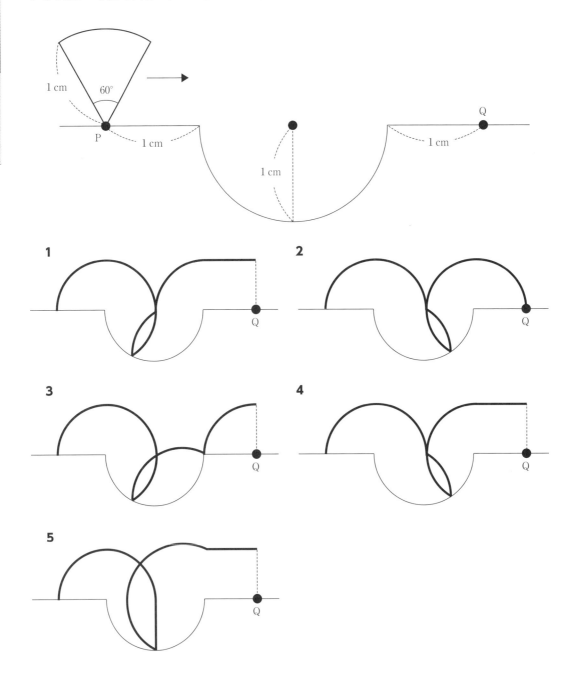

解説　　**正解　4**　　TAC生の正答率 **36%**

最初は点Pが回転の中心となるので軌跡は描かれない。

点Aが直線（と半円の重なる点）に接した後は、点Aが回転の中心となり、半径1cmの円弧を描く。

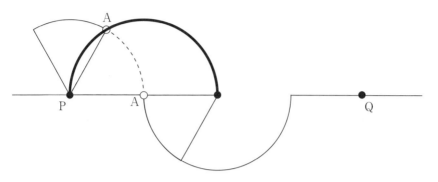

円弧が半円に接した後は、点Bが回転の中心となり、半径1cmの円弧を描く。

点Pが半円に接した後は、点Pが回転の中心となるので、軌跡は描かれない。

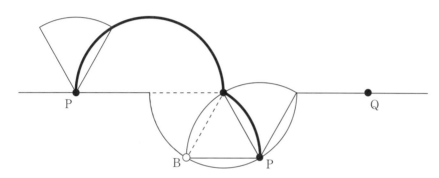

　点Aが半円（と直線の重なる点）に接した後は、点Aが回転の中心となり、扇形の弧が直線に接するまで、半径1cmの円弧を描く。

　その後は、扇形の円弧が点Qに接するまで直線を描く。

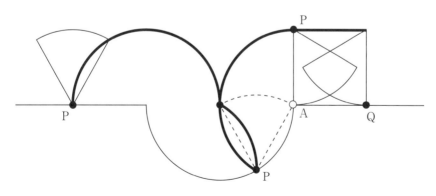

したがって、正解は**4**である。

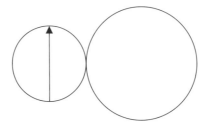

半径4の円が、以下の図のように半径6の円に外接している。半径4の円が外接円上を右回りに滑らないように転がり、半径6の円周を1周半したとき、矢印の向きとして最も妥当なのはどれか。

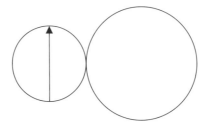

1

2
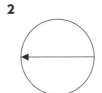

3
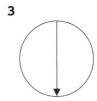

4
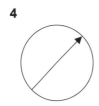

5
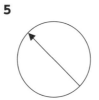

　転がって移動する円盤の回転数は、(回転する円盤の中心が移動した距離)÷(回転する円盤の円周)で求められる。回転する円盤の中心が移動した軌跡は下図の点線であり、1周半移動するので、その長さは $(4+6)\times 2 \times \dfrac{3}{2}\pi = 30\pi$、回転する円盤の円周は $4\times 2\pi = 8\pi$ であるので、円盤の回転数は、$30\pi \div 8\pi = 3\dfrac{3}{4}$［回転］となる。よって、もとの向きから右に $\dfrac{3}{4}$ 回転させた向きとなるので、正解は **2** である。

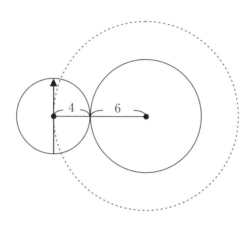

　下図のような、∠ABC＝90°、AB＝BC＝6cmの直角二等辺三角形ABCと、∠CBD＝90°の扇形BCDを組み合わせた図形がある。線分ADを軸として、この図形を180°回転させてできる立体の体積として、最も妥当なのはどれか。ただし、円周率はπとする。

1　　$72\,\pi\,\mathrm{cm}^3$

2　$108\,\pi\,\mathrm{cm}^3$

3　$180\,\pi\,\mathrm{cm}^3$

4　$216\,\pi\,\mathrm{cm}^3$

5　$252\,\pi\,\mathrm{cm}^3$

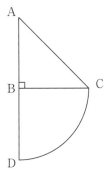

解説 　正解　**2**

　ADを軸として180°回転させてできる立体の体積は、1回転（＝360°）させてできる立体の体積の半分である。

　図のように、ADを軸として上部の三角形ABCを1回転させると、円錐ができ、下部の扇形BCDを1回転させると、半球ができる。

　円錐は、底面の円の半径が6cm、高さが6cmであるから、体積は$\frac{1}{3} \times (6^2 \times \pi) \times 6 = 72\pi$［cm³］である。半球は、半径が6cmであるから、体積は$\frac{4}{3} \times \pi \times 6^3 \times \frac{1}{2} = 144\pi$［cm³］である。

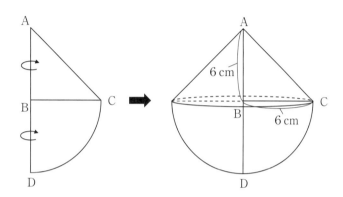

　体積の合計は$72\pi + 144\pi = 216\pi$［cm³］であるが、実際は180°だけ回転させたので、体積は半分の$216\pi \div 2 = 108\pi$［cm³］となる。

　よって、正解は**2**である。

空間把握 | 回転体

∠ABC＝90°の直角三角形がある。辺ABを回転の軸として1回転させたときにできる立体の体積をV₁、辺ACの中点と辺BCの中点を通る直線を回転の軸としたときにできる立体の体積をV₂、三角形ABCと同一平面上にあり点Cを通り辺ABに平行な直線を回転の軸としたときにできる立体の体積をV₃とした場合、3つの体積の大小関係を表したものとして、最も妥当なのはどれか。

1 $V_1 < V_2 < V_3$

2 $V_2 < V_1 < V_3$

3 $V_1 < V_3 < V_2$

4 $V_3 < V_1 < V_2$

5 $V_3 < V_2 < V_1$

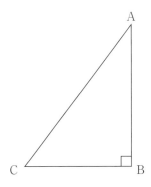

直角三角形ABCのCBの長さを2a、ABの長さを2bとする。V_1、V_2、V_3の体積となる立体はそれぞれ図1、2、3のようになる。

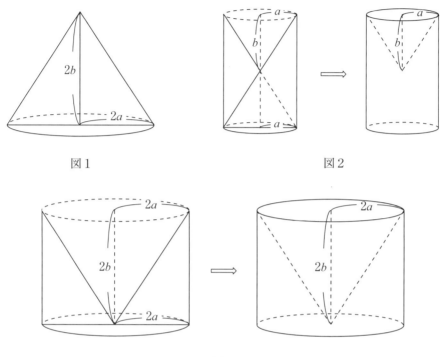

図1   図2

図3

図1は、底面の半径が2aで高さが2bの円錐だから、$V_1 = \dfrac{1}{3} \times \pi \times (2a)^2 \times 2b = \dfrac{8}{3}\pi a^2 b$である。

図2は、底面の半径がaで高さが2bの円柱から、底面の半径がaで高さがbの円錐を除いたものだから、$V_2 = \pi \times a^2 \times 2b - \dfrac{1}{3} \times \pi \times a^2 \times b = \dfrac{5}{3}\pi a^2 b$である。

図3は、底面の半径が2aで高さが2bの円柱から、底面の半径が2aで高さが2bの円錐を除いたものだから、$V_3 = \pi \times (2a)^2 \times 2b - \dfrac{1}{3} \times \pi \times (2a)^2 \times 2b = \dfrac{16}{3}\pi a^2 b$である。

したがって、$V_2 < V_1 < V_3$となるので、正解は**2**である。

1辺の長さが6mの正方形の床に、縦3cm、横4cmの長方形のタイルを同じ向きにすき間なく敷き詰め、この正方形上に対角線を1本引いた。このとき、対角線が通過するタイルの枚数として、最も妥当なのはどれか。

1　220枚

2　240枚

3　250枚

4　280枚

5　300枚

解説　正解　**5**

　1辺の長さが6mよりも小さい正方形で考える。

　縦3cm、横4cmのタイルを並べるから、3と4の最小公倍数の12cmを1辺とする正方形（この正方形が最小となる）で考える。このとき、正方形に対角線を引くと、対角線は6枚のタイルを通過する（図1）。

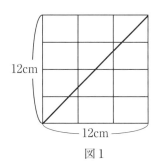

図1

　この1辺が12cmの正方形を1セットとすると、1辺が6m（＝600cm）の正方形には、600÷12＝50より縦と横に50セット並ぶことになる。よって、1辺が6mの正方形の床にタイルを並べた場合、対角線は1辺が12cmの正方形を50セット通過することになる。

　よって、対角線が通過するタイルの枚数は6×50＝300〔枚〕となるので、正解は**5**である。

下図は、正方形の紙Fと同じ大きさの正方形の紙8枚を1枚ずつ重ね、1番上にFが重ねられた図であるが、A～Eのうち上から6枚目にある紙として、最も妥当なのはどれか。

1 A

2 B

3 C

4 D

5 E

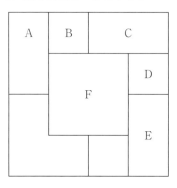

　上から2番目に重ねられているのは、1番上のFを取り除いたときに上からすべて見える正方形である。図1においてFを取り除いたときにすべて見える可能性があるのは①だけであるので、上から2番目にある紙は①である（図2）。

　上から3番目に重ねられているのは、上から2番目の①を取り除いたときに上からすべて見える正方形である。図2において①を取り除いたときにすべて見える可能性があるのは②だけであるので、上から3番目にある紙は②である（図3）。

　上から4番目に重ねられているのは、上から3番目の②を取り除いたときに上からすべて見える正方形である。図3において②を取り除いたときにすべて見える可能性があるのはEだけであるので、上から4番目にある紙はEである（図4）。

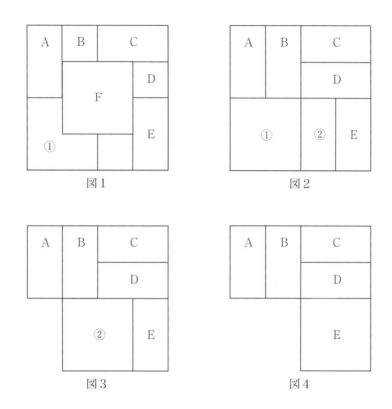

　同様にして1枚ずつ取り除いていくと、上から、F→①→②→E→D→C→B→Aの順に取り除くことができる。

　よって、上から6枚目にあるのはCとなるので、正解は**3**である。

空間把握 | 平面構成

下図のように正六角形をつなぎ合わせた図形に、隣り合う正六角形が同じ色にならないように、赤・青・黄の3色で塗り分けていく。AとBに塗る色の組み合わせとして、最も妥当なのはどれか。

	A	B
1	赤	赤
2	赤	黄
3	青	赤
4	青	黄
5	黄	黄

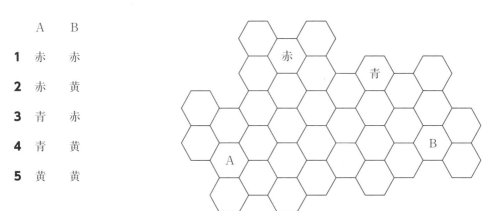

No.44 　**正解　2**　　TAC生の正答率 **57%**

いったん、3色をX、Y、Zで表し、この色で塗られた正六角形も単にX、Y、Zと呼ぶ。各頂点には3つの正六角形が集まるので、この3つには必ず互いに異なる色が塗られる（図1）。このことに注意しながら、図1のXを中心に、Xの辺に接する6つの正六角形に色を塗ると、図2のようになる。

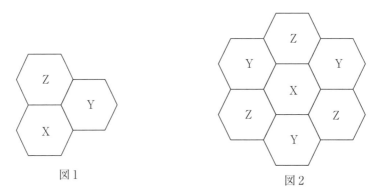

図1　　　　　　　　　　　　　　　図2

図2の塗り方のうち、回転してして重なるものを同じ塗り方と見れば、図2の塗り方は中心Xを決めればY、Zは1通りに決まる。よって、図2を1つのユニットと見れば、本問の塗り方は次の3通りのユニットで構成される（図3）。ただし、ユニットは回転してもよい。

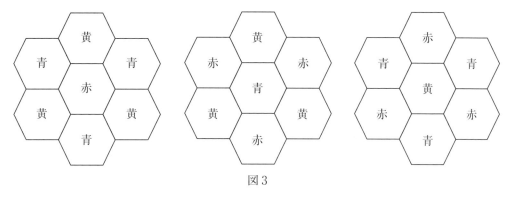

図3

これをもとに、わかっている赤と青を中心に色を書き込んでいけば、図4のようになる。

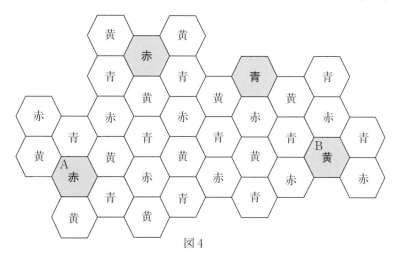

図4

よって、正解は**2**である。

　下図のように、同じ大きさの小立方体を64個用いて大立方体を作った。●がついている面に対して垂直に針を刺し、大立方体の反対側の面まで貫いて穴をあけるとき、2本の針が貫いている小立方体の個数として、最も妥当なのはどれか。

1　6個

2　7個

3　8個

4　9個

5　10個

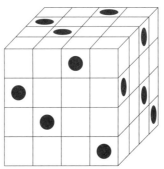

解説　　正解　**5**

　見えない小立方体の様子もわかるよう、各段に分けて上から見た図で整理する。4段それぞれに4×4の小立方体があり、これらに、針が貫いている図を加える。

　まず、上面の●からは面に垂直に針を刺しているので、上面に●がある小立方体の真下にある3段目から1段目の小立方体にも同じように針が貫いている（次図の○）。次に、各段の小立方体の側面の●からも面に対して針を刺しているので、上から見た図では各段の矢印（→）がある横一列と縦一列の小立方体に針が貫いている（次図の―および｜）。

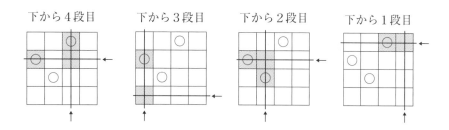

　2本の針が貫いている小立方体は、「○と線分1本」または「線分2本」が描かれている小立方体で、前の図の色が塗られている小立方体がそれに当たる。

　よって、2本の針が貫いている小立方体は全部で3＋2＋3＋2＝10［個］あるので、正解は**5**である。

空間把握 ｜ 立体構成

2023年度 ❶
教養 No.42

数的推理

空間把握

資料解釈

　下図は同じ大きさの立方体を積み上げてできた立体を正面から見た図と右側面から見た図である。このとき、積み上げた立方体の個数の範囲として、最も妥当なのはどれか。ただし、立方体どうしは、少なくとも1辺は接しているものとする。

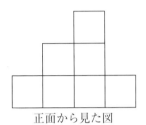

正面から見た図

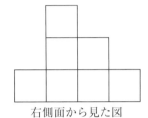

右側面から見た図

1 　7〜20個

2 　7〜21個

3 　7〜22個

4 　8〜20個

5 　8〜21個

解 説　**正解　2**　　　　　　　　　　　　TAC生の正答率　**59%**

解 説　**正解　2**　　TAC生の正答率　**59%**

　図1のように、真上から見た図に積み上げた立方体の個数を書き入れていく。ただし、真上から見た図の上側と左側に並ぶ数は、それぞれ正面方向および右側面方向から見たときの、各列に積まれた立方体の個数を表す。

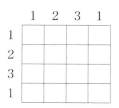

図1

　立方体の個数の最大数は、各列の立方体の個数が少なくとも1か所存在し、かつこれを超えないように、図1のマス目になるべく多くの立方体を置けばよい。よって、置き方は図2のようになる。

	1	2	3	1
1	1	1	1	1
2	1	2	2	1
3	1	2	3	1
1	1	1	1	1

図2　最大数

　このマス目内の数の和は21より、立方体の個数の最大数は21である。

　次に、立方体の個数の最小数は、各列の立方体の個数が少なくとも1か所存在し、かつこれを超えないように、図1のマス目になるべく少なく立方体を置けばよい。立方体どうしは、少なくとも1辺は接していないといけないので、置き方は図3のようになる。

	1	2	3	1
1	1	0	0	0
2	0	2	0	0
3	0	0	3	0
1	0	0	0	1

図3　最小数

　このマス目内の数の和は7より、立方体の個数の最小数は7である。

　よって、立方体の個数の範囲は7～21より、正解は**2**である。

下図のような4つの図形の中で一筆書きが可能な図形の個数として、最も妥当なのはどれか。

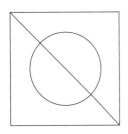 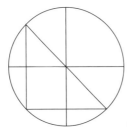 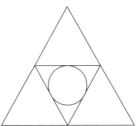 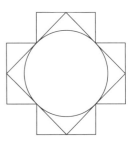

1　0個

2　1個

3　2個

4　3個

5　4個

解 説　　**正解　4**　　　　　　　　　　　　TAC生の正答率　**55%**

　問題の図を左からA～Dとする。A～Dの各頂点（●）に集まる線の数を書き込むと次のようになる。

A

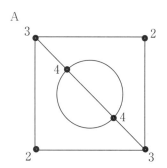

B

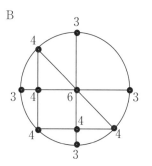

C

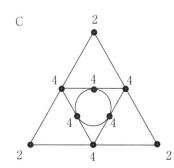

D

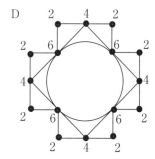

　一筆書きが可能な図形の条件は、線が奇数本集まる奇点の数が0または2である。A（奇点が2個）、B（奇点が4個）、C（奇点が0個）、D（奇点が0個）のうち、この条件を満たすものはA、C、Dの3個である。

　よって、正解は**4**である。

数的推理

空間把握

資料解釈

　3枚の正方形の紙を、それぞれ下図のように2回折り曲げる。折り曲げてできた正方形の紙の向きを変えずにA〜Cの3通りの方法で切断し、再度紙を広げたときにできる紙片の枚数についていえることとして、最も妥当なのはどれか。なお、A〜Cの太線は切断する位置を表している。

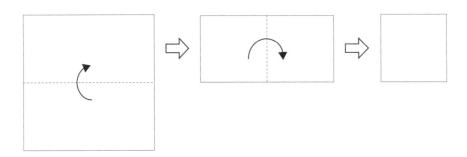

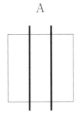
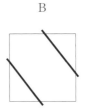
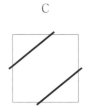

A
B
C

1 Aが最も多い。

2 Bが最も少ない。

3 Cが最も多い。

4 AとBは同じになる。

5 AとCは同じになる。

　A、B、Cのそれぞれについて、切断したところから紙を広げていく。なお、切断される線は折り目に対して対称に描かれることに注意する。

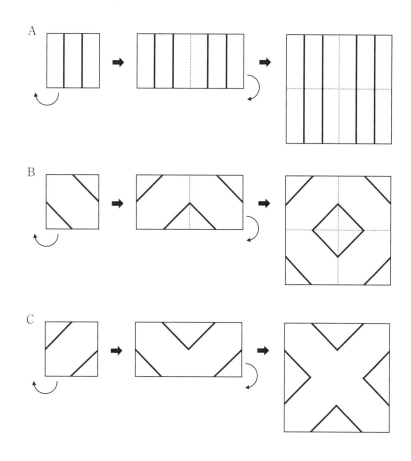

　以上より、Aは5枚、Bは6枚、Cは5枚の紙片に分かれるので、正解は**5**である。

下図のような街路網において、A点からB点へ達する最短経路の総数として、最も妥当なのはどれか。ただし、C点を通る場合は直進のみできるものとする。

1 30通り

2 66通り

3 96通り

4 102通り

5 126通り

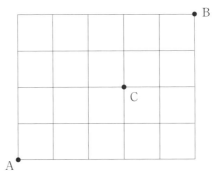

解説　　正解　**3**

A点から網掛け部分の交差点までの最短経路の数を、経路加算法を用いて書き入れると、図1のようになる。

Cでは直進しかできないので、Cには数字を書き込まないでおく。図2のPには左または下から進んでくるが、下から進んでくる場合、Cでは直進しかできないので、Pでの最短経路の数は、Cの1つ下の交差点の4を10に加算した数となる。同様に、Qには左または下から進んでくるが、左から進んでくる場合、Cでは直進しかできないので、Qでの最短経路の数は、Cの1つ左の交差点の6を5に加算した数となる（図2）。

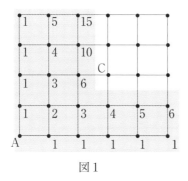

図1

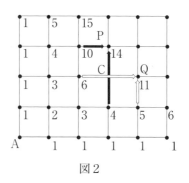

図2

残りの交差点に最短経路の数を書き入れると、図3のようになる。

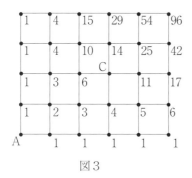

図3

よって、図3より、最短経路の総数は96通りであるので、正解は**3**である。

空間把握 | 最短経路

　下の図のように、平らな土地が道路によって、同じ大きさの正方形で区画されている。このとき、点Aから出発して点Bを通り点Cまでを最短距離で結ぶ経路の数として、最も妥当なのはどれか。ただし、図中のL地点は左折禁止、R地点は右折禁止とする。

1　　893通り

2　1350通り

3　1530通り

4　1575通り

5　1785通り

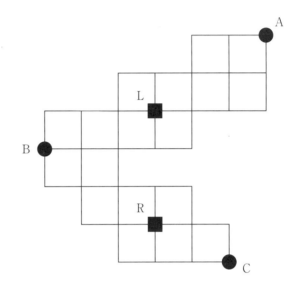

解 説　　正解　2

AからBまでとBからCまでに分けて考える。

AからBまでは、必ず左方向か下方向に進むことになり、途中までの各交差点への進み方の総数を書き入れると、図1のようになる。Lから進んだ先にある2つの交差点③、④について、③については、①から③へはLを右折、②から③へはLを直進するから、除く進み方はなく、③へは3＋9＝12〔通り〕となる。④には制約がなければ、上方向（L）から9通り、右方向から6通りで、合計15通りの進み方がある。上方向（L）から進んでくる9通りは、①から進んできたものが3通り、②から進んできたものが6通りあり、①から④へはLを直進、②から④へはLを左折するから、④に進んでくるもののうち、②からLを左折する6通りは除くことになり、実際の④へは9通りの進み方があることになる。残りもすべて書き入れると図2のようになり、AからBへは45通りの進み方があることになる。

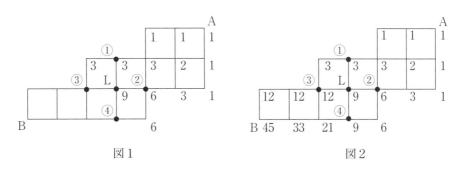

図1　　　　　　　　　　　図2

BからCまでは、必ず右方向か下方向に進むことになり、途中までの各交差点への進み方の総数を書き入れると、図3のようになる。Rから進んだ先にある2つの交差点⑦、⑧について、⑦については、⑤から⑦へはRを左折、⑥から⑦へはRを直進することになるから、除く進み方はなく、⑦へは3＋8＝11〔通り〕となる。⑧には制約がなければ、上方向（R）から8通り、左方向から5通りで、合計13通りの進み方がある。上方向（R）から進んでくる8通りは、⑤から進んできたものが3通り、⑥から進んできたものが5通りあり、⑤から⑧へはRを直進、⑥から⑧へはRを右折するから、⑧に進んでくるもののうち、⑥からRを右折する5通りは除くことになり、実際の⑧へは8通りの進み方があることになる。残りもすべて書き入れると図4のようになり、BからCへは30通りの進み方があることになる。

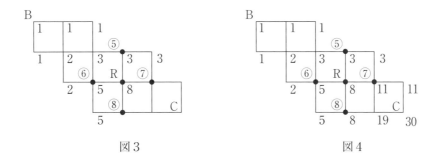

図3　　　　　　　　　　　図4

よって、進み方の総数は45×30＝1350〔通り〕あるので、正解は**2**である。

次の表は我が国の媒体別広告費の推移を示したものである。この表からいえることとして、最も妥当なのはどれか。

媒体別広告費　　　　　　　　　　　　　　　　（単位：億円）

年次	総広告費1)	マスコミ四媒体2)					プロモーションメディア3)	インターネット
			新聞	雑誌	ラジオ	テレビメディア		
2010年	58,427	27,749	6,396	2,733	1,299	17,321	22,147	7,747
2015年	61,710	28,699	5,679	2,443	1,254	19,323	21,417	11,594
2019年	69,381	26,094	4,547	1,675	1,260	18,612	22,239	21,048
2020年	61,594	22,536	3,688	1,223	1,066	16,559	16,768	22,290
2021年	67,998	24,538	3,815	1,224	1,106	18,393	16,408	27,052

1）2019年からは、「物販系ECプラットフォーム広告費」と「イベント領域」を追加し、広告市場の推定を行っている。

2）2010年は衛星メディア関連を除く。

3）プロモーションメディアとは、屋外、交通、折込、ダイレクト・メール、フリーペーパー・フリーマガジン・電話帳、店頭販促物、イベント・展示・映像などである。

1　2020年の総広告費は2019年より20％以上減少したが、2021年の総広告費は2020年より20％以上増加した。

2　2010年と2021年とを比較した場合、新聞、雑誌、ラジオ、テレビメディアの中で減少率及び減少額が最も大きかったのは、いずれも新聞である。

3　インターネットの広告費は、2010年にはマスコミ四媒体の広告費の30％未満であったが、2021年にはマスコミ四媒体の広告費の110％以上になっている。

4　2019年のプロモーションメディアの広告費は、総広告費の30％以上であったが、2021年には約6千億円減少し、2021年の総広告費の20％未満になっている。

5　新聞、雑誌、ラジオ、テレビメディアにおける広告費が最も高い年次と最も低い年次とを比較したとき、増減率が最も小さい媒体は、ラジオである。

解 説　　**正解　3**

1　**✕**　2020年の総広告費は61,594億円で、2021年の総広告費は67,998－61,594＝6,404［億円］増加しているから、2020年に対する2021年の増加率は$\frac{6,404}{61,594}$である。61,594の10％が約6,159で、20％が6,159×2＝12,318であるから、$\frac{6,404}{58,427}$は20％より小さい。よって、2021年の総広告費は2020年より20％以上増加してはいない。

2　**✕**　減少率を見てみると、新聞は2010年が6,396億円で、2021年は6,396－3,815＝2,581［億円］だけ減少しているから、2010年に対する2021年の減少率は$\frac{2,581}{6,396}$である。6,396の50％が6,396÷2＝3,198であるから、$\frac{2,581}{6,396}$は50％より小さい。一方、雑誌を見ると2010年が2,733億円で、2021年は2,733－1,224＝1,509［億円］減少しているから、2010年に対する2021年の減少率は$\frac{1,509}{2,733}$である。2,733の50％が2,733÷2≒1,367であるから、$\frac{1,509}{2,733}$は50％より大きい。よって、（新聞の減少率）＜（雑誌の減少率）となるので、2010年に対する2021年の減少率が最も大きかったのは、新聞ではない。

3　**〇**　2010年のマスコミ四媒体の広告費は27,749億円で、その30％は27,749×30％≒2,775×3＝8,325［億円］である。インターネットの広告費は7,747億円であるから、30％未満である。2021年のマスコミ四媒体の広告費は24,538億円で、その110％は24,538×110％＝24,538＋24,538×10％≒24,538＋2,454＝26,992［億円］である。インターネットの広告費は27,052億円であるから、110％以上である。よって、どちらも満たしている。

4　**✕**　2021年の総広告費は67,998億円で、その20％は67,998×20％≒6,800×2＝13,600［億円］である。2021年のプロモーションメディアの広告費は16,408億円であるから、総広告費の20％未満ではない。

5　**✕**　広告費の高い年次から低い年次への減少率を比較してみる。ラジオにおける広告費が最も高いのは2010年の1,299億円、最も低いのは2020年の1,066億円で、その差は1,299－1,066＝233［億円］であるから、減少率は$\frac{233}{1,299}$である。テレビメディアを見ると、広告費が最も高いのは2015年の19,323億円、最も低いのは2020年の16,559億円で、その差は19,323－16,559＝2,764［億円］であるから、減少率は$\frac{2,764}{19,323}$である。$\frac{233}{1,299}$の割合は、1,299の10％が約130で、5％が130÷2＝65で、15％が130＋65＝195であるから、15％より大きい。一方、$\frac{2,764}{19,323}$の割合は、19,323の10％が約1,932で、5％が1,932÷2＝966で、15％が1,932＋966＝2,898であるから、15％より小さい。よって、減少率が最も小さいのはラジオではない。

資料解釈 | 実数の表

次の表は、世界の航空旅客輸送の旅客数の推移を示したものである。この表からいえることとして、最も妥当なのはどれか。

世界の航空旅客輸送の旅客数　　　　　　（単位：百万人）

年	北米	欧州	アジア／太平洋	その他	世界合計
2011	801	768	843	392	2,804
2012	810	799	901	426	2,936
2013	815	840	1,031	462	3,148
2014	838	872	1,107	486	3,303
2015	883	935	1,214	536	3,568
2016	911	992	1,341	566	3,810
2017	942	1,075	1,486	591	4,094
2018	989	1,147	1,623	618	4,378
2019	1,029	1,191	1,684	639	4,543
2020	402	390	781	235	1,807
2021	703	497	681	322	2,203
2022	1,045	1,048	891	697	3,681

※2014年迄はICAO、2015－2020年はIATA発表値。2021及び2022年はIATA発表RPKの伸び率からの推算。

1 2019年までの旅客数の世界合計は毎年増加しており、その対前年増加率は4％以上である。その増加率が最も大きかった年は2016年で、最も小さかった年は2012年である。

2 北米の2011年から2015年までの5年間の増加率は5％未満で、2016年から2019年までの4年間の増加率は10％未満である。

3 アジア／太平洋で最も旅客数が多かった年の旅客数は、2019年までの間で最も旅客数が少なかった年の2.5倍以上である。

4 2020年で前年からの旅客数の減少率が最も小さかったのは北米である。北米の2021年の旅客数は前年比180％以上、2022年の旅客数は前年比150％以上である。

5 2022年の旅客数を旅客数が最も多かった年と比べると、欧州は80％台まで回復したが、アジア／太平洋は50％台に止まっている。

解説　　**正解　5**

1　× 2015年の世界合計は3,568百万人で、2016年は3,810−3,568＝242［百万人］増加しているから、2016年の対前年増加率は$\dfrac{242}{3,568}$である。それに対して、2014年の世界合計は3,303百万人で、2015年は3,568−3,303＝265［百万人］増加しているから、2015年の対前年増加率は$\dfrac{265}{3,303}$である。$\dfrac{242}{3,568}$と$\dfrac{265}{3,303}$では$\dfrac{265}{3,303}$の方が、分子が大きく、分母が小さいから、分数の値は大きい。よって、対前年増加率が最も大きかったのは2016年ではない。

2　× 2011年の北米は801百万人で、2015年は883−801＝82［百万人］増加しているから、2015年の増加率は$\dfrac{82}{801}$であり、801の10％が80.1であるから、増加率は10％より大きい。よって、2011年から2015年の増加率は5％未満ではない。

3　× アジア／太平洋で最も旅客数が多かったのは2019年の1,684百万人で、2019年までで最も少なかったのは2011年の843百万人である。843×2＝1,686より、2019年は2011年の2倍より小さいから、アジア／太平洋で最も旅客数が多かった年の旅客数は、2019年までの間で最も旅客数が少なかった年の2.5倍以上ではない。

4　× 2020年の対前年減少率が最も小さいということは、2019年に対する2020年の比率が最も大きいということと同じである。北米の2019年に対する2020年の比率は$\dfrac{402}{1,209}$であり、1,029の10％が102.9で、40％が102.9×4＝411.6であるから、比率は40％（＝0.4）よりも小さい。それに対してアジア／太平洋の比率は$\dfrac{781}{1,684}$であり、1,684の10％が168.4で、40％が168.4×4＝673.6であるから、比率は40％（＝0.4）よりも大きい。以上より、2019年に対する2020年の比率が最も大きいのは北米ではない。

5　○ 欧州で旅客数が最も多かったのは2019年の1,191百万人で、それに対する2022年の比率は$\dfrac{1,048}{1,191}$であり、1,191の10％が119.1で、80％が119.1×8＝952.8で、90％が1,191−119.1＝1,071.9であるから、比率は80％から90％の間である。また、アジア／太平洋で旅客数が最も多かったのは2019年の1,684百万人で、それに対する2022年の比率は$\dfrac{891}{1,684}$であり、1,684の10％が168.4で、50％が1,684÷2＝842より、60％が842+168.4＝1,010.4であるから、比率は50％から60％の間である。よって、旅客数が最も多かった年に対する2022年の旅客数の比率は、欧州が80％台であり、アジア／太平洋は50％台である。

次の表は、我が国の損害保険の種目別保険料の推移を表している。この表からいえることとして、最も妥当なのはどれか。

（単位：億円）

会計年度	1990	2000	2010	2019	2020
任意保険					
火災	9,735	10,537	10,073	12,807	14,693
自動車	24,781	36,501	34,564	41,089	41,881
傷害	6,670	6,766	6,477	6,750	6,205
新種　　　1)	6,014	6,923	8,189	13,035	13,331
海上・運送	2,941	2,315	2,324	2,622	2,426
強制保険					
自動車賠償責任保険	6,147	5,698	8,083	9,791	8,390
損害保険料の合計	56,288	68,740	69,710	86,094	86,926

1）賠償責任保険、動産総合保険、労働者災害補償責任保険、航空保険、盗難保険、建設工事保険、ペット保険など

1　任意保険の保険料の合計が損害保険料の合計に占める割合は、各年度90％以下になっている。

2　新種保険の保険料が任意保険の保険料の合計に占める割合は、各年度10％以上であり、2020年度は15％以上である。

3　傷害保険の保険料が任意保険の保険料の合計に占める割合は、1990年度から2019年度までは10％以上であるが、2020年度は5％以下である。

4　2010年度と2020年度では、海上・運送保険の保険料が任意保険の保険料の合計に占める割合は、いずれも増加している。

5　自動車賠償責任保険の保険料が最も高いのは2019年度であるが、自動車賠償責任保険の保険料が損害保険料の合計に占める割合は2020年度が最も高い。

解 説　**正解　2**　

1　✕　任意保険の保険料の合計が損害保険料の合計に占める割合が各年度90%以下であるということは、強制保険の保険料が損害保険料の合計に占める割合が各年度10%を上回るということと同じである。2000年度についてみると、強制保険の保険料である5,698は損害保険料の合計68,740の10%である6,874.0を上回ってはいない。

2　〇　前半部分は、すべての年度で新種保険の保険料を10倍したものが、損害保険料の合計から強制保険を引いたものより大きいかを調べればよいが、強制保険を引くまでもなく、新種保険の保険料を10倍したものが損害保険料の合計を超えている。実際、1990〜2020の各年度で、6,014×10＞56,288、6,923×10＞68,740、8,189×10＞69,710、13,035×10＞86,094、13,331×10＞86,926である。

　　後半部分は2020年度の新種保険の保険料13,331が、任意保険の保険料86,926－8,390＝78,536の15%以上かどうかを調べればよい。78,536の10%は約7,854であり、5%は10%の半分の約3,927であるから、78,536の15%は約7,854＋3,927＝11,781であり、13,331は78,536の15%以上である。

3　✕　2020年度についてみると、傷害保険の保険料は6,205であり、**2**の後半の計算結果より、任意保険の保険料の合計である78,536の5%は約3,927であり、傷害保険の保険料は任意保険の保険料の合計の5%以下ではない。

4　✕　2020年度についてみると、海上・運送保険の保険料が任意保険料の合計に占める割合は $\dfrac{2,426}{78,536}$ である。一方、2019年度についてのそれは、$\dfrac{2,622}{86,094-9,791}$ であるが、分子が大きく分母の小さい2019年度の方が大きいので、増加してはいない。

5　✕　自動車賠償責任保険の保険料が損害保険料の合計に占める割合は2019年度および2020年度はそれぞれ $\dfrac{9,791}{86,094}$ および $\dfrac{8,390}{86,926}$ であり、分子が大きく分母の小さい2019年度の方が大きいので、2020年度が最も高いとは言えない。

次の表は、日本における発電量の推移を示している。この表から言えることとして、最も妥当なのはどれか。なお、合計は火力・水力・原子力以外の発電量も含めた合計の数値である。

日本の発電量の推移　（単位：億kWh）

年	合計	火力	水力	原子力
1930	158	23	134	…
1950	463	85	378	…
1960	1155	570	585	…
1970	3595	2749	801	46
1980	5775	4028	921	826
1990	8573	5574	958	2023
1995	9899	6042	912	2913
2000	10915	6692	968	3221
2005	11579	7618	864	3048
2010	11569	7713	907	2882
2015	10242	9088	914	94

1　1990年から2000年までの間では、火力による発電量の増加率より、原子力による発電量の増加率の方が低い。

2　火力による発電量が合計の発電量に占める割合は、1980年以降60％代で推移している。

3　原子力による発電量が、合計の発電量に占める割合は、最も高い年で30％を超えている。

4　火力・水力・原子力以外の発電量は、2000年以降連続して減少している。

5　水力による発電の発電量は、1960年までは合計の発電量に占める割合が最も高かったが、1970年以降は火力による発電量の割合が最も高くなっている。

解 説　　正解　5

1　✕　1990年から2000年にかけての火力による発電量の増加率は$\dfrac{6,692-5,574}{5,574}=\dfrac{1,118}{5,574}$で、原子力による発電量の増加率は$\dfrac{3,221-2,023}{2,023}=\dfrac{1,198}{2,023}$である。$\dfrac{1,198}{2,023}$の方が、分子が大きく、分母が小さいから、増加率の値は大きい。よって、原子力による発電量の増加率の方が低くない。

2　✕　2015年の火力による発電量が、合計の発電量に占める割合は$\dfrac{9,088}{10,242}$で、10,242の10％が約1,024で、80％が1,024×8＝8,192であるから、割合は80％より大きい。よって、60％代で推移してはいない。

3　✕　割合が30％を超えているということは、少なくとも割合が25％以上であり、「原子力の発電量の割合が合計の発電量の$\dfrac{1}{4}$以上 ⇔ 合計の発電量が原子力の発電量の4倍以下」となるから、合計の発電量が原子力の発電量の4倍以下の年をさがすと、1995年、2000年、2005年、2010年の4年間が当てはまる。このうち、1995年の割合は$\dfrac{2,913}{9,899}$で、9,899の10％が約990で、30％が990×3＝2,970であるので、割合は30％より小さい。2000年の割合は$\dfrac{3,221}{10,915}$で、10,915の10％が約1,092で、30％が1,092×3＝3,276であるので、割合は30％より小さい。2005年、2010年については、2000年と比べ、分子となる原子力の発電量が小さく、分母となる合計の発電量が大きいので、割合は2000年より小さい。よって、30％を超えている年はない。

4　✕　2010年の火力・水力・原子力以外の発電量は11,569－（7,713＋907＋2,882）＝67［億kWh］であるが、2015年の火力・水力・原子力以外の発電量は10,242－（9,088＋914＋94）＝146［億kWh］であるので、2010年から2015年にかけては減少してはいない。

5　◯　各年においては、火力、水力、原子力のうち発電量が大きいほど、合計に占める発電量の割合も大きくなる。1960年までは、発電量が最も大きいのは水力で、1970年以降は、発電量が最も大きいのは火力である。よって、合計に占める発電量の割合も、1960年までは水力が最も高く、1970年以降は火力が最も高い。

　次の表は、農家人口の変化を表している。この表に関するア〜オの記述の正誤の組合せとして、最も妥当なのはどれか。

	農家人口総数（千人）	農業就業人口（千人）						
		男女計	男			女		
			計	15〜59歳	60歳以上	計	15〜59歳	60歳以上
平成22年	6,503	2,606	1,306	338	968	1,300	343	956
平成27年	4,880	2,097	1,088	253	835	1,009	233	776
平成29年	4,375	1,816	967	213	754	849	172	677
平成30年	4,186	1,753	945	202	744	808	153	654
平成31年	3,984	1,681	917	189	728	764	137	627

ア　農家人口総数についてみると、平成31年は平成22年に対して4割以上減少している。

イ　農業就業人口の男女計は、表中のどの年についても農家人口総数の40％未満である。

ウ　農業就業人口の「男・15〜59歳」、「男・60歳以上」、「女・15〜59歳」、「女・60歳以上」のうち、平成22年と平成31年を比較して人口減少率が最も大きいのは「女・15〜59歳」である。

エ　平成29年から平成31年の3年間で、農業就業人口全体に占める女性の割合は連続して減少している。

オ　表中の調査年で15〜59歳の農業就業人口を見ると、いずれの年も女性より男性が多い。

	ア	イ	ウ	エ	オ
1	正	誤	正	誤	誤
2	誤	誤	正	正	誤
3	正	誤	正	誤	正
4	誤	正	誤	正	正
5	誤	正	誤	正	誤

解説　　正解　2

ア　✕　平成22年の農家人口総数は6,503千人で、平成31年は6,503−3,984＝2,519[千人]減少している。6,503の１割は約650で、４割は650×4＝2,600であるから、４割以上減少していない。

イ　✕　平成31年についてみると、農家人口総数は3,984千人で、4,000の4割が1,600であるから、3,984千人の４割は1,600人より少ない。農業就業人口の男女計は1,681千人であるから、40％未満ではない。

ウ　◯　平成22年に対する平成31年の人口の減少率が最も大きいということは、平成22年に対する平成31年の人口の比率が最も小さいということと同じである。それぞれの区分の比率を求めると、「男・15〜59歳」は$\frac{189}{338}$で、338÷2＝169より比率は0.5（＝50％）よりも大きい。「男・60歳以上」は$\frac{728}{968}$で、968÷2＝484より比率は0.5（＝50％）よりも大きい。「女・15〜59歳」は$\frac{137}{343}$で、343÷2＝171.5より比率は0.5（＝50％）よりも小さい。「女・60歳以上」は$\frac{627}{956}$で、比率は956÷2＝478より比率は0.5（＝50％）より大きい。よって、平成22年に対する平成31年の人口の比率が最も小さいのは「女・15〜59歳」である。

エ　◯　農業就業人口全体に占める女性の割合は、平成29年が$\frac{849}{1,816}$、平成30年が$\frac{808}{1,753}$、平成31年が$\frac{764}{1,681}$である。平成31年と平成30年の割合を比較すると、平成31年の$\frac{764}{1,681}$に対し、平成30年は分母が72増加、分子が44増加している。$\frac{764}{1,681}$と増加分の割合の$\frac{44}{72}$では、$\frac{764}{1,681}$の値は0.5（＝50％）より小さいのに対し、$\frac{44}{72}$の値は0.5（＝50％）より大きい。よって、（平成31年の割合）＜（平成30年への増加分の割合）であるから、（平成31年の割合）＜（平成30年の割合）となる。平成30年と平成29年の割合を比較すると、平成30年の$\frac{808}{1,753}$に対し、平成29年は分母が63増加、分子が41増加している。$\frac{808}{1,753}$と増加分の割合の$\frac{41}{63}$では、$\frac{808}{1,753}$の値は0.5（＝50％）より小さいのに対し、$\frac{41}{63}$の値は0.5（＝50％）より大きい。よって、（平成30年の割合）＜（平成29年への増加分の割合）であるから、（平成30年の割合）＜（平成29年の割合）となる。以上より、割合の大小は、（平成29年）＞（平成30年）＞（平成31年）であるから、平成29年から平成31年の３年間では、割合は連続して減少している。

オ　✕　平成22年についてみると、15〜59歳の農業就業人口は、男性が338[千人]、女性が343[千人]であるから、男性の方が多くはない。

　　以上より、ア＝誤、イ＝誤、ウ＝正、エ＝正、オ＝誤となるので、正解は**2**である。

数的推理
空間把握
資料解釈

　次の表は、日本の自動車保有台数をまとめたものである。この表に関することとして、最も妥当なのはどれか。なお、各年の自動車保有台数の合計数は四輪車、三輪車、二輪車の合計とする。

（単位　千台）

年	1980	1990	2000	2010	2020
四輪車(1)	37,067	56,491	70,898	73,859	76,703
乗用車・・・・・・・・・	23,660	34,924	52,437	58,347	62,194
うち軽四輪車・・・・	2,176	2,585	9,901	17,987	22,858
トラック・・・・・・・・	13,177	21,321	18,226	15,285	14,283
バス・・・・・・・・・・	230	246	235	227	225
三輪車(2)	16	3	3	3	3
二輪車(3)	1,008	2,862	3,078	3,566	3,802

(1)四輪以上を含む。　　(2)貨物、乗用とも。
(3)エンジン総排気量126cc以上で原動機付自転車を含まず。

1　1980年における乗用車の保有台数の割合は、自動車保有台数全体の70%以上を占めており、その割合は2020年まで増加し続けている。

2　四輪車の保有台数は、1980年からの40年間で2倍以上になっている。四輪車のうち乗用車が占める割合は、1980年には約63%であったが、2020年には約73%まで増えている。

3　二輪車の保有台数の増加率は、1990年から2000年までの10年間と、2010年から2020年までの10年間とを比較すると、1990年から2000年までの方が大きい。

4　四輪車の保有台数のうちトラックが占める割合は、1980年が最も大きく、以後は減少している。

5　バスの保有台数は、表の40年間のうち、2020年が最も少ないが、四輪車に占める割合では、40年の中で2020年が最も大きい。

解 説　　**正解　3**

1　×　1980年の乗用車の保有台数の四輪車全体に対する割合を考えると、$\dfrac{23,660}{37,067}$で、37,067の10%が約3,707で、70%が3,707×7＝25,949であるから、割合は70%より小さい。自動車保有台数全体に対する割合を考えると、分母である自動車保有台数全体の数値は大きくなるので、明らかに乗用車の保有台数の割合は小さくなるから、1980年における乗用車の保有台数の割合は、自動車保有台数全体の70%以上を占めてはいない。

2　×　1980年の四輪車の保有台数は37,067千台で、その2倍は37,067×2＝74,134［千台］であるから、2020年の76,703千台は、1980年の2倍以上になっている。しかし、四輪車のうち乗用車が占める割合は、2020年は$\dfrac{62,194}{76,703}$で、76,703の10%が約7,670で、80%が7,670×8＝61,360であるから、割合は80%より大きい。よって、2020年の割合は約73%まで増えていない。

3　○　二輪車の保有台数は、1990年が2,862千台で、2000年は3,078－2,862＝216［千台］だけ増加しているから、1990年から2000年の増加率は$\dfrac{216}{2,862}$である。一方、2010年が3,566千台で、2020年は3,802－3,566＝236［千台］増加しているから、2010年から2020年の増加率は$\dfrac{236}{3,566}$である。$\dfrac{216}{2,862}$は、2,862の1%が約29で、7%が29×7＝203であるから、増加率は7%より大きい。一方、$\dfrac{236}{3,566}$は、3,566の1%が約36で、7%が36×7＝252であるから、増加率は7%より小さい。よって、1990年から2000年までの増加率の方が大きい。

4　×　四輪車の保有台数のうちトラックが占める割合は、1980年が$\dfrac{13,177}{37,067}$で、1990年が$\dfrac{21,321}{56,491}$である。上から3桁の概算で割合を求めると、1980年の$\dfrac{13,200}{37,100}＝\dfrac{132}{371}＝$は、371の10%が37.1、30%が37.1×3＝111.3で、3%が約11.1、6%が11.1×2＝22.2で、36%が111.3＋22.2＝133.5であるから、割合は36%より小さい。一方、1990年の$\dfrac{213}{565}＝$は、565の10%が56.5、30%が56.5×3＝169.5で、3%が約17、6%が17×2＝34で、36%が169.5＋34＝203.5であるから、割合は36%より大きい。よって、1990年の割合は1980年より減少してはいない。

5　×　四輪車に占めるバスの保有台数の割合は、$\dfrac{バスの保有台数}{四輪車の保有台数}$で求められる。2020年は分母となる四輪車の保有台数の値が最も大きく、分子となるバスの保有台数の値が最も小さいから、割合は最も小さくなる。よって、四輪車に占めるバスの保有台数の割合は、2020年が最も大きくない。

| | 資料解釈 | 実数の表 | | 2022年度 ❶ 教養 No.49 |

次の表は、2019年の関東地方における工業統計表（製造業）である。この表からいえるア〜ウの記述の正誤の組合せとして、最も妥当なのはどれか。

	事業所数	従業者数 （人）	現金給与総額 （百万円）	原材料使用額等 （百万円）	製造品出荷額等 （百万円）
茨城県	4,927	272,191	1,325,925	7,647,968	12,581,236
栃木県	4,039	203,444	948,677	5,027,819	8,966,422
群馬県	4,480	210,730	948,744	5,548,067	8,981,948
埼玉県	10,490	389,487	1,681,855	8,387,481	13,758,165
千葉県	4,753	208,486	992,951	8,390,915	12,518,316
東京都	9,887	245,851	1,190,968	4,030,463	7,160,755
神奈川県	7,267	356,780	1,862,938	11,453,015	17,746,139

ア　表中の7都県の事業所数の合計に対する事業所数上位3都県の合計の割合は、50％以上である。

イ　従業員1人あたりの現金給与額が最も多いのは神奈川県である。

ウ　製造品出荷額等に対する原材料使用額の割合が最も少ないのは千葉県である。

	ア	イ	ウ
1	誤	正	正
2	正	誤	誤
3	正	正	正
4	正	正	誤
5	誤	誤	誤

解説　　**正解　4**　　　　　　　　　　　　　　TAC生の正答率　**57%**

ア　〇　7都県の事業所数の合計に対する事業所数上位3都県の合計の割合が50%以上であることは、上位3都県の合計の2倍が、7都県の事業所数の合計より大きいということと同じである。7都県の事業所数の合計は4,927＋4,039＋4,480＋10,490＋4,753＋9,887＋7,267＝45,843である。事業所数上位3都県は、埼玉県、東京都、神奈川県であり、その事業所数の合計は10,490＋9,887＋7,267＝27,644となる。27,644の2倍は27,644×2＝55,288であり、55,288＞45,843であるから、7都県の事業所数の合計に対する事業所数上位3都県の合計の割合は、50%以上である。

イ　〇　従業員1人あたりの現金給与額は、$\dfrac{\text{現金給与総額}}{\text{従業員数}}$ で求められる。神奈川県のそれは、$\dfrac{1,862,938}{356,780}$［百万円］で、千の位の概数とすると $\dfrac{1,863,000}{357,000}＝\dfrac{1,863}{357}$［百万円］で、357の5倍は357×5＝1,785であるから、5百万円より大きい。他の都県の従業員数の5倍の数値と現金給与総額の数値を、千の位の概数で比較すると、茨城県は272,000×5＝1,360,000＞1,325,000であり、栃木県は203,000×5＝1,015,000＞949,000であり、群馬県は 211,000×5＝1,055,000＞949,000であり、埼玉県は389,000×5＝1,945,000＞1,682,000であり、千葉県は208,000×5＝1,040,000＞993,000であり、東京都は246,000×5＝1,230,000＞1,191,000であり、いずれも従業員数の5倍の数値の方が現金給与総額の数値より大きいため、従業員1人あたりの現金給与額は5百万円より小さい。よって、従業員1人あたりの現金給与額が最も多いのは神奈川県である。

ウ　✕　製造品出荷額等に対する原材料使用額の割合は $\dfrac{\text{原材料使用額}}{\text{製造品出荷額等}}$ で求められる。千葉県のそれは、$\dfrac{8,390,915}{12,518,316}≒\dfrac{8,400,000}{12,500,000}＝\dfrac{84}{125}$ で、茨城県のそれは、$\dfrac{7,647,968}{12,518,236}≒\dfrac{7,600,000}{12,600,000}＝\dfrac{76}{126}$ である。$\dfrac{84}{125}$ を $\dfrac{76}{126}$ と比較すると、$\dfrac{84}{125}$ の方が分子が大きく分母が小さいため、$\dfrac{84}{125}＞\dfrac{76}{126}$ であるから、製造品出荷額等に対する原材料使用額の割合が最も少ないのは千葉県ではない。

以上より、ア＝正、イ＝正、ウ＝誤であるから、正解は**4**である。

資料解釈　実数の表

次の表は、全国の家具製造業者の状況を示したものである。この表から読み取れるア～ウの記述の正誤の組合せとして、最も妥当なのはどれか。

木製家具製造業

年次	事業所数	従業者数（人）	製造品出荷額（百万円）
2005	8,030	64,781	990,568
2010	7,868	57,402	764,598
2015	6,528	52,291	765,190

金属製家具製造業

年次	事業所数	従業者数（人）	製造品出荷額（百万円）
2005	974	24,227	477,753
2010	838	15,956	329,716
2015	717	18,157	472,395

ア　1事業所当たりの製造品出荷額が最も多いのは、2005年の金属製家具製造業である。

イ　1事業所当たりの従業者数が最も少ないのは、2010年の木製家具製造業である。

ウ　1事業所当たりの従業者数においては、金属製家具製造業者は表中のどの調査年次においても木製家具製造業者の4倍以上である。

	ア	イ	ウ
1	正	誤	誤
2	誤	正	誤
3	誤	誤	正
4	誤	正	正
5	正	正	正

解 説　**正解　2**

ア　✕　1事業所当たりの製造品出荷額は、$\dfrac{\text{製造品出荷額}}{\text{事業所数}}$で求められる。2005年の金属製家具製造業の1事業所当たりの製造品出荷額は、$\dfrac{477,753}{974}$［百万円］で、2015年の金属製家具製造業のそれは$\dfrac{472,395}{717}$［百万円］である。$\dfrac{472,395}{717}$に対して$\dfrac{477,753}{974}$の分母、分子の増加率を見ると、分母の増加率は、$\dfrac{974-717}{717}=\dfrac{257}{717}$である。717の10％は71.7であり、257＞71.7であるので、$\dfrac{257}{717}$は10％より大きい。分子の増加率は、$\dfrac{477,753-472,395}{472,395}=\dfrac{5,358}{472,395}$である。472,395の10％は47,293.5であり、5,358＜47,239.5であるので、$\dfrac{5,358}{472,395}$は10％より小さい。よって、分母の増加率＞分子の増加率であるので、一事業所当たりの製造品出荷額は2005年の金属＜2015年の金属となり、最も多いのは2005年の金属製家具製造業ではない。

イ　○　1事業所当たりの従業者数は、$\dfrac{\text{従業者数}}{\text{事業所数}}$で求められる。木製家具製造業における1事業所当たりの従業者数は、分母を上から3桁までとすると、2005年が$\dfrac{64,781}{8,030}≒\dfrac{6,478}{803}$［人］、2010年が$\dfrac{57,402}{7,868}≒\dfrac{5,740}{787}$［人］、2015年が$\dfrac{52,291}{6,528}≒\dfrac{5,229}{653}$［人］である。いずれも分子が分母のおよそ8倍であることに注目して大小比較すると、2005年は、$803×8＝6,424＜6,478$より、8より大きい。2010年は、$787×8＝6,296＞5,740$より、8より小さい。2015年は、$653×8＝5,224＜5,229$より、8より大きい。よって、木製家具製造業のうちでは2010年が最も少ない。また、金属製家具製造業の1事業所当たりの従業者数は、2005年が$\dfrac{24,227}{974}$［人］、2010年が$\dfrac{15,956}{838}$［人］、2015年が$\dfrac{18,157}{717}$［人］であり、$\dfrac{5,740}{787}$と比較すると、いずれも分母は2倍未満の増加であるのに対し、分子は2倍以上増加している。よって、2010年の木製家具製造業より、金属製家具製造業の3か年のほうが値が大きい。以上より、1事業所当たりの従業者数が最も少ないのは、2010年の木製家具製造業である。

ウ　✕　1事業所当たりの従業者数は、2010年の金属製家具製造業が$\dfrac{15,956}{838}$［人］であり、2010年の木製家具製造業のそれの4倍が$\dfrac{57,402×4}{7,868}=\dfrac{229,608}{7,868}$である。2010年の木製家具製造業を分母を上から3桁の概数とすると、$\dfrac{229,608}{7,868}≒\dfrac{22,961}{787}$となり、$\dfrac{15,956}{838}$と$\dfrac{22,961}{787}$では、$\dfrac{15,956}{838}$の方が分母が大きく、分子が小さいので、値が小さい。よって、2010年においては金属製家具製造業の1事業所当たりの従業者数は、木製家具製造業の4倍以上ではない。

以上より、ア：誤、イ：正、ウ：誤となるので、正解は**2**である。

資料解釈	実数の表	2021年度 ❶ 教養 No.50

次の表は、平成26年から平成30年の媒体別広告費の推移を示したものである。この表からいえることとして、最も妥当なのはどれか。

なお、表中の総広告費の右側の括弧内の数値は、国内総生産に対する総広告費の比率（単位：％）を示している。

（単位：億円）

	総広告費	新聞・雑誌	地上波 テレビ	プロモー ション メディア	インター ネット	その他
平成26年	61,522 （1.20）	8,557	18,347	21,610	10,519	2,489
平成27年	61,710 （1.16）	8,122	18,088	21,417	11,594	2,489
平成28年	62,880 （1.17）	7,654	18,374	21,184	13,100	2,568
平成29年	63,907 （1.17）	7,170	18,178	20,875	15,094	2,590
平成30年	65,300 （1.19）	6,625	17,848	20,685	17,589	2,553

1 平成29年の国内総生産に対する「プロモーションメディア」による広告費の比率は、平成28年のそれよりも低下している。

2 表で示された各年の中で、「新聞・雑誌」と「その他」による広告費の合計額が最も多いのは平成30年である。

3 平成26年から平成30年までの5年間の「インターネット」による広告費の平均額は、1兆4千億円を超えている。

4 表で示された各年の中で、国内総生産が最も小さいのは平成27年である。

5 平成26年の総広告費に占める「地上波テレビ」による広告費の割合と平成28年のそれを比べると、平成28年のほうが高い。

解 説　　**正解　1**　　　　　　　　　　　TAC生の正答率　**56%**

1　○　国内総生産に対する「プロモーションメディア」による広告費の比率は、(国内総生産に対する総広告費の比率)×(総広告費に対する「プロモーションメディア」による広告費の比率)で求められる。平成28年の比率は$1.17\% \times \dfrac{21,184}{62,880}$で、平成29年の比率は$1.17\% \times \dfrac{20,875}{63,907}$である。$1.17\%$の部分は同じなので、分数の部分の大小で値を比較でき、$\dfrac{21,184}{62,880}$と$\dfrac{20,875}{63,907}$を比べると$\dfrac{21,184}{62,880}$の方が、分子が大きく、分母が小さいから、分数の値は大きい。よって、平成29年の比率は平成28年よりも低下している。

2　×　表で示された各年において、「その他」による広告費は最も多い年と最も少ない年の差でも100億円程度だが、「新聞・雑誌」による広告費は平成30年が最も少なく、次に少ない平成29年との差でも500億円以上ある。よって、「新聞・雑誌」と「その他」による広告費の合計額は平成30年が最も少ない。

3　×　5年間の「インターネット」による広告費の平均額が1兆4千億円＝14,000億円を超えているということは、5年間の総額が14,000×5＝70,000[億円]を超えているということと同じである。「インターネット」による広告費の5年間の総額は、10,519＋11,594＋13,100＋15,094＋17,589＝67,896[億円]であり、70,000億円を超えていない。

4　×　(国内総生産に対する総広告費の) 比率$= \dfrac{総広告費}{国内総生産}$より、国内総生産$= \dfrac{総広告費}{比率}$となり、平成27年の国内総生産は$\dfrac{61,710[億円]}{1.16\%}$である。平成26年度の国内総生産は$\dfrac{61,522[億円]}{1.20\%}$であり、$\dfrac{61,710[億円]}{1.16\%}$と$\dfrac{61,522[億円]}{1.20\%}$を比べると、$\dfrac{61,710[億円]}{1.16\%}$の方が、分子が大きく、分母が小さいから、分数の値は大きい。よって、国内総生産が最も小さいのは平成27年ではない。

5　×　総広告費に占める「地上波テレビ」による広告費の割合は、平成26年が$\dfrac{18,347}{61,522}$、平成28年が$\dfrac{18,374}{62,880}$である。分子はほぼ同じで、分母は平成28年の方が大きいから、分数の値は平成28年の方が小さい。よって、割合は平成28年の方が低い。

数的推理
空間把握
資料解釈

次のグラフは、平成26年度から平成30年度の全産業（金融業、保険業を除く）の経常利益及び売上高経常利益率の推移を示したものである。このグラフからいえることとして、最も妥当なのはどれか。なお、売上高経常利益率は、売上高に対する経常利益の割合である。

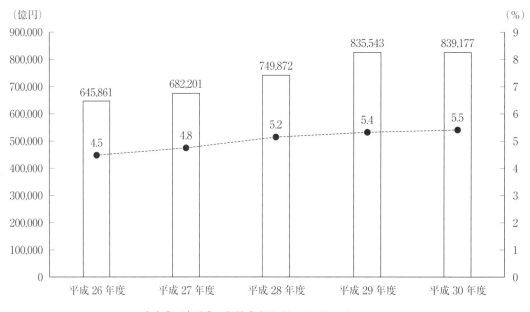

凡例：
□ 全産業（金融業、保険業を除く）の経常利益
---●--- 全産業（金融業、保険業を除く）の売上高経常利益率

1 全産業（金融業、保険業を除く）の売上高は、どの年度も1,500兆円を上回っている。

2 平成26年度から平成30年度の全産業（金融業、保険業を除く）の経常利益の合計は、400兆円を上回っている。

3 平成27年度の全産業（金融業、保険業を除く）の経常利益は、平成26年度のそれよりも10%以上増加している。

4 平成29年度の全産業（金融業、保険業を除く）の売上高は、平成26年度のそれよりも多い。

5 平成28年度の全産業（金融業、保険業を除く）の経常利益の対前年増加率は、平成29年度のそれよりも大きい。

解 説 **正解 4**

売上高経常利益率 $= \dfrac{経常利益}{売上高}$ より、売上高 $= \dfrac{経常利益}{売上高経常利益率}$ で求められる。

1 ✕ 平成28年度の売上高は $\dfrac{749{,}872[億円]}{5.2\%}$ である。$5\% = \dfrac{1}{20}$ だから、$\dfrac{750{,}000[億円]}{5\%} = 750{,}000$

[億円] $\div \dfrac{1}{20} = 750{,}000[億円] \times 20 = 15{,}000{,}000[億円] = 1{,}500[兆円]$ であり、$\dfrac{749{,}872[億円]}{5.2\%}$ はこれ

よりも分子が小さく、分母が大きいから、値は小さくなる。よって、平成28年度の売上高は1,500
兆円を下回っている。

2 ✕ 上3桁（千億円の位）で概算すると、平成26年度から平成30年度の経常利益の合計は、646
+ 682 + 750 + 836 + 839 = 3,753[千億円] = 375.3[兆円]となるので、400兆円を下回っている。

3 ✕ 平成26年度の経常利益は645,861億円で、平成27年度は平成26年度に比べて682,201 − 645,861
= 36,340[億円]だけ増加している。645,861の10%が64,586.1だから、36,340は10%未満である。

4 〇 平成26年度の売上高は $\dfrac{645{,}861[億円]}{4.5\%}$ で、平成29年度の売上高は $\dfrac{835{,}543[億円]}{5.4\%}$ である。

$\dfrac{645{,}861[億円]}{4.5\%}$ の分母と分子をそれぞれ6倍すると $\dfrac{645{,}861[億円] \times 6}{4.5\% \times 6} = \dfrac{645{,}861[億円] \times 6}{27\%}$、

$\dfrac{835{,}543[億円]}{5.4\%}$ の分母と分子をそれぞれ5倍すると $\dfrac{835{,}543[億円] \times 5}{5.4\% \times 5} = \dfrac{835{,}543[億円] \times 5}{27\%}$ と

なる。$\dfrac{645{,}861[億円] \times 6}{27\%}$ と $\dfrac{835{,}543[億円] \times 5}{27\%}$ は分母が等しいので、分子の大小で値を比較でき、

645,861 × 6 < 650,000 × 6 = 3,900,000で、835,543 × 5 > 800,000 × 5 = 4,000,000だから、835,543 × 5の方
が大きい。よって、平成29年度の売上高の方が多い。

5 ✕ 平成27年度の経常利益は682,201億円で、平成28年度は平成27年度に比べて749,872 − 682,201
= 67,671[億円]だけ増加している。682,201の10%が68,220.1だから、67,671は10%より小さい。一
方、平成28年度の経常利益は749,872億円で、平成29年度は平成28年度に比べて835,543 − 749,872 =
85,671[億円]だけ増加している。749,872の10%が74,987.2だから、85,671は10%より大きい。よって、
平成29年度の対前年増加率の方が大きい。

| | | 資料解釈 | 構成比の表 | | | 2023年度 ❶
教養 No.49 | |

次の表は、我が国の地域別の農業産出額の割合を表している。この表からいえることとして、最も妥当なのはどれか。

	米	野菜	耕種 その他	乳用牛	肉用牛	畜産 その他	産出額 （億円）
北海道	9.5%	16.9%	15.7%	39.3%	7.6%	11.0%	12,667
東北	31.8%	18.3%	19.3%	4.8%	6.5%	19.3%	14,426
北陸	60.4%	13.4%	9.4%	2.5%	1.6%	12.7%	4,142
関東 東山	15.3%	35.8%	21.0%	7.3%	3.7%	16.9%	19,845
東海	13.3%	30.0%	26.1%	6.4%	5.3%	18.9%	6,916
近畿	26.0%	24.2%	29.3%	5.2%	5.8%	9.5%	4,549
中国	21.9%	20.6%	18.2%	8.9%	7.6%	22.8%	4,577
四国	12.4%	36.6%	28.7%	3.8%	3.7%	14.8%	4,103
九州	9.2%	24.9%	19.1%	4.6%	16.3%	25.9%	17,422
沖縄	0.5%	14.0%	41.9%	4.0%	21.8%	17.8%	910

※　東山は山梨県と長野県とする。

1　各地域の産出額に対する「米」、「野菜」、「耕種その他」の割合の合計は、どの地域も、「乳用牛」、「肉用牛」、「畜産その他」の割合の合計より10%以上高い。

2　北陸の「米」の産出額は約2,501億円であるが、全国の「米」の産出額に占める割合は20%以上である。

3　近畿の「畜産その他」の産出額は約432億円であり、全国の「畜産その他」の産出額の中で最も少ない。

4　地域別の農産物のうち産出額が5,000億円を超えているのは、関東東山の「野菜」と北海道の「乳用牛」である。

5　地域別の「米」の産出額が最も高いのは東北で、その額は北海道の「米」の産出額の3倍以上である。

解 説　　**正解　5**　　　　　　　　　　　TAC生の正答率 **57%**

1　×　北海道についてみると、「米」、「野菜」、「耕種その他」の割合の合計は9.5 + 16.9 + 15.7 = 42.1％であり、残りである「乳用牛」、「肉用牛」、「畜産その他」の割合の合計は100 − 42.1 = 57.9％である。よって、「米」、「野菜」、「耕種その他」の割合の合計が「乳用牛」、「肉用牛」、「畜産その他」の割合の合計より10％以上高くはない。

2　×　北陸の「米」の産出額は4,142 × 60.4％ ≒ 2,501［億円］である。これが、全国の「米」の20％以上であるということは、全国の「米」の産出額が2,501 × 5 = 12,505［億円］以下であることと同じである。地域数が多いので、「米」の産出額が大きい地域だけ選んで概算で見積もると、北海道が12,000 × 9％ ≒ 1,000、東北が14,000 × 30％ = 4,200、北陸が2,500、関東東山が20,000 × 15％ = 3,000、東海が7,000 × 13％ ≒ 900、近畿が4,500 × 26％ ≒ 1,100、九州が17,000 × 9％ ≒ 1,500より、上記の一部地域だけでも「米」の産出額は1,000 + 4,200 + 2,500 + 3,000 + 900 + 1,100 + 1,500 = 14,200となり、12,505を超える。

3　×　近畿の「畜産その他」の産出額は4,549 × 9.5％ ≒ 432［億円］であるが、沖縄のそれは、910 × 17.8％ ＜ 910 × 20％ = 182［億円］より、432億円を下回る。よって、近畿の「畜産その他」の産出額が全国の「畜産その他」の産出額の中で最も少ないとは言えない。

4　×　北海道の「乳用牛」は12,667 × 39.3％であるが、12,667 × 39.3％ = 12,667 × 40％ − 12,667 × 0.7％ = 5,066.8 − 12.667 × 7 ＜ 5,066.8 − 12 × 7 ＜ 5,000であり、5,000億円は超えていない。

5　○　**2**の概算値をみれば、「米」の産出額のうち最も高いのは東北であり、その額は北海道の3倍以上である。実際、東北の「米」の産出額は14,226 × 31.8％であり、北海道のそれは12,667 × 9.5％であるが、東北の産出額14,226が北海道の産出額12,667を超えており、割合だけでも31.8 ＞ 9.5 × 3 = 28.5であり、東北は北海道の3倍を超える。

数的推理　空間把握　資料解釈

次の表は、研究主体別に活動の状況を示したものである。この表からいえることとして、最も妥当なのはどれか。

	研究関係 従業者数 （人）	研究関係従業者 数に対する 研究者の割合 （％）	総支出に対する 内部使用 研究費比率 （％）	研究者一人当た り内部使用 研究費 （100万円）
大学等	410,735	72.3	40.0	12.52
国立	195,881	68.9	46.7	10.80
公立	30,273	70.3	34.2	11.01
私立	184,581	76.3	36.9	14.40

1　私立の総支出は、大学等の総支出の50％を超えていない。

2　内部使用研究費について、私立は公立の10倍を超えている。

3　内部使用研究費は、国立よりも私立の方が多い。

4　大学等の研究者数は、公立の研究者数の15倍を上回っている。

5　国立の総支出は、公立の総支出の6倍を超えている。

解 説　　**正解　3**　　TAC生の正答率　**54%**

　研究関係従業者数［人］をa、研究関係従業者数に対する研究者の割合［%］をb、総支出に対する内部使用研究費比率［%］をc、研究者一人当たり内部使用研究費［100万円］をdとおくと、研究者数［人］$= a \times b$となる。内部使用研究費は、研究者一人当たり内部使用研究費［100万円］×研究者数で求められるから、内部使用研究費［100万円］$= d \times a \times b$となる。総支出に対する内部使用研究費比率［%］$= \dfrac{\text{内部使用研究費}}{\text{総支出}}$であるから、総支出$= \dfrac{\text{内部使用研究費}}{\text{総支出に対する内部使用研究費比率}}$となり、総支出$= \dfrac{d \times a \times b}{c}$となる。

1　**×**　私立の総支出が、大学等の総支出の50%を超えていないということは、私立の総支出の2倍が大学等の総支出より小さいということと同じである。私立の総支出の2倍は、$\dfrac{14.40 \times 184{,}581 \times 76.3\%}{36.9\%} \times 2$であり、$\dfrac{14.40 \times 184{,}581 \times 76.3\%}{36.9\%} \times 2 > \dfrac{14 \times 184{,}000 \times 74}{37} \times 2 = 14 \times 184{,}000 \times 4 = \dfrac{14 \times 184{,}000 \times 16}{4}$より、$\dfrac{14 \times 184{,}000 \times 16}{4}$［100万円］より大きい。大学等の総支出は、$\dfrac{12.52 \times 410{,}735 \times 72.31\%}{40.0\%}$であり、$\dfrac{12.52 \times 410{,}735 \times 72.31\%}{40.0\%} < \dfrac{13 \times 411{,}000 \times 73}{40} = \dfrac{13 \times 411{,}000 \times 7.3}{4}$より、$\dfrac{13 \times 411{,}000 \times 7.3}{4}$［100万円］より小さい。それぞれの分子を比較すると、$14 \times 184 \times 16 = 41{,}216$と、$13 \times 411 \times 7.3 = 39{,}004$であり、$41{,}216 > 39{,}004$となるから、私立の総支出の2倍が大学等の総支出より大きい。よって、私立の総支出は、大学等の総支出の50%を超えている。

2　**×**　私立の内部使用研究費は、$14.40 \times 184{,}581 \times 76.3\% < 15 \times 190{,}000 \times 0.8 = 2{,}280{,}000$［100万円］であり、公立の内部使用研究費の10倍は、$11.01 \times 30{,}273 \times 70.3\% \times 10 > 11 \times 30{,}000 \times 0.7 \times 10 = 2{,}310{,}000$［100万円］である。よって、内部使用研究費について、私立は公立の10倍を超えていない。

3　**○**　国立の内部使用研究費は、$10.80 \times 195{,}881 \times 68.9\% < 11 \times 200{,}000 \times 70\% = 1{,}540{,}000$［100万円］であり、私立の内部使用研究費は、$14.40 \times 184{,}581 \times 76.3\% > 14 \times 184{,}000 \times 75\% = 1{,}932{,}000$［100万円］であるため、内部使用研究費は、国立よりも私立の方が多い。

4　**×**　大学等の研究者数は、$410{,}735 \times 72.3\% < 420{,}000 \times 75\% = 315{,}000$［人］で、公立の研究者数の15倍は、$30{,}273 \times 70.3\% \times 15 > 30{,}000 \times 0.7 \times 15 = 315{,}000$［人］である。よって、大学等の研究者数は、公立の研究者数の15倍を上回っていない。

5　**×**　国立の総支出は、$\dfrac{10.80 \times 195{,}881 \times 68.9\%}{46.7\%} \fallingdotseq \dfrac{11 \times 196{,}000 \times 70}{47}$［100万円］となり、公立の総支出の6倍は、$\dfrac{11.01 \times 30{,}273 \times 70.3\%}{34.2\%} \times 6 \fallingdotseq \dfrac{11 \times 30{,}000 \times 70}{34} \times 6 = \dfrac{11 \times 180{,}000 \times 70}{34}$［100万円］となる。$180{,}000 \times 1.1 = 198{,}000$で、$34 \times 1.1 = 37.4$であるから、$\dfrac{11 \times 180{,}000 \times 70}{34} = \dfrac{11 \times 198{,}000 \times 70}{37.4}$で、$\dfrac{11 \times 196{,}000 \times 70}{47} < \dfrac{11 \times 198{,}000 \times 70}{37.4}$となる。よって、国立の総支出は、公立の総支出の6倍を超えていない。

資料解釈 — 総数と構成比のグラフ

次のグラフは我が国のある県における工業製品出荷額とその割合を表したものである。このグラフからいえるア～エの記述の正誤の組合せとして、最も妥当なのはどれか。

工業製品出荷額とその割合

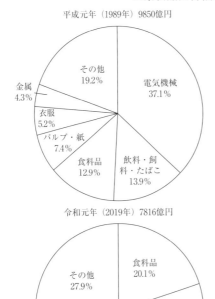

平成元年（1989年）9850億円

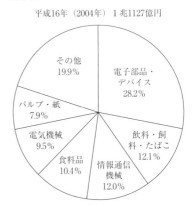

平成16年（2004年）1兆1127億円

令和元年（2019年）7816億円

ア 「電気機械」の製品出荷額は、調査年ごとに減少している。

イ 「パルプ・紙」の製品出荷額は、調査年ごとに増加している。

ウ 「食料品」の製品出荷額は、調査年ごとに増加している。

エ 「電子部品・デバイス」の製品出荷額は、令和元年には平成16年の半分以下に減少している。

	ア	イ	ウ	エ
1	正	正	正	誤
2	正	正	誤	正
3	正	誤	正	誤
4	正	誤	正	正
5	誤	正	誤	正

解説　　**正解　2**

ア　〇　「電気機械」の製品出荷額について、平成元年は9,850［億円］×37.1％で、9,850×37.1％＞9,800×30％＝2,940より、2,940億円よりも大きい。平成16年は11,127［億円］×9.5％で、11,127×9.5％＜11,200×10％＝1,120より、1,120億円よりも小さい。よって、（平成元年の出荷額）＞（平成16年の出荷額）となる。また、平成16年は11,127×9.5％＞11,000×9％＝990より、990億円よりは大きい。令和元年は7,816［億円］×11.1％で、7,816×11.1％＜8,000×12％＝960より、960億円よりも小さい。よって、（平成16年の出荷額）＞（令和元年の出荷額）となる。以上より、「電気機械」の製品出荷額は調査年ごとに減少している。

イ　〇　「パルプ・紙」の製品出荷額について、平成元年は9,850［億円］×7.4％で、平成16年は11,127［億円］×7.9％であり、総出荷額と構成比はどちらも平成16年の方が大きいから、（平成元年の出荷額）＜（平成16年の出荷額）となる。また、平成16年は11,127×7.9％＜11,200×8％＝896より、896億円よりも小さい。令和元年は7,816［億円］×12.6％で、7,816×12.6％＞7,800×12％＝780＋78×2＝936より、936億円よりも大きい。よって、（平成16年の出荷額）＜（令和元年の出荷額）となる。以上より、「パルプ・紙」の製品出荷額は調査年ごとに増加している。

ウ　✕　「食料品」の製品出荷額について、平成元年は9,850［億円］×12.9％で、9,850×12.9％＞9,800×12％＝980＋98×2＝1,176より、1,176億円よりも大きい。平成16年は11,127［億円］×10.4％で、11,127×10.4％＜11,200×10.5％＝1,120＋112÷2＝1,176より、1,176億円よりも小さい。よって、（平成元年の出荷額）＞（平成16年の出荷額）となるので、「食料品」の製品出荷額は調査年ごとに増加してはいない。

エ　〇　「電子部品・デバイス」の製品出荷額について、平成16年は11,127［億円］×28.2％であり、その半分は11,127［億円］×28.2％÷2＝11,127［億円］×14.1％である。これは、11,000［億円］×14％＝1,100＋444＝1,554［億円］より大きい。一方、令和元年は7,816［億円］×18.9％であり、7,816×18.9％＜7,820×19％＝782×2－78.2＝1,485.8［億円］より、1,554億円よりも小さい。よって、令和元年の出荷額は平成16年の半分以下である。

以上より、ア＝正、イ＝正、ウ＝誤、エ＝正となるから、正解は**2**である。

資料解釈　　総数と構成比のグラフ

2023年度 ❷
教養 No.49

数的推理

空間把握

資料解釈

次のグラフは、我が国のA〜D県の製造品出荷額とその内訳（上位5品目）を示したものである。このグラフからいえるア〜ウの記述の正誤の組合せとして、最も妥当なのはどれか。

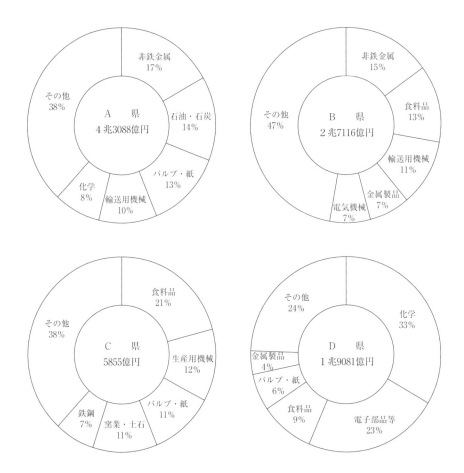

ア　A県の非鉄金属の出荷額はC県全体の出荷額より大きい。

イ　化学の出荷額は、A県よりもD県のほうが大きい。

ウ　D県の食料品の出荷額はB県の食料品の出荷額の50%以上である。

	ア	イ	ウ
1	誤	正	正
2	誤	正	誤
3	正	誤	正
4	正	正	誤
5	正	誤	誤

解 説 **正解 4**

ア ○ A県の非鉄金属の出荷額は43,088［億円］×17％で、43,088×17％＞40,000×15％＝6,000より、6,000億円よりも大きい。C県全体の出荷額は5,855億円であるから、A県の非鉄金属の出荷額はC県全体の出荷額より大きい。

イ ○ A県の化学の出荷額は43,088［億円］×8％で、43,088×8％＜45,000×8％＝3,600より、3,600億円よりも小さい。D県の化学の出荷額は19,081［億円］×33％で、19,081×33％＞19,000×30％＝5,700より、5,700億円よりも大きい。よって、化学の出荷額はA県よりもD県のほうが大きい。

ウ ✕ D県の食料品の出荷額は19,081［億円］×9％で、19,081×9％＜19,100×(10−1)％＝1,910−191＝1,719より、1,719億円よりも小さい。B県の食料品の出荷額の50％は27,116［億円］×13％×50％で、27,116×13％×50％＞27,000×13％×50％＝3,510×50％＝1,755より、1,755億円よりも大きい。よって、D県の食料品の出荷額は、B県の食料品の出荷額の50％以上ではない。

以上より、ア＝正、イ＝正、ウ＝誤となるので、正解は**4**である。

資料解釈　　総数と構成比のグラフ

次の表は、2018年の訪日外国人1人当たり旅行支出を示したものである。また、次のグラフは2018年の訪日外国人1人当たり旅行支出の費目別構成比を示したものである。この表とグラフからいえることとして、最も妥当なのはどれか。

2018年の訪日外国人1人当たり旅行支出　　　　　　　（単位：円）

	韓国	中国	タイ	インド	米国
1人当たり旅行支出	78,084	224,870	124,421	161,423	191,539

2018年の訪日外国人1人当たり旅行支出の費目別構成比

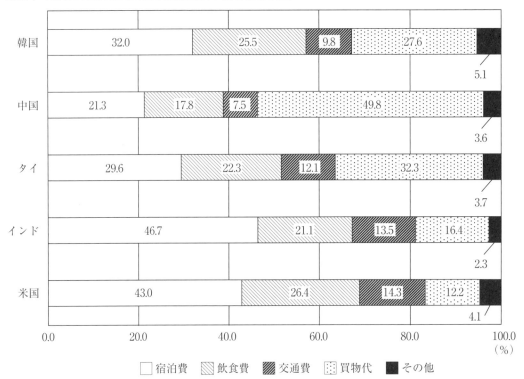

1 米国の1人当たりの「交通費」は、韓国の1人当たりの「買物代」を下回っている。

2 1人当たりの「飲食費」と1人当たりの「その他」の差額を国籍別に比べると、タイの方が中国よりも大きい。

3 インドの1人当たりの「買物代」は、韓国の1人当たりの「宿泊費」を上回っている。

4 米国の1人当たりの「宿泊費」と1人当たりの「交通費」の合計額は、中国のそれの2倍を上回っている。

5 タイの1人当たりの「飲食費」は、インドの1人当たりの「その他」の10倍を上回っている。

解説　　**正解　3**　　TAC生の正答率　**57%**

1　✕　米国の1人当たりの「交通費」は191,539円×14.3％で、韓国の1人当たりの「買物代」は78,084円×27.6％である。それぞれの値を2倍すると、191,539×14.3％×2＝191,539×28.6％と78,084×27.6％×2＝156,168×27.6％となり、191,539＞156,168、28.6％＞27.6％より、191,539×28.6％＞156,168×27.6％となる。よって、米国の1人当たりの「交通費」は、韓国の1人当たりの「買物代」を上回っている。

2　✕　タイの1人当たりの「飲食費」と1人当たりの「その他」の差額は124,421円×（22.3－3.7）％＝124,421円×18.6％で、中国の1人当たりの「飲食費」と1人当たりの「その他」の差額は224,870円×（17.8－3.6）％＝224,870×14.2％である。124,421円×18.6％＜124,421×20％÷12,442×2＝24,884だから、タイの差額は24,884円より小さい。224,870×14.2％＞224,870×12％＝22,487＋2,248.7×2≒26,984だから、中国の差額は26,984円より大きい。よって、タイの方が中国よりも小さい。

3　〇　インドの1人当たりの「買物代」は161,423円×16.4％で、韓国の1人当たりの「宿泊費」は78,084円×32.0％である。それぞれの値を2倍すると、161,423×16.4％×2＝161,423×32.8％と78,084×32.0％×2＝156,168×32.0％となり、161,423＞156,168、32.8％＞32.0％より、161,423×32.8％＞156,168×32.0％となる。よって、インドの1人当たりの「買物代」は韓国の1人当たりの「宿泊費」を上回っている。

4　✕　米国の1人当たりの「宿泊費」と1人当たりの「交通費」の合計額は191,539円×（43.0＋14.3）％＝191,539円×57.3％で、中国のそれの2倍は224,870円×（21.3＋7.5）％×2＝224,870円×57.6％である。191,539＜224,870、57.3％＜57.6％より191,539円×57.3％＜224,870×57.6％であるから、米国の1人当たりの「宿泊費」と1人当たりの「交通費」の合計額は中国のそれの2倍を下回っている。

5　✕　タイの1人当たりの「飲食費」は124,421円×22.3％で、インドの1人当たりの「その他」の10倍は161,423円×2.3％×10＝161,423円×23.0％である。124,421＜161,423、22.3％＜23.0％より、124,421円×22.3％＜161,423円×23.0％であるから、タイの1人当たりの「飲食費」は、インドの1人当たりの「その他」の10倍を下回っている。

次の表とグラフは、A～Dの4か国の、表で示された1995年時の燃料燃焼によるCO_2排出量の実数を100として、各年のCO_2排出量の指数と推移を示したものである。この表とグラフからいえることとして、最も妥当なのはどれか。なお、グラフ中の2015年の指数は、C国が85.0、D国が85.2である。

（単位：100万t）

	A国	B国	C国	D国
燃料燃焼によるCO_2排出量	5,073.9	513.8	343.6	856.6

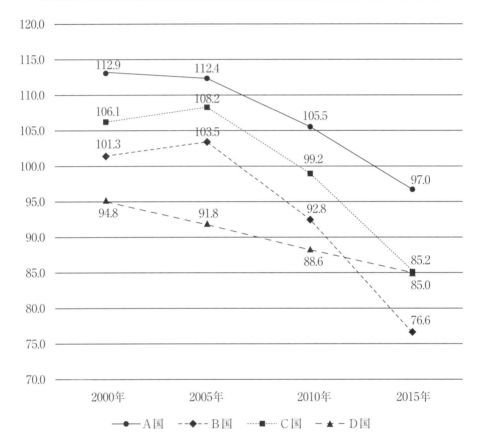

1　A～Dの4か国の燃料燃焼によるCO_2排出量の合計は、最も大きい年で80億tを超えている。

2　2000年のA国の燃料燃焼によるCO_2排出量は、同年のB国のそれの10倍に満たない。

3　2000年と比較した2005年の燃料燃焼によるCO_2排出量の増加分は、B国よりもC国のほうが大きい。

4　2010年のC国の燃料燃焼によるCO_2排出量は、同年のD国のそれの5割に満たない。

5　2015年のA国とD国の燃料燃焼によるCO_2排出量の合計は、1995年のそれよりも10%以上減少している。

解説　　正解　**4**

1995年時の燃料燃焼によるCO_2排出量をA国5,074［100万t］、B国514［100万t］、C国344［100万t］、D国857［100万t］として計算する。

1 ✕ 　燃料燃焼によるCO_2排出量の指数を大きく見積もって、A国120、B国110、C国110、D国100とすると、グラフ中のどの年よりも大きくなる。$5,074×120\% + 514×110\% + 344×110\% + 857×100\% ≒ 6,089 + 565 + 378 + 857 = 7,889$［100万t］$= 78.89$［億t］となり、大きく見積もっても80億tを超えていない。

2 ✕ 　2000年のA国の燃料燃焼によるCO_2排出量は、$5,074×112.9\% > 5,000×110\% = 5,500$で、5,500［100万t］より多い。同年のB国のそれの10倍は、$514×101.3\%×10 = 5,140×101.3\% < 5,200×102\% = 5,304$で、5,304［100万t］より少ない。よって、2000年のA国の燃料燃焼によるCO_2排出量は、同年のB国のそれの10倍を超えている。

3 ✕ 　2000年から2005年のB国の燃料燃焼によるCO_2排出量の増加分は、$514×(103.5 - 101.3)\% = 514×2.2\%$である。C国のそれは、$344×(108.2 - 106.1)\% = 344×2.1\%$であり、$514 > 344$、$2.2\% > 2.1\%$であるから、$514×2.2\% > 344×2.1\%$となる。よって、B国よりもC国の方が大きくはない。

4 〇 　2010年のC国の燃料燃焼によるCO_2排出量は、$344×99.2\% < 344×100\% = 344$より、大きく見積もっても344［100万t］より少ない。同年のD国のそれの5割は、$857×88.6\%×0.5 > 857×85\%×0.5 = 364$より、少なく見積もっても364［100万t］より多い。よって、2010年のC国の燃料燃焼によるCO_2排出量は、同年のD国のそれの5割に満たない。

5 ✕ 　2015年のA国とD国の燃料燃焼によるCO_2排出量の合計は$5,074×97\% + 857×85.2\%$、1995年のそれは$5,074 + 857$であるので、減少量は$5,074 + 857 - (5,074×97\% + 857×85.2\%) = 5,074×3\% + 857×14.8\% ≒ 51×3 + 86 + 9×4 + 1×8 = 283$［100万t］となる。$5,074 + 857 = 5,931$［100万t］の10%は約593［100万t］であるので、10%以上減少していない。

資料解釈　　増減率の表

　次の表は、日経平均株価上昇・下落それぞれの上位10位までを表している。この表からいえるア～ウの記述の正誤の組合せとして、最も妥当なのはどれか。

株価の歴史的上昇・下落（日経平均）（2020年 5 月31日時点）

日経平均株価・上昇幅上位

	日付	上昇幅（円）	上昇率（％）
1	1990.10.2	2,676.55	13.24
2	1987.10.21	2,037.32	9.30
3	1994.1.31	1,471.24	7.84
4	1990.3.26	1,468.33	4.83
5	2020.3.25	1,454.28	8.04
6	1990.8.15	1,439.59	5.40
7	2015.9.9	1,343.43	7.71
8	1992.4.10	1,252.51	7.55
9	1988.1.6	1,215.22	5.63
10	2020.3.24	1,204.57	7.13

日経平均株価・下落幅上位

	日付	下落幅（円）	下落率（％）
1	1987.10.20	− 3,836.48	− 14.90
2	1990.4.2	− 1,978.38	− 6.60
3	1990.2.26	− 1,569.10	− 4.50
4	1990.8.23	− 1,473.28	− 5.84
5	2000.4.17	− 1,426.04	− 6.98
6	1991.8.19	− 1,357.61	− 5.95
7	1990.3.19	− 1,353.20	− 4.15
8	2016.6.24	− 1,286.33	− 7.92
9	1987.10.23	− 1,203.23	− 4.93
10	1990.2.21	− 1,161.19	− 3.15

ア　1990.10.2の前日と1987.10.20の前日について、株価が高かったのは1987.10.20の前日である。

イ　上昇幅上位第 1 位～第10位のうち、前日の株価が 2 万円を超えていた日数は 6 日である。

ウ　下落幅上位第 6 位と第 7 位の日について、当日の株価が高かったのは第 7 位の日である。

	ア	イ	ウ
1	正	正	正
2	正	正	誤
3	正	誤	正
4	誤	正	正
5	誤	誤	誤

上昇率[%]＝$\dfrac{\text{上昇幅}}{\text{前日の株価}}$×100であるから、前日の株価＝$\dfrac{\text{上昇幅}}{\text{上昇率}}$×100となる。下落に関しては分母と分子にともにマイナスがつくだけであるから、初めからマイナスを除いた数値で計算できる。

ア　○　1990.10.2の前日の株価は$\dfrac{2,676.55}{13.24}$×100、1987.10.20の前日の株価は$\dfrac{3,836.48}{14.9}$×100となる。

概算で$\dfrac{2,700}{13}$×100≒20,800、$\dfrac{3,800}{15}$×100≒25,300であるので、1987.10.20の前日の株価の方が高い。

イ　×　前日の株価が2万円を超えているより、20,000＜$\dfrac{\text{上昇幅}}{\text{上昇率}}$×100が成り立ち、両辺を100で割

ると、200＜$\dfrac{\text{上昇幅}}{\text{上昇率}}$（…①）となる。ここで、200＝$\dfrac{1,500}{7.5}$より、分母が7.5より大きく、分子が

1,500より小さい場合、すなわち、上昇率が7.5％より大きく、上昇幅が1,500円より小さい場合は、

$\dfrac{\text{上昇幅}}{\text{上昇率}}$＜200となり、①を満たさないので、前日の株価は2万円を超えない。上昇幅第3位、第

5位、第7位、第8位は、上昇率が7.5％より大きく、上昇幅が1,500円より小さいので、前日の株価は2万円を超えない。また、第10位も7.13×200＝1,426であり、上昇幅は約1,204円であるから、2万円を超えていない。よって、2万円を超えていなかった日数が5日以上あるので、2万円を超えていた日数は6日ではない。

ウ　○　下落幅上位第6位と第7位の下落幅はほぼ同じであるので、前日の株価が高い方が、当日の

株価も高いことになる。下落幅上位第6位の日の前日の株価は$\dfrac{1,357.61}{5.95}$×100、第7位の日の前日

の株価は$\dfrac{1,353.20}{4.15}$×100である。分子をほぼ同じとすると、分母が小さい第7位の日の前日の方が

株価は高い。よって、当日の株価が高かったのも第7位の日の方である。

以上より、ア＝正、イ＝誤、ウ＝正となるので、正解は**3**である。

資料解釈　　増減率の表

次の表は、我が国に在留する外国人の在留資格別の人数を示したものである。この表からいえることとして、最も妥当なのはどれか。なお、表中の「対前年」は、前年末に対する増減率のことである。

（平成30年末実績　単位：人）

国籍		計	特別永住者	中長期在留者	永住者	留学	技能実習	その他
総数		2,731,093	321,416	2,409,677	771,568	337,000	328,360	972,749
	対前年	6.6%	− 2.5%	8.0%	3.0%	8.2%	19.7%	−
中国		764,720	872	763,848	260,963	132,411	77,806	292,668
	対前年	4.6%	− 15.1%	4.7%	4.9%	6.5%	0.3%	−
韓国		449,634	288,737	160,897	71,094	17,056	1	72,746
	対前年	− 0.2%	− 2.4%	3.9%	2.5%	7.2%	− 92.3%	−
ベトナム		330,835	3	330,832	16,043	81,009	164,499	69,281
	対前年	26.1%	50.0%	26.1%	7.6%	12.1%	33.1%	−
フィリピン		271,289	48	271,241	129,707	3,010	30,321	108,203
	対前年	4.1%	2.1%	4.1%	1.8%	26.7%	9.0%	−
ブラジル		201,865	29	201,836	112,934	553	7	88,342
	対前年	5.5%	3.6%	5.5%	0.1%	14.5%	− 22.2%	−
ネパール		88,951	3	88,948	4,480	28,987	257	55,224
	対前年	11.1%	0.0%	11.1%	8.2%	7.0%	43.6%	−
その他		623,799	31,724	592,075	176,347	73,974	55,469	286,285
	対前年	−	−	−	−	−	−	−

1　国籍別に永住者の対前年末増加人数と留学の対前年末増加人数をそれぞれみると、対前年末増加人数が最も多いのは中国の永住者である。

2　韓国の特別永住者の前年末の人数は、ベトナムの中長期在留者の前年末の人数より少ない。

3　平成30年末の中国、韓国、ベトナムの3国の在留者数を合計しても、平成30年末の在留者の総数の半分に満たない。

4　総数において、永住者、留学、技能実習の対前年末増加人数をそれぞれ比較すると、対前年末増加人数が最も多いのは永住者である。

5　韓国とブラジルの前年末の技能実習の人数を比較すると、ブラジルの方が多い。

解説　　**正解　1**　　

1 〇　中国の永住者の対前年末増加人数は$260{,}963 \times \dfrac{4.9\%}{104.9\%}$である。$\dfrac{4.9\%}{104.9\%} > \dfrac{4.4}{110} = \dfrac{4}{100}$より、値は260,963の4％より多い。260,963の1％が約2,610で、4％が$2{,}610 \times 4 = 10{,}440$だから、中国の永住者の対前年末増加人数は10,440人より多い。今年度末人数が最も多いのは中国だから、割合の部分が4％より小さい韓国、フィリピン、ブラジルの対前年末増加人数は確実に中国より少ない。ベトナムの対前年末増加人数は$16{,}043 \times \dfrac{7.6\%}{107.6\%}$であり、$\dfrac{7.6\%}{107.6\%} < \dfrac{10}{100}$より、値は16,043の10％より少ない。16,043の10％が約1,604だから、ベトナムの対前年末増加人数は1,604人より少ない。ネパールの今年の人数は4,480人だから、対前年末増加人数は確実に4,480人より少ない。以上より、対前年末増加人数が最も多いのは中国の永住者である。また、中国の留学の対前年末増加人数は$132{,}411 \times \dfrac{6.5\%}{106.5\%}$である。$\dfrac{6.5\%}{106.5\%} > \dfrac{5.5}{110} = \dfrac{5}{100}$より、値は132,411の5％より多く、132,411の10％が約13,241で、5％が$13{,}241 \div 2 = 6{,}621$だから、中国の留学の対前年末増加人数は6,621人より多い。中国を除く表中の国の留学を見ると、ベトナムが今年末人数、対前年末増加率ともに最大であるから、対前年末増加人数が最も多いのはベトナムである。ベトナムの対前年末増加人数は$81{,}009 \times \dfrac{12.1\%}{112.1\%}$であり、$\dfrac{12.1\%}{112.1\%} < \dfrac{12.1}{110} = \dfrac{11}{100}$より、値は81,009の11％より少ない。81,009の10％が約8,101で、1％が約810で、11％が$8{,}101 + 810 = 8{,}911$だから、ベトナムの対前年末増加人数は8,911人より少ない。以上より、対前年末増加人数が最も多いのは中国の永住者である。

2 ✕　韓国の特別永住者の前年末の人数は$\dfrac{288{,}737}{97.6\%}$で、ベトナムの中長期在留者の前年末の人数は$\dfrac{330{,}832}{126.1\%}$である。$\dfrac{288{,}737}{97.6\%}$の分母と分子を1.2倍すると$\dfrac{288{,}737 \times 1.2}{97.6\% \times 1.2} \fallingdotseq \dfrac{288{,}737 + 28{,}874 \times 2}{(97.6 + 9.8 \times 2)\%} \fallingdotseq \dfrac{346{,}485}{117.2\%}$となる。$\dfrac{346{,}485}{117.2\%}$と$\dfrac{330{,}832}{126.1\%}$を比較すると$\dfrac{346{,}485}{117.2\%}$の方が、分子が大きく、分母が小さいから、分数の値は大きい。よって、韓国の特別永住者の方が多い。

3 ✕　平成30年末の在留者の総数の半分は$2{,}731{,}093 \div 2 \fallingdotseq 1{,}365{,}547$［人］である。中国、韓国、ベトナムの3国の在留者の合計は$764{,}720 + 449{,}634 + 330{,}835 > 760{,}000 + 440{,}000 + 330{,}000 = 1{,}530{,}000$より1,530,000人を上回っているから、総数の半分を超えている。

4 ✕　永住者の総数の対前年末増加人数は$771{,}568 \times \dfrac{3.0\%}{103.0\%}$である。$\dfrac{3.0\%}{103.0\%} < \dfrac{3}{100}$より、値は771,568の3％より少ない。771,568の1％が約7,716で、3％が$7{,}716 \times 3 = 23{,}148$だから、永住者の対前年末増加人数は23,148人より少ない。技能実習を見ると、総数の対前年末増加人数は$328{,}360 \times \dfrac{19.7\%}{119.7\%}$である。$\dfrac{19.7\%}{119.7\%} > \dfrac{12}{120} = \dfrac{10}{100}$より、値は328,360の10％より多い。328,360の10％が32,836だから、技能実習の対前年末増加人数は32,836人より多い。よって、対前年末増加人数が最も多いのは永住者ではない。

5 ✕　韓国の前年末の技能実習の人数は$\dfrac{1}{7.7\%} \fallingdotseq 13$［人］で、ブラジルの前年末の技能実習の人数は$\dfrac{7}{77.8\%} \fallingdotseq 9$［人］である。よって、ブラジルの方が少ない。

警視庁（警察官Ⅰ類）問題文の出典について

本書掲載の現代文・英文の問題文は、以下の著作物からの一部抜粋です。

■ 本　冊

p.120　西海 コエン／マイケル・ブレーズ訳『地球の歴史 The History of the Earth』IBCパブリッシング（原文）
TAC公務員講座（訳文）

p.122　レオナルド・タッド・ジェイ『My Nippon あるアメリカ人教師の緻密な目を通した日本の姿』IBCパブリッシング（原文）
TAC公務員講座（訳文）

p.124　ニーナ・ウェグナー／小野寺 粛訳『死ぬまでに行ってみたい世界遺産ベスト38』IBCパブリッシング（原文）
TAC公務員講座（訳文）

p.126　James M. Vardaman／渡辺 愛子訳『対訳 あらすじで読む英国の歴史』KADOKAWA（原文）
TAC公務員講座（訳文）

p.128　James M. Vardaman、神崎 正哉『毎日の英速読 頭の中に「英文読解の回路」をつくる』朝日新聞出版（原文）
TAC公務員講座（訳文）

p.130　ジェームス・M・バーダマン／小川 貴弘訳『シンプルな英語で話す日本史』ジャパンタイムズ出版（原文）
TAC公務員講座（訳文）

p.132　松本 茂、Robert Gaynor、Gail Oura『速読速聴・英単語 Advanced 1100 ver.5』Z会（原文）
TAC公務員講座（訳文）

p.134　鳥飼 慎一郎『20日間集中ジム 英文スピードリーディング 初級編』アスク出版（原文・訳文）

p.136　ジョン・ギレスピー／小野寺 粛訳『日本人がグローバルビジネスで成功するためのヒント』IBCパブリッシング（原文）
TAC公務員講座（訳文）

p.138　足立 恵子『英語で比べる「世界の常識」』講談社バイリンガル・ブックス（原文・訳文）

p.140　David S. Kidder, Noah D. Oppenheim, *The Intellectual Devotional: Revive Your Mind, Complete Your Education, and Roam Confidently with the Cultured Class*, Rodale Books [1]（原文）
デイヴィッド・S・キダー、ノア・D・オッペンハイム／小林 朋則訳『1日1ページ、読むだけで身につく世界の教養365』文響社（訳文）

p.142　ケリー・マクゴニガル／CNN English Express編『スタンフォードの「英語ができる自分」になる教室』朝日出版社（原文）
TAC公務員講座（訳文）

p.144　池田 清彦『進化論の最前線』インターナショナル新書

p.146　本江 邦夫『中・高生のための現代美術入門』平凡社ライブラリー

■ 別　冊

No.26　ニーナ・ウェグナー／高橋 早苗訳『アメリカ歳時記 American Important Holidays and Events』
　　　　IBCパブリッシング（原文）

　　　　TAC公務員講座（訳文）

No.27　しゅわぶ 美智子『心が伝わる英語の話し方 Heart to Heart English』IBCパブリッシング（原
　　　　文）

　　　　TAC公務員講座（訳文）

No.28　齋藤 繁『「体の力」が登山を変える ここまで伸ばせる健康能力』ヤマケイ新書

No.29　更科 功『絶滅の人類史 なぜ「私たち」が生き延びたのか』NHK出版新書

No.30　今泉 忠明『猫脳がわかる！』文春新書

No.31　中畑 正志『はじめてのプラトン 批判と変革の哲学』講談社現代新書

No.32　印南 一路『人生が輝く選択力 意思決定入門』中公新書ラクレ

No.33　森 弘之『2つの粒子で世界がわかる 量子力学から見た物質と力』ブルーバックス

読者特典　模範答案ダウンロードサービスのご案内

　本書には2020〜2024年の択一試験の問題・解答解説を収めていますが、読者特典として記述試験の問題と模範答案をダウンロードするサービスをご利用いただけます。

　TAC出版書籍販売サイト「CYBER BOOK STORE」からダウンロードできますので、ぜひご利用ください（配信期限：2025年10月末日）。

ご利用の手順

①　CYBER BOOK STORE（https://bookstore.tac-school.co.jp/）にアクセス

こちらのQRコードからアクセスできます

②　「書籍連動ダウンロードサービス」の「公務員」から、該当ページをご利用ください

　⇒　この際、次のパスワードをご入力ください

202611430

公務員試験

2026年度版

警視庁 科目別・テーマ別過去問題集（警察官Ⅰ類）

（2014年版　2013年6月1日　初版　第1刷発行）

2024年11月10日　初　版　第1刷発行

編 著 者	ＴＡＣ出版編集部	
発 行 者	多　田　敏　男	
発 行 所	ＴＡＣ株式会社　出版事業部	
	（ＴＡＣ出版）	

〒101-8383
東京都千代田区神田三崎町3-2-18
電話 03（5276）9492（営業）
ＦＡＸ 03（5276）9674
https://shuppan.tac-school.co.jp

印　　刷	株式会社　ワ　コ　ー	
製　　本	東京美術紙工協業組合	

© TAC 2024　　Printed in Japan

ISBN 978-4-300-11430-8
N.D.C. 317

公務員講座のご案内

大卒レベルの公務員試験に強い！

2023年度　公務員試験

公務員講座生[1]
最終合格者延べ人数[2]

5,857名

国家公務員（大卒程度）	計	**2,897**名
地方公務員（大卒程度）	計	**2,849**名
国立大学法人等	大卒レベル試験	**69**名
独立行政法人	大卒レベル試験	**15**名
その他公務員		**27**名

※1 公務員講座生とは公務員試験対策講座において、目標年度に合格するために必要と考えられる、講義、演習、論文対策、面接対策等をパッケージ化したカリキュラムの受講生です。単科講座や公開模試のみの受講生は含まれておりません。
※2 同一の方が複数の試験種に合格している場合は、それぞれの試験種に最終合格者としてカウントしています。(実合格者数は3,093名です。)
＊2024年1月31日時点で、調査にご協力いただいた方の人数です。

TACの2023年度 ＞ 👑合格実績 📢合格の声　詳しくは➡

2023年度　国家総合職試験

公務員講座生[1]

最終合格者数 **233**名

法律区分	**42**名	経済区分	**24**名
政治・国際区分	**71**名	教養区分[2]	**54**名
院卒/行政区分	**19**名	その他区分	**23**名

※1 公務員講座生とは公務員試験対策講座において、目標年度に合格するために必要と考えられる、講義、演習、論文対策、面接対策等をパッケージ化したカリキュラムの受講生です。単科講座や公開模試のみの受講生は含まれておりません。
※2 上記は2023年度目標の公務員講座最終合格者のほか、2024・2025年度目標公務員講座生の最終合格者54名が含まれています。
＊ 上記は2024年1月31日時点で調査にご協力いただいた方の人数です。

2023年度　外務省専門職試験

最終合格者総数60名のうち
50名がWセミナー講座生です。[1]

合格者占有率[2] **83.3%**

外交官を目指すなら、実績のWセミナー

※1 Wセミナー講座生とは、公務員試験対策講座において、目標年度に合格するために必要と考えられる、講義、演習、論文対策、面接対策等をパッケージ化したカリキュラムの受講生です。各種オプション講座や公開模試など、単科講座のみの受講生は含まれておりません。また、Wセミナー講座生はそのボリュームから他校の講座生と掛け持ちすることは困難です。
※2 合格者占有率は「Wセミナー講座生(※1)最終合格者数」を、「外務省専門職採用試験の最終合格者総数」で除して算出しています。
＊ 上記は2023年10月9日時点で調査にご協力いただいた方の人数です。

WセミナーはTACのブランドです

公務員講座のご案内

無料体験入学のご案内
3つの方法で TAC の講義が体験できる!

教室で体験　迫力の生講義に出席　予約不要!　最大3回連続出席OK!

1. 校舎と日時を決めて、当日TACの校舎へ
TACでは各校舎で毎月体験入学の日程を設けています。

2. オリエンテーションに参加(体験入学1回目)
初回講義「オリエンテーション」にご参加ください。体験入学ご参加の際に個別にご相談をお受けいたします。

3. 講義に出席(体験入学2・3回目)
引き続き、各科目の講義をご受講いただけます。参加者には体験用テキストをプレゼントいたします。

● 最大3回連続無料体験講義の日程はTACホームページと公務員講座パンフレットでご覧いただけます。
● 体験入学はお申込み予定の校舎に限らず、お好きな校舎でご利用いただけます。
● 4回目の講義前までにご入会手続きをしていただければ、カリキュラム通りに受講することができます。

※地方上級・国家一般職以外の講座では、最大2回連続体験入学を実施しています。また、心理職・福祉職はTAC動画チャンネルで体験講義を配信しています。
※体験入学1回目や2回目の後でもご入会手続きは可能です。「TACで受講しよう!」と思われたお好きなタイミングで、ご入会いただけます。

ビデオで体験　校舎のビデオブースで体験視聴

全国のTAC校舎のビデオブースで、講義を無料でご視聴いただけます。(要予約)

TAC各校のビデオブースでお好きな講義を体験視聴できます。視聴前日までに視聴する校舎受付までお電話にてご予約をお願い致します。

ビデオブース利用時間 ※日曜日は④の時間帯はありません。
① 9:30 ～ 12:30　② 12:30 ～ 15:30
③ 15:30 ～ 18:30　④ 18:30 ～ 21:30

※受講可能な曜日・時間帯は一部校舎により異なります。
※年末年始・夏期休業・その他特別な休業以外は、通常平日・土日祝祭日にご覧いただけます。
※予約時にご希望日とご希望時間帯を合わせてお申込みください。
※基本講義の中からお好きな科目をご視聴いただけます。(視聴できる科目は時期により異なります)
※TAC提携校での体験視聴につきましては、提携校各校へお問合せください。

Webで体験　スマートフォン・パソコンで講義を体験視聴

TACホームページの「TAC動画チャンネル」で無料体験講義を配信しています。時期に応じて多彩な講義がご覧いただけます。

TAC ホームページ https://www.tac-school.co.jp/

※体験講義は教室講義の一部を抜粋したものになります。

TAC出版 書籍のご案内

TAC出版では、資格の学校TAC各講座の定評ある執筆陣による資格試験の参考書をはじめ、資格取得者の開業法や仕事術、実務書、ビジネス書、一般書などを発行しています！

TAC出版の書籍

*一部書籍は、早稲田経営出版のブランドにて刊行しております。

資格・検定試験の受験対策書籍

- 日商簿記検定
- 建設業経理士
- 全経簿記上級
- 税理士
- 公認会計士
- 社会保険労務士
- 中小企業診断士
- 証券アナリスト

- ファイナンシャルプランナー(FP)
- 証券外務員
- 貸金業務取扱主任者
- 不動産鑑定士
- 宅地建物取引士
- 賃貸不動産経営管理士
- マンション管理士
- 管理業務主任者

- 司法書士
- 行政書士
- 司法試験
- 弁理士
- 公務員試験(大卒程度・高卒者)
- 情報処理試験
- 介護福祉士
- ケアマネジャー
- 電験三種　ほか

実務書・ビジネス書

- 会計実務、税法、税務、経理
- 総務、労務、人事
- ビジネススキル、マナー、就職、自己啓発
- 資格取得者の開業法、仕事術、営業術

一般書・エンタメ書

- ファッション
- エッセイ、レシピ
- スポーツ
- 旅行ガイド (おとな旅プレミアム/旅コン)

TAC出版

(2024年2月現在)

書籍のご購入は

1 全国の書店、大学生協、ネット書店で

2 TAC各校の書籍コーナーで

資格の学校TACの校舎は全国に展開!
校舎のご確認はホームページにて

資格の学校TAC ホームページ
https://www.tac-school.co.jp

3 TAC出版書籍販売サイトで

CYBER TAC出版書籍販売サイト
BOOK STORE

24時間
ご注文
受付中

| TAC 出版 | で | 検索 |

https://bookstore.tac-school.co.jp/

- 新刊情報を
いち早くチェック!
- たっぷり読める
立ち読み機能
- 学習お役立ちの
特設ページも充実!

TAC出版書籍販売サイト「サイバーブックストア」では、TAC出版および早稲田経営出版から刊行されている、すべての最新書籍をお取り扱いしています。
また、会員登録(無料)をしていただくことで、会員様限定キャンペーンのほか、送料無料サービス、メールマガジン配信サービス、マイページのご利用など、うれしい特典がたくさん受けられます。

サイバーブックストア会員は、特典がいっぱい!(一部抜粋)

 通常、1万円(税込)未満のご注文につきましては、送料・手数料として500円(全国一律・税込)頂戴しておりますが、1冊から無料となります。

 専用の「マイページ」は、「購入履歴・配送状況の確認」のほか、「ほしいものリスト」や「マイフォルダ」など、便利な機能が満載です。

 メールマガジンでは、キャンペーンやおすすめ書籍、新刊情報のほか、「電子ブック版TACNEWS(ダイジェスト版)」をお届けします。

 書籍の発売を、販売開始当日にメールにてお知らせします。これなら買い忘れの心配もありません。

公務員試験対策書籍のご案内

TAC出版の公務員試験対策書籍は、独学用、およびスクール学習の副教材として、各商品を取り揃えています。学習の各段階に対応していますので、あなたのステップに応じて、合格に向けてご活用ください!

やるぞー!!
来年5月6月〜本試験
学習スタート

INPUT

『みんなが欲しかった!
公務員 合格への
はじめの一歩』
A5判フルカラー
●本気でやさしい入門書
●公務員の"実際"をわかりやすく
　紹介したオリエンテーション
●学習内容がざっくりわかる入門講義

・数的処理(数的推理・判断推理・
　空間把握・資料解釈)
・法律科目(憲法・民法・行政法)
・経済科目(ミクロ経済学・マクロ経済学)

『みんなが欲しかった!
公務員 教科書&問題集』
A5判
●教科書と問題集が合体!
　でもセパレートできて学習に便利!
●「教科書」部分はフルカラー!
　見やすく、わかりやすく、楽しく学習!

・判断推理
・数的推理
・憲法
・民法
・行政法

『新・まるごと講義生中継』
A5判
TAC公務員講座講師
郷原 豊茂 ほか
●TACのわかりやすい生講義を誌上で!
●初学者の科目導入に最適!
●豊富な図表で、理解度アップ!

・郷原豊茂の憲法
・郷原豊茂の民法I
・郷原豊茂の民法II
・新谷一郎の行政法

『まるごと講義生中継』
A5判
TAC公務員講座講師
渕元 哲 ほか
●TACのわかりやすい生講義を誌上で!
●初学者の科目導入に最適!

・郷原豊茂の刑法
・渕元哲の政治学
・渕元哲の行政学
・ミクロ経済学
・マクロ経済学
・関野喬のパターンでわかる数的推理
・関野喬のパターンでわかる判断整理
・関野喬のパターンでわかる
　空間把握・資料解釈

要点まとめ

『一般知識
出るとこチェック』
四六判
●知識のチェックや直前期の暗記に
　最適!
●豊富な図表とチェックテストで
　スピード学習!

・政治・経済
・思想・文学・芸術
・日本史・世界史
・地理
・数学・物理・化学
・生物・地学

記述式対策

『公務員試験論文答案集
専門記述』
A5判
公務員試験研究会
●公務員試験(地方上級ほか)の
　専門記述を攻略するための問
　題集
●過去問と新作問題で出題が予
　想されるテーマを完全網羅!

・憲法〈第2版〉
・行政法

書籍の正誤に関するご確認とお問合せについて

書籍の記載内容に誤りではないかと思われる箇所がございましたら、以下の手順にてご確認とお問合せをしてくださいますよう、お願い申し上げます。

なお、正誤のお問合せ以外の書籍内容に関する解説および受験指導などは、一切行っておりません。
そのようなお問合せにつきましては、お答えいたしかねますので、あらかじめご了承ください。

1 「Cyber Book Store」にて正誤表を確認する

TAC出版書籍販売サイト「Cyber Book Store」の
トップページ内「正誤表」コーナーにて、正誤表をご確認ください。

URL：https://bookstore.tac-school.co.jp/

2 1 の正誤表がない、あるいは正誤表に該当箇所の記載がない ⇒ 下記①、②のどちらかの方法で文書にて問合せをする

★ご注意ください★

お電話でのお問合せは、お受けいたしません。

①、②のどちらの方法でも、お問合せの際には、「お名前」とともに、

「対象の書籍名(○級・第○回対策も含む)およびその版数(第○版・○○年度版など)」

「お問合せ該当箇所の頁数と行数」

「誤りと思われる記載」

「正しいとお考えになる記載とその根拠」

を明記してください。

なお、回答までに1週間前後を要する場合もございます。あらかじめご了承ください。

① ウェブページ「Cyber Book Store」内の「お問合せフォーム」より問合せをする

【お問合せフォームアドレス】

https://bookstore.tac-school.co.jp/inquiry/

② メールにより問合せをする

【メール宛先　TAC出版】

syuppan-h@tac-school.co.jp

※土日祝日はお問合せ対応をおこなっておりません。
※正誤のお問合せ対応は、該当書籍の改訂版刊行月末日までといたします。

乱丁・落丁による交換は、該当書籍の改訂版刊行月末日までといたします。なお、書籍の在庫状況等により、お受けできない場合もございます。

また、各種本試験の実施の延期、中止を理由とした本書の返品はお受けいたしません。返金もいたしかねますので、あらかじめご了承くださいますようお願い申し上げます。

(2022年7月現在)

2024年度第1回　問題

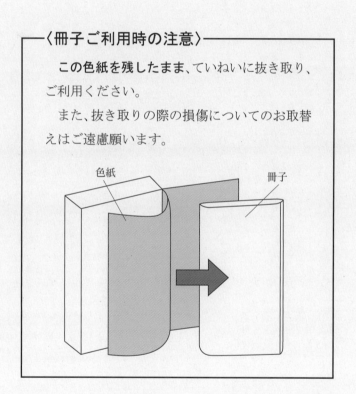

〈冊子ご利用時の注意〉

　この色紙を残したまま、ていねいに抜き取り、ご利用ください。

　また、抜き取りの際の損傷についてのお取替えはご遠慮願います。

色紙　　　　　　　　　　冊子

TAC出版

教養試験 問題

日本国憲法における人権に関する記述として、最も妥当なのはどれか。

1　憲法第19条の思想・良心の自由は私人間でも直接適用され、最高裁判所は、企業が在学中に学生運動に参加していたことを根拠に採用を拒否することは許されないと判示した。

2　憲法第21条第1項は表現の自由を規定しているが、表現の自由は民主主義を支える重要な権利であるため、たとえ私人の人権を侵害するとしても、出版の差し止めは認められない。

3　憲法第21条第2項は検閲を禁止しており、最高裁判所は、検閲は絶対的に禁止されるとしている。

4　憲法第23条は学問の自由を、憲法第26条第1項は教育を受ける権利を保障しており、いずれも社会権とは無関係である。

5　最高裁判所は、外国人にも性質上可能な限り、基本的人権の保障が認められるとしており、外国人に保障される人権の1つに入国の自由がある。

地方自治法に関する記述として、最も妥当なのはどれか。

1　地方公共団体では二元代表制が採用されており、首長と議会の議員の任期はいずれも4年、都道府県知事、市町村長と議会の議員の被選挙権はいずれも25歳以上である。

2　議会は、議員の3分の2以上が出席し、その4分の3以上が賛成すると首長に対して不信任決議をすることができるが、不信任決議がなされた場合、首長は議会に対して解散権を行使することができる。

3　地方公共団体の事務は自治事務と法定受託事務の2つであり、このうち法定受託事務は国の地方に対する是正の指示は認められるが、国による代執行は認められていない。

4　条例の制定や改廃の請求は住民発案（イニシアチブ）といわれ、有権者の3分の1以上の連署をもって議会に請求する。

5　首長や議員のほか、副知事や副市町村長も住民解職（リコール）をすることができ、請求先はいずれも選挙管理委員会である。

国際組織に関する記述として、最も妥当なのはどれか。

1 ASEANとは、東南アジア諸国連合のことであり、「ASEAN＋3」とは、ASEAN加盟国に日本・中国・韓国を加えた地域金融協力のことである。

2 BRICSとは、もともとブラジル・ロシア・イラン・中国・南アフリカの頭文字をとったものであり、本年（編者注：2024年）1月、インドなど6か国が加盟し、経済、外交面で結びつきを強めている。

3 EUとは、欧州連合のことであり、1993年に発足した経済通貨同盟であるが、加盟国すべての国でユーロを単一通貨として導入することが義務付けられている。

4 G7による主要国首脳会議（サミット）のほか、新興国の重要性が増してきたことから、20の国・地域による首脳会議（G20）も開催されているが、中国・ロシアは参加していない。

5 NATOとは、北大西洋条約機構の略称で、地域的集団安全保障の1つであるが、ロシアを中心としたワルシャワ条約機構が現在NATOに対抗する組織である。

中国の政治に関する記述中の空所A～Eに当てはまる語句の組合せとして、最も妥当なのはどれか。

1990年代に（　A　）から返還された香港と、（　B　）から返還されたマカオでは、外交や国防は中国政府が所管するが、返還後（　C　）年間は特別行政区として高度な自治が保障されている。これを（　D　）という。

もっとも、（　E　）ではいっそうの自治と民主化を求めるデモが頻発したために、2020年に中国で民主化運動などを取り締まる法律が制定された。

	A	B	C	D	E
1	イギリス	スペイン	100	一帯一路	マカオ
2	イギリス	ポルトガル	50	一国二制度	香港
3	イギリス	ポルトガル	100	一国二制度	香港
4	フランス	スペイン	50	一帯一路	マカオ
5	フランス	ポルトガル	100	一国二制度	香港

消費者問題に関する記述として、最も妥当なのはどれか。

1　消費者は、宣伝を見て買いたくなるようなデモンストレーション効果や、友人が買ったのを見て自分も買いたくなるような依存効果などによって、自律的な消費行動が阻害されている。

2　消費者問題に対応するため、国レベルで消費生活センターが設けられているほか、消費者行政を一元化するために2009年に公正取引委員会が設置されている。

3　訪問販売や電話勧誘販売の場合に、一定期間内であれば違約金や取消料を払うことなく契約を解除できる制度のことを、リコール制度という。

4　クーリング・オフ制度により、被害にあった消費者に代わって、都道府県知事の認定を受けた適格消費者団体が、被害を発生させた事業者に対して、不当な行為を差し止めるための訴訟を起こすことができる。

5　18歳や19歳の者が行った契約は、民法の未成年者取消権を行使することはできないが、消費者契約法により、不当な契約を取り消すことができる場合がある。

農業問題に関する記述として、最も妥当なのはどれか。

1　食糧管理制度は1995年に制定され、食糧の需給が安定するように、国が食糧の生産や流通・販売の管理をおこなっている。

2　我が国の食料自給率は、2000年以降、カロリーベースで50パーセントを上回っているものの、食料の多くを海外に依存していることが、食料安全保障上の問題となっている。

3　関税化とは、輸入品にかける税金である関税を払えば誰でも輸入できるようにすることをいうが、我が国においてコメは関税化されていない。

4　農作物の生産に加えて、加工・流通・販売といった第2次・第3次産業と一体化して事業を行うことを農業の4次産業化という。

5　トレーサビリティとは、流通履歴を管理して、生産から小売りまでの食品の移動の経路を把握できるようにする制度である。

次の記述中の空所A〜Cに当てはまる語句の組合せとして、最も妥当なのはどれか。

　内閣府の発表によると、2023年の日本の名目国内総生産（GDP）は、前年より5.7％（　A　）であった。米ドル換算では1.1％減で、（　B　）に抜かれて世界4位となった。その大きな理由は、日本経済の長期低迷に加えて、歴史的な（　C　）である。

	A	B	C
1	増え、過去最高額	ドイツ	円安
2	増え、過去最高額	フランス	円安
3	減り、2年連続マイナス	中国	円高
4	減り、3年連続マイナス	イギリス	円高
5	減り、3年連続マイナス	インド	円安

次の記述に当てはまる語句として、最も妥当なのはどれか。

　政府は、2050年までに温室効果ガスの排出量を実質ゼロにするという目標を掲げており、実現には、今後10年で150兆円を超える官民の投資が必要とされる。このうち20兆円を政府が支払う方針で、その財源を確保するため、本年（編者注：2024年）2月、新たに特別な国債を発行した。

1　グリーンボンド（環境債）

2　SDGs債

3　環境関連（エコ）ファンド

4　GX経済移行債

5　サムライ債

我が国における大麻の規制に関する記述として、最も妥当なのはどれか。

1　令和4年の大麻事犯の検挙人員は5,000人以上で、そのうち約7割が40歳代から60歳代までであり、中高年層を中心に大麻の乱用が拡大している。

2　昨年（編者注：2023年）12月に成立した「改正大麻取締法案（大麻取締法及び麻薬及び向精神薬取締法の一部を改正する法律案)」では、大麻を「麻薬」と位置づけ、不正な所持・使用に罰金刑のみを課すとしている。

3　「改正大麻取締法案」では、大麻草から製造された医薬品の施用と大麻草の栽培をいずれも禁止する規定が整備された。

4　大麻の有害成分に似た合成化合物を含む、いわゆる「大麻グミ」の規制についても、今回の法改正の対象となった。

5　現行の「大麻取締法」には、大麻の不正な所持、譲渡、譲受、輸入等に係る罰則はあるが、使用罪はない。

承久の乱に関する記述として、最も妥当なのはどれか。

1 後鳥羽上皇の挙兵に対して、東国武士の大多数が北条政子の呼びかけに応じて幕府側に結集すると、幕府は軍を送って京都へ進撃し、1か月余りで京都を占領した。

2 1221年、後鳥羽上皇は西国の武士や北条氏の勢力増大に反発する一部の東国武士などを味方に引き入れ、北条早雲追討の兵をあげて承久の乱をおこした。

3 承久の乱がおこったきっかけは、1219年、後鳥羽上皇と連携をはかっていた将軍源公暁が源頼家の子実朝に暗殺され、朝廷と幕府の関係が不安定になったことである。

4 承久の乱の結果、後鳥羽上皇は隠岐へ流され、土御門上皇と白河上皇もそれぞれ土佐と佐渡に配流となり、上皇方についた貴族・武士の所領3000余か所が没収された。

5 承久の乱に勝利した幕府は、京都守護にかわり新たに鎮西探題をおいて、朝廷の監視や、京都内外の警備のほか、西国の統轄に当たらせた。

第二次世界大戦後の我が国における諸政策に関する記述として、最も妥当なのはどれか。

1 GHQによって、三井・三菱・住友・安田の4大財閥をはじめ15の財閥が解体を命じられ、実施機関として経済安定部が1946年に発足して財閥解体が行われた。

2 アメリカ教育使節団の勧告を受けて、民主的教育の理念を示した学校教育法が制定され、同時に制定された教育基本法により6・3・3・4制の新学校制度が発足した。

3 1945年12月、労働者の団結権・団体交渉権・争議権を保障した労働基準法が制定され、1947年には、8時間労働制などを規定した労働組合法が制定された。

4 1945年末の第1次農地改革は不徹底であったため、1946年10月、GHQの勧告案にもとづいて自作農創設特別措置法などが公布され、第2次農地改革が実施された。

5 1947年、私的独占とカルテル行為などを禁止する過渡経済力集中排除法と、各産業部門の巨大独占企業の分割をめざす独占禁止法が制定された。

中国の古典文明に関する記述として、最も妥当なのはどれか。

1　紀元前6000年頃までに、黄河流域では稲の栽培、長江（揚子江）流域ではアワなどの雑穀を中心とした農耕が始まった。紀元前4000年代には農耕を行う村落が生まれ、黒陶を特色とするこの農耕文化は、竜山文化とよばれる。

2　渭水流域には邑と呼ばれる城郭都市が多数作られるようになり、現在確認できる最古の王朝である堯が誕生した。その遺跡からは、甲骨文字を刻んだ大量の亀甲や高度に発達した鉄製品が出土している。

3　長江流域におこった周は、自領内の有力者に領地を与えて世襲身分の家臣とし、このような領地（封土）の分与による統治組織を冊封とよび、天命を受けた「君子」と称する周王が全体を統合していた。

4　春秋時代には、卿と呼ばれる有力者が勢力の衰えた晋王にかわって諸国を束ねたが、戦国時代には晋王を無視して王を称する者が増え、やがて戦国の七雄と呼ばれる強国が入り乱れて争った。

5　戦国時代には鉄製農具や青銅貨幣の使用によって経済が発展したほか、諸子百家と呼ばれる多くの思想家が生まれた。戦国時代の動乱をおさめたのは秦であり、秦王の政はみずからを「皇帝」と称した。

ヨーロッパ世界の形成に関する記述として、最も妥当なのはどれか。

1　9～10世紀にかけて、東方からマジャール人が西ヨーロッパに侵入を繰り返した。マジャール人は10世紀半ばにユーグ＝カペーに敗れたのちに定着し、ブルガリア帝国をたて、10世紀末にはカトリック信仰を受け入れた。

2　北方のアイスランドやグリーンランドに居住していたゲルマン人の一派に属するデーン人の一部は、6世紀後半から商業や海賊・略奪行為を目的として、ヨーロッパ各地に本格的に海上遠征を行うようになり、ヴァイキングとしておそれられた。

3　10世紀初め、ロロが率いるノルマン人の一派は北フランスに上陸してブルゴーニュ公国をたてた。彼らが河川をさかのぼって内陸深くまで侵入できたのは、水面から船体の最下部までの距離が浅く細長いガレー船を用いたからである。

4　グレートブリテン島では、1016年にデンマーク地方出身のクヌート（カヌート）がイングランド王となった。その後アングロ＝サクソン系の王家が復活したが、1066年にノルマンディー公ウィリアムが王位を主張して侵攻し、ウィリアム1世としてノルマン朝をたてた。

5　9世紀にはリューリクを首領とするノルマン人の一派（ルーシ）がノヴゴロド国とモスクワ大公国をたて、ロシアの国家形成の基礎を築いた。10世紀末にはモスクワ大公国のウラディミル1世がギリシア正教に改宗した。

世界の農業に関する記述として、最も妥当なのはどれか。

1　中国の農業は、ホワイ川とチンリン山脈を結ぶ線を境にして、北の地域では豊富な降水を生かした稲作がさかんである。

2　作物の生育が自然条件の制約を強く受ける一例として、降水がきわめて少ない乾燥帯では、農業は困難であるが、イランではカレーズというカスピ海を水源とした地下水路を利用した農業も見られる。

3　中部ヨーロッパなどで見られる混合農業は、中世ヨーロッパの三圃式農業から発達した農業形態であり、地力の消耗を抑える輪作や牧畜を組み合わせる農業である。

4　地中海式農業は、夏の高温と乾燥に耐えられるオリーブ・コルクがし・ぶどう・かんきつ類の栽培が行われ、地中海沿岸にのみ見られる農業形態である。

5　東南アジアなどで見られるプランテーション農業は、単一耕作（モノカルチャー）を特色とし、商品作物を栽培するが、植民地支配からの独立後には見られなくなった。

交通や情報通信に関する記述として、最も妥当なのはどれか。

1　時間距離とは、2つの地点間の距離について、長さの単位で表した距離ではなく、移動にかかる時間で表した距離のことをいい、交通の発達は時間距離を短縮する。

2　ハブ空港とは地方の空港のことをいい、空港発着枠や路線枠の規制が緩く、航空会社が支払う空港使用料が安いというメリットがある。

3　LCCとは格安航空会社のことをいい、我が国でも国内線では見られるが、海外から我が国への乗り入れは禁止されている。

4　世界の2大運河であるパナマ運河とスエズ運河は、いずれも水門なしでの航行が可能な水平式運河である。

5　デジタルデバイドとは、情報技術の恩恵を受けている者と、情報化から取り残された者との格差のことをいい、あくまでも個人間に生じる情報格差だけを問題とする。

日本の仏教に関する記述として、最も妥当なのはどれか。

1 天台宗をつくり上げた空海は後に比叡山に延暦寺を建立し、すべて生あるものは仏となる可能性を秘めているとする「一切衆生悉有仏性」という考えを主張した。

2 天台宗の僧侶であった源信（恵心僧都）は、『往生要集』を著して「厭離穢土、欣求浄土」を説き、人々に穢れたこの世を離れ阿弥陀仏のいる西方極楽浄土への往生を切望することを勧めた。

3 浄土信仰をまとめて浄土真宗を開いた法然は、仏教の衰えた末法の世では、誰でも「南無妙法蓮華経」を唱えることによって極楽浄土に往生することができると説いた。

4 日蓮宗を開いた日蓮は『立正安国論』を著したほか、仏教の衰えた末法の世では、ただひたすら「南無阿弥陀仏」を唱えることによって救われると説いた。

5 坐禅による修行を積み、悟りを開くことを説いた禅の教えの代表的な思想家は、日本に曹洞宗を伝えた栄西や、臨済宗を伝えた道元であり、特に日常生活すべてを修行ととらえた道元の思想は、当時の武士に深い影響を与えた。

軍記物語または歴史物語に関する記述として、最も妥当なのはどれか。

1 　『保元物語』は、源義経の生涯を描いた軍記物語であり、後世の芸能や文学に大きな影響を及ぼす「判官物」と呼ばれるジャンルを築いた。

2 　軍記物語の最高傑作である『平家物語』の文体は、漢語・和語などを豊富に取り込んだ漢文訓読調であり、語り物らしく話題によって文体の使い分けがみられる。

3 　『曽我物語』は、藤原道長一家を中心とする平安貴族の生活を、宮廷や後宮の文化に焦点を当てて描いた物語で、仮名文の歴史叙述である歴史物語の最初の作品である。

4 　平安時代の軍記物語には、平将門がおこした乱の様子を記した『将門記』や、前九年の役の顛末を記した『陸奥話記』などがあり、中世の軍記物語の先駆となった。

5 　「四鏡」最後の作品である『大鏡』は、『増鏡』が創始した対話による物語の形式を受け継いで、2人の老人の対話を若い侍が聞くという形式をとった作品である。

次のことわざ・慣用句とその意味の組合せとして、最も妥当なのはどれか。

1　鵜の目鷹の目　　　―　突然のことに驚いて目を丸くする

2　紺屋の白袴　　　　―　どんなに優れた人でも時には誤りをおかす

3　虫がいい　　　　　―　はっきりしないが何かが起こりそうな予感がする

4　情けは人の為ならず　―　情けをかけるのは相手のためにならない

5　対岸の火事　　　　―　他人には重要なことでも自分には何の関係もない

次の外来語とその言い換え語の組合せとして、最も妥当なのはどれか。

1 コンソーシアム　　　― 情報内容

2 サマリー　　　　　― 要約

3 トレンド　　　　　― 拠点

4 パブリックコメント ― 世論形成者

5 マネジメント　　　― 共同制作

体育館内をラジコンの模型自動車が走っている。t 秒後の模型自動車の位置が、$(x, y) = (t-2, 2t-5)$ で表せるとき、模型自動車の軌跡を表す式として、最も妥当なのはどれか。

1 $y = 2x - 4$

2 $y = 2x - 3$

3 $y = 2x - 2$

4 $y = 2x - 1$

5 $y = 2x$

　硫酸銅（Ⅱ）$CuSO_4$水溶液を白金電極を用いて、3.0Aの一定電流で5分22秒間電気分解したとき、陰極に析出する銅の質量として、最も妥当なのはどれか。ただし、ファラデー定数は$9.65×10^4$C/molとし、銅の原子量は63.5とする。

1　0.159g

2　0.318g

3　0.476g

4　0.635g

5　0.794g

生物の進化のしくみに関する記述として、最も妥当なのはどれか。

1 痕跡器官とは、コウモリの翼とヒトの腕のように、外観やはたらきが異なっていても同一の基本構造をもつ器官のことである。

2 環境変異とは、生物集団に存在する遺伝的変異の中から、生存や生殖に不利なものが減少し、有利なものが集団的に広がっていくことである。

3 共進化とは、クジャクの飾り羽のように、異性をめぐる競争によって特定の遺伝的特徴が進化することである。

4 遺伝的浮動とは、自然選択とは関係なく、特定の遺伝子がたまたま多く次世代に受け渡されるような偶然による遺伝子頻度の変動のことである。

5 遺伝子突然変異とは、遺伝子の塩基配列に変化が起きることであり、塩基の欠失、重複、逆位、転座などがある。

| 地学 | 気象 | 2024年度 ❶ 教養 No.23 |

下図のようにA地点での気温が25℃の空気塊が、高さ3000mの山を越えてB地点へ吹き下りたとき、この空気塊の温度として、最も妥当なのはどれか。ただし、この空気塊の露点を15℃とし、山を越えて吹き下りるとき雲は消えているものとする。また、乾燥断熱減率を1℃/100m、湿潤断熱減率を0.5℃/100mとする。

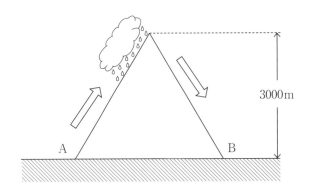

1　20℃

2　25℃

3　30℃

4　35℃

5　40℃

次の英文の（　　）に当てはまるものとして、最も妥当なのはどれか。

There （　　） no vacant seat on the bus, I had to keep standing.

1　was

2　being

3　to be

4　having

5　had been

次の英文の、文法上の用法が正しいものとして、最も妥当なのはどれか。

1 I missed the bus in five minutes.

2 She ate her ice cream by a spoon.

3 He read many books for his stay in the hospital.

4 We went swimming on the river yesterday.

5 There was a crescent moon above the hill.

次の英文の内容と合致するものとして、最も妥当なのはどれか。

Dr. Martin Luther King, Jr. is one of America's most well loved and deeply respected public figures. He was an African American Baptist minister and an inspirational leader of the civil rights movement of the 1950s and 1960s. Dr. King believed with his whole heart in human equality, and he fought for the rights of African Americans – and for all oppressed people in the United States – through peaceful protests. As a great admirer of Mahatma Gandhi, Dr. King only practiced non-violent activism.

Martin Luther King, Jr. was also a very inspiring speaker. When he gave a speech, he could bring people to tears, move them to action, and even change the attitude of an entire nation. His most famous speech was the "I Have a Dream" speech, which he gave at the Lincoln Memorial in Washington, D.C., in 1963. He spoke to a gathering of more than 250,000 people of all races – not just black and white.

It was perhaps one of America's saddest moments when Dr. King was assassinated in 1968. However, he became a martyr[*1] for the civil rights movement, and his life became an even more powerful symbol of the fight and struggle for equality. Soon after his death, his supporters began working toward establishing a holiday in his honor. The holiday would fall every year on Dr. King's birthday, and this would serve as an opportunity for the whole nation to commemorate[*2] the work of Dr. King and all the values and principles he fought for – ideas of equality, freedom, respect, hope, and community. The holiday was written into law in 1983, and it began to be observed in 1986.

Although Dr. King's actual birthday is January 15, Martin Luther King, Jr. Day is celebrated every year on the third Monday of January. The reason for this is to give workers across the nation a three-day weekend, rather than taking a day off in the middle of the week.

［語義］　martyr[*1] 殉教者／commemorate[*2] 祝う

1　公民権運動の殉教者となったキング博士の生涯は、平等を求める闘いと努力のより力強い象徴となった。

2　1963年、キング博士はリンカーン記念堂で黒人と白人で構成される25万人の聴衆に演説した。

3　マハトマ・ガンディーはキング博士の熱烈な崇拝者として、非暴力的な行動主義を貫いた。

4　1968年にキング博士が暗殺された後、支持者たちは彼を称える祝日を翌年に制定した。

5　人々はキング博士の誕生日を「マーティーン・ルーサー・キング・ジュニア・デー」として毎年祝っている。

次の英文の内容と合致するものとして、最も妥当なのはどれか。

When I relocated from Tokyo, Japan, to a small, U.S. town near Phoenix, Arizona, and started learning English with fellow non-native speakers of English at a nearby community college, I was surprised that everyone else was able to speak English, even if it was only broken English. The teacher liked me because I tried to speak with the correct grammar, but I envied other students.

Clearly, their problem (grammar) and my problem (not being able to use what I knew) were different. But every human being is equipped with language ability, and my classmates seemed able to apply their skills of speaking their native language to speaking English. Then, why couldn't I do the same thing? Why is speaking English so challenging for Japanese, when we have a strong foundation of grammar and vocabulary?

Most Japanese I have met in the U.S., both in business and outside of work, share the same observation. So, I've reached the conclusion that something beyond the innate language ability that we all possess, namely Japanese culture, is somehow holding us back. One big factor is our focus on listening. Japanese society encourages us to become adept listeners but not necessarily excellent speakers. Japanese listening culture is well expressed in the proverb "Listen to one and understand ten."

"The duck that quacks gets shot" means that you don't want to cause trouble for yourself by saying unnecessary things.

However, in my English class in Arizona, students form Mexico, Latin America, and other Asian countries spoke without hesitation and with ease. They seemed to be relaxed about speaking English. When I wanted to speak, however, I needed to summon*1 all of my courage and jump into the conversation, as if I were plunging off*2 a cliff into water far below. I wanted to acquire the same relaxed attitude toward speaking English, but of course, the more I tried to relax, the more tense I became. So, I assumed that my classmates' attitude toward English was based on their attitude toward their native language, and it was natural for them to speak up whenever they wanted to do so.

［語義］　summon*1 奮い起こす／plunge off*2 飛び降りる

1　筆者はアメリカのコミュニティ・カレッジの先生に気に入られ、他の人にうらやましがられた。

2　英語を話せる他の生徒たちの文法は、筆者が知っている文法の知識と明らかに異なっていた。

3　筆者がアメリカで出会った日本人の多くは、人間はみな言語を学ぶ能力があると感じている。

4　日本の社会ではよい聞き手になることが勧められるが、よい話し手になることは必須ではない。

5　筆者は一緒に英語の授業を受けている他国から来た生徒と、勇気を振り絞り日本語で会話した。

次の文の空欄　Ａ　に当てはまる節として、最も妥当なのはどれか。

　"普通の"登山者はどのように登山に取り組んでいるでしょう。「明日の仕事に疲れが残らないように」といったふうに、あまり辛くない楽しく運動できる程度のレベルに標準を合わせている人がほとんどと思われます。途中で景色を眺めたり、お湯を沸かしてスープを飲んだりという活動も登山の要素に含めることを考えると、いわゆる競技スポーツとはまったく異質で、むしろ"旅行"のカテゴリーに近いと言えるかもしれません。ですから、「登山愛好者には普段のトレーニングをしていない人が多い」とか、「準備体操や整理体操をしない場合が少なくない」などは、ある意味筋違いの指摘と言えるかもしれません。"旅行"に行くために週三回、一回三十分のランニングを三カ月やってから出かける人はそうそういないわけですから。

　ところが、昨今問題となっているのは、こうした"旅行"的な取り組み方で登山に向かった人が"旅行"の領域から逸脱してしまい、ケガや遭難という顚末に陥るケースが後を絶たないことです。原因としては、本人の予想が甘く、向かったルートに必要な体力・技術をもともと持ち合わせていなかった場合、天候の急変などの環境要因で通常と大きく状況が変わってしまった場合、先導者（公募ツアーなどのガイド）の実力不足で参加者の健康状態や気象の変化に対して適切な対応がとれなかった場合、などが考えられます。いずれにしても、予想や通常状態と現実に大きな差異が生じることがあり、そうなると大きな事故が発生してしまいます。他のスポーツでも気温や湿度、風の有無などで記録や困難さに影響が出ることはありますが、生死に関わる甚大な被害が生じるのは「登山」というスポーツの特徴と言えます。

　従って、「登山の実力」は、　Ａ　というところにあるのかもしれません。

1　短い時間で踏破することよりも、いかにペースを守って、予定通りのスケジュールで登りきることができるか

2　天候や体調悪化といった極限の状態に進んで挑みかかる精神力や、そうした逆境を乗り越える体力を持っているか

3　普通の登山者に邪魔をされないような、人里離れた厳しい環境でどうやって自然と闘い、打ち勝つことができるか

4　予想どおりに通常の環境で踏破したというところよりは、イザという時にどこまで耐えられるか、どんな環境までなら切り抜けられるか

5　事前の予想や準備によってあらゆるアクシデントを避け、肉体的にも精神的にも余裕をもった状態で最後まで登りきることができるかどうか

次の文を先頭に置き、A～Fの文を並べ替えて意味の通った文章にするときの順番として、最も妥当なのはどれか。

直立二足歩行に並ぶ、人類のもっとも基本的な特徴は、犬歯の縮小である。

A　たとえば、余分にエサを食べなくてはならない。

B　そのため自然選択によって、人類の犬歯は小さくなったのだ。

C　使わないのに、わざわざ大きな犬歯を作ったら、余分なエネルギーが掛かる。

D　それでなぜ、人類の犬歯は小さくなったのだろうか。

E　それは無駄である。

F　それは、犬歯を使わなくなったからだ。

1　D － C － F － A － E － B

2　D － F － C － A － E － B

3　A － E － B － D － F － C

4　E － D － F － C － B － A

5　D － F － C － E － B － A

次の文書の要旨として、最も妥当なのはどれか。

猫は目に入る光の量を瞬時に調節できるため、動く物に対して驚くほど迅速に反応することが可能です。

人でもテニスや野球、卓球など、速いボールを目で追う競技のアスリートは、動体視力が優れていることはよく知られていますよね。しかし、猫の動体視力は世界中のトップアスリートをはるかに上回ります。なんと人類の約10倍ともいわれているのです。

この驚異的な動体視力は、すばしっこいネズミなどの小動物である獲物を捕らえるために発達したと考えられます。猫には50メートル先の獲物の動きがわかるという説もあるほどアメージングな能力なのです。

動いているモノはよく見える猫ですが、反面、静止しているモノはあまり見えていません。猫の視力は0.04〜0.3程度で、人なら、強度の近視の部類でしょうか。カーブが大きく丸い眼球は、光を集めるのには有効でも、焦点は合いにくいため、近くのモノはぼやけて見えるのです。

近くのモノの焦点が合わないというと、人でいったら老眼が近いでしょうか。試しに、猫の目の前にドライフードの粒を置いても、一発で見つけることができません。そのくらい、「動かない、ごく近くのモノ」は見えないのです。それゆえ、見えないとわかると、モノを確かめようと前足でチョイチョイするわけなんですね。

ちなみにネズミも、猫と同じように動体視力は優れていますが、近くの止まっているモノは見えにくいようです。ネズミは、最初は動いている猫の存在に気付きますが、動きを止めた猫の姿は目には映らず、油断をした瞬間に捕まってしまうわけです。猫は狩りの名人なので、わざと動きを止めてネズミを仕留めているのかもしれません。

1 カーブが大きく丸い猫の目は、人類の10倍もの静止視力を誇り、そのおかげですばしっこいネズミでも捕まえることができる。

2 ネズミはすばしっこい上に動体視力も優れているが、小さいモノを見ることが得意な猫には、たやすく捕らえられてしまう。

3 猫は優れた動体視力だけでなく、驚異的な身体のバネを利用することによって、すばしっこいネズミを瞬時に捕らえることができる。

4 猫の動体視力は優れているが、カーブが大きく丸い目の構造から、遠くのモノは見えにくいため、実はネズミなどの小動物を捕まえるのは得意ではない。

5 猫の眼球は光の量を瞬時に調節できるため、動体視力に優れている反面、焦点は合いにくく、近くのモノや静止しているモノは見えにくい。

次の文章の要旨として、最も妥当なのはどれか。

　ソクラテスに対する神託の発信源でもあったデルポイの神殿には、現代でもしばしば引用されるが（たとえば映画『マトリックス』）、その入り口に「汝自身を知れ」という言葉が刻まれていたと伝えられている。この箴言（しんげん）は、プラトンのお気に入りだったらしく、いくつかの著作のなかで言及している。

　この「汝自身を知れ」という箴言が古代ギリシアの人びとに告げるのは、自分の位置や役割を自覚せよということだった。具体的にいえば、まず神に対しては人間としての有限性を自覚することであり、人間との関係では、家やポリスなどの共同体のなかでの自分自身の位置や役割を認識することだった。この場合の知るべき「自己」とは、自分以外のものとの関係において占める自分の位置や役割である。

　現代のわれわれが日常生活を送るうえで「自分自身を認識する」ことが必要な場合も、事情は同様だろう。たとえば、道に迷って自分がいまどこにいるのかを確かめるとき、自分自身を、あるいは自分の足下（らち）だけをいくら見つめても埒があかない。周囲の様子や目印になるものとの自分の関係を確かめることを通じて、はじめて自分の位置を特定できる。人がおかれた状況のなかにこそ、その人の位置を示す情報が含まれているからだ。

　このように自己を知ることと世界や他者のあり方を知ることとは別の知ではなく、むしろ相即している。たとえば、家族のなかでの役割（夫婦、親、子供など）、さまざまな組織や共同体のなかでの位置（学生、課長、PTA役員など）を知ることを通じて、自分は誰なのか、何なのかを確かめるのである。自分の名前で検索するエゴ・サーチ（「私」の探求！）も、外部の情報のなかで自分の位置を探ろうとすることである。

　「汝自身を知れ」という箴言が求める「自己」とは自分の内側ではなく、主体と他者とのかかわりのなかにあり、そのかかわりを通じて認識され自覚されていくものなのだ。

1　古代ギリシアの時代には、自分の位置や役割を認識することが重視されたが、現代では他者に影響されない自己を確立することの方が重要である。

2　他者とのかかわりは、自己を知るために欠くことのできない初めの手がかりに過ぎず、そこからより深い自分の内側の探求を始めることができる。

3　自己は他者とのかかわりを通じて認識されていくものであり、自己を知ることは世界や他者のあり方を知ることと相即している。

4　自己を知るためには、いかなる時にも周囲の様子と自分の関係を的確に認識することができる、冷静な判断力こそが求められる。

5　古代ギリシアの時代に比べ、他者とのかかわりが隔絶されている現代においては、自分自身を認識することはより困難になっている。

次の文章の要旨として、最も妥当なのはどれか。

　細かな社内業務でも意思決定の機会はたくさん存在します。たとえば会議室の準備。その利用目的として、数人による議論や合意形成を目的とした会議の場合もあれば、お客さんを呼んで、彼らへのプレゼンテーションを含んだ営業活動そのものの場合もあるでしょう。人数もいろいろで、プロジェクターやホワイトボード、お茶を用意する必要があるかどうかなど、必要になるものもさまざまです。

　だからこそ、「会議室の予約をお願いします」と言われた総務係は、必要な情報を的確に聞き出し、どの会議室を取ったらよいか、何が必要かを素早く判断する必要があります。条件に合致した会議室がすでに予約されている場合なら、調整や別の会議室の準備も必要になることでしょう。

　もし、この手の選択に対してなかなか決められず、そのたびにいちいち時間がかかるようでは、周囲から「判断力がない」と評価され、「できる人物」とは思ってもらえないはずです。誰かに迷惑をかける可能性もあるでしょうし、それこそ「優柔不断だ」などと考えて、自分自身を嫌になるかもしれません。

　決めるのに手間取る原因、その多くは、選ぶ条件が複雑なために考えがまとまらない、ということにあります。この手の問題に対しては、事前によく整理をしておかない限り、とっさにすぐれた選択肢を選び出すことは不可能です。逆に、事前に判断できることは判断しておいて、現場での判断事項を限定しておくと、そうした選択を瞬時にできるようになります。この過程を自然にこなせるようになれば、周囲から判断力や決断力があると思われること請け合いです。

1　判断力や決断力をつけ、素早い選択をするためには、事前に整理してできるだけの判断をしておき、現場での判断事項を限定しておくことが重要である。

2　細かな社内業務での意思決定を素早くできるよう、判断力を身につけていくことが、社内での影響力を上げ、重要な役職を得る近道である。

3　総務などの細かな社内業務には、情報を的確に聞き出し、素早く判断するという高い能力が必要であるため、有能な人材を多く充てるよう社内人事を改正するべきである。

4　細かな社内業務であっても決断には重大な責任が伴うので、周囲から「判断力がない」と言われても、納得がいくまでじっくり考えるべきである。

5　考えがまとまらないのは判断力や決断力がないからであり、それらの力を身につけるためには事前にさまざまな準備をしておくことが重要である。

次の文章の要旨として、最も妥当なのはどれか。

　普段の生活を送っているかぎりは、空気や水は連続的につながっているような感じがしますし、物質を細かくしていくと、いずれ細かくできない最後の粒子に突き当たるなどということは感覚的にはなかなか理解しがたいことです。そのため、今では当たり前に思われている「世界は粒子が集まってできている」ということを人類が理解するまでには、長い年月を要しました。それはおそらく、みなさんが想像されるよりも長い年月だったと思います。なにしろ、19世紀になっても、原子の存在を下手に主張すると袋叩きにされかねず、原子論者が大手を振って歩けるようになるには20世紀を待たなければならないほどでした。

　古代ギリシャには、四元素という考え方がありました。私たちの世界が４つの元素（現在の元素の概念とは異なります）すなわち火、空気、水、土から構成されていると考えられていたのです。元素が集まって物質を構成するというのは、現代の考えに通じるようにも見えますが、物質を粒の集まりと見ているわけではないので、実際の考え方は遠くかけ離れています。

　一方、その時代でも、身の回りのものが細かい粒が集まってできていると考える人たちもいました。目の前の物体を細かく刻んでいったら、最終的にどうなるのかという問題は、古代ギリシャの人たちも考えていたのでしょう。そして一部の人は、最終的にこれ以上分割できない粒子に行き着くと信じていたようです。アトム（日本語で原子）という言葉も、古代ギリシャ人哲学者たちが作り出したものです。しかし実験的に原子のような粒子を見つけられるような時代ではありませんから、いくら主張しても証拠がありません。実験結果を根拠にできない時代は、何事も信じるか信じないかはあなた次第、という世の中だったのです。

1　「世界は粒子が集まってできている」という考え方は古代ギリシャの四元素から始まっており、19世紀になると飛躍的に発展した。

2　「世界は粒子が集まってできている」という考え方は、古代ギリシャの時代には異端であり、迫害を受けたために忘れ去られていった。

3　古代ギリシャ時代にも、「世界は粒子が集まってできている」と考える人はいたが、実験的証拠がなかったため、広く理解を得るには20世紀を待たねばならなかった。

4　「世界は粒子が集まってできている」という考え方は、古代ギリシャから20世紀までの長い間に徐々に人々になじみ、少しずつ受け入れられていった。

5　古代ギリシャの四元素という考え方から、現代の原子論にたどり着くまで、「世界は粒子が集まってできている」と考える人は誰もいなかった。

　あるクラス40名に実施したテストの結果、英語が平均点以上の学生は33名、数学が平均点以上の学生は28名、国語が平均点以上の学生は21名いた。このとき、3科目とも平均点以上の学生の最少人数として、最も妥当なのはどれか。

1　2名

2　3名

3　4名

4　5名

5　6名

丸テーブルに職業も年齢も異なる３人の男性が座って話をしている。３人の出身地は、北海道、大阪府、新潟県のいずれか異なるところで、居住地も埼玉県、千葉県、神奈川県のいずれか異なるところである。３人が座っている位置関係について次のア〜ウのことが分かっているとき、確実にいえることとして、最も妥当なのはどれか。

ア　24歳の男性の左隣の男性は埼玉県に住んでおり、右隣に座っている男性は教師である。

イ　銀行員の右隣の男性は千葉県に住んでおり、左隣に座っている男性は大阪府出身である。

ウ　北海道出身の男性の左隣には38歳の男性が座っており、右隣に座っている男性は弁護士である。

1　大阪府出身の男性は、24歳である。

2　北海道出身の男性は、千葉県に住んでいる。

3　弁護士は、千葉県に住んでいる。

4　北海道出身の男性は、24歳である。

5　新潟県出身の男性の右隣に、埼玉県に住んでいる男性が座っている。

A〜Cの3人は法学部、経済学部、理学部のいずれか異なる学部に所属している。次のア〜オの発言のうち、正しいことを述べたものが1つだけだとするとき、3人の所属している学部について確実にいえることとして、最も妥当なのはどれか。

ア　Aは法学部ではない。

イ　Bは理学部ではない。

ウ　Bは経済学部ではない。

エ　Cは理学部である。

オ　Cは経済学部ではない。

1　Aは経済学部である。

2　Aは法学部である。

3　Bは経済学部である。

4　Cは法学部である。

5　Cは理学部である。

　同じ形状の黒色、茶色、白色の箸が、それぞれ30膳60本ずつ、バラバラになった状態で、中の見えない袋に入っている。この袋から箸を1度に何本か取り出した結果、いずれか1色の箸の組合せが確実に20膳そろうとき、取り出す箸の本数として、最も妥当なのはどれか。

1　85本

2　96本

3　107本

4　118本

5　129本

　ある暗号で「(西1，0)，(西2，0)，(東1，北1)」は「イヌ」を、「(西1，南1)，(0，0)，(東1，北2)」は「ネコ」を表している。この暗号で「(西2，南2)，(西2，0)，(東2，北2)，(0，北2)，(西1，北1)」で表されるものとして、最も妥当なのはどれか。

1　ネズミ

2　ウマ

3　ラクダ

4　ヒツジ

5　コアラ

A～Fの6人が駅で待ち合わせをした。そのときの状況について次のア～ウのことが分かっている。このとき、6人の到着した順序を1つに確定するために必要な条件として、最も妥当なのはどれか。ただし、同時に到着した者はいなかったものとする。

ア　AはE、Fよりも先に到着した。

イ　BはCより先に到着したが、Bより先に到着した者が1人だけいた。

ウ　DはE、Fよりも遅く到着した。

1　Aが一番早く到着した。

2　Bの次にEが到着した。

3　Cが一番遅く到着した。

4　Dは4番目に到着した。

5　EはFの次の次に到着した。

ある表記法で45＋34＝123の式が成り立つとき、同じ表記法で45×34の値として、最も妥当なのはどれか。

1 1530

2 2032

3 2542

4 2754

5 3254

4つの合同な正方形の辺どうしをつなげると、下のように5つの図形ができる。同様に5つの合同な正方形の辺どうしをつなげてできる図形の数として、最も妥当なのはどれか。ただし、回転させたり裏返して同じになるものは同一の図形とする。

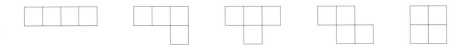

1　11

2　12

3　13

4　14

5　15

1辺の長さ4の正方形のひとつの頂点から、点Pが正方形内を以下のルールで動く。図Ⅰのように実線の矢印の方向に点Pが動きだしたとき、点Pが停止するまでに途中ではね返る回数として、最も妥当なのはどれか。

（ルール）

○ 点Pは正方形内でまっすぐ動く。

○ 点Pが正方形の辺に到達すると、図Ⅱに示すように入射角と反射角が等しくはね返る。

○ 点Pが正方形のいずれかの頂点に到達すると、停止する。

図Ⅰ

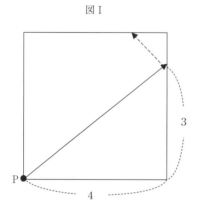

図Ⅱ

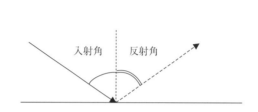

1　3回

2　4回

3　5回

4　6回

5　7回

任意の頂点から全ての辺を1度ずつ通って再び初めの頂点に戻る経路が存在する正多面体として、最も妥当なのはどれか。ただし、頂点を複数回通過することができるものとする。

1　正四面体

2　正六面体

3　正八面体

4　正十二面体

5　正二十面体

下図のような辺の長さが2の正方形のまわりを、辺の長さが1の正方形が矢印の方向に滑らせず転がすとき、点Pが描く軌跡として、最も妥当なのはどれか。

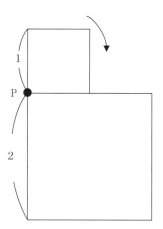

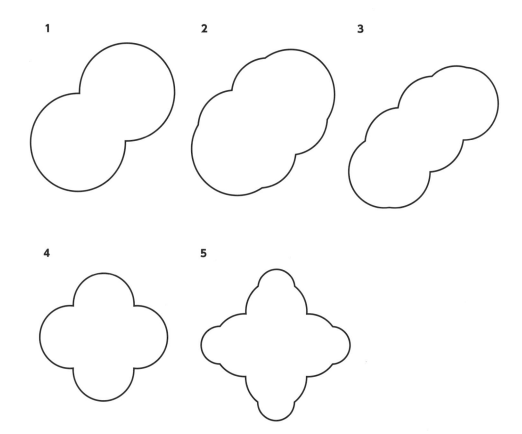

1

2

3

4

5

105から207までの整数のうち、7で割り切れないものの和として、最も妥当なのはどれか。

1 11232

2 11388

3 13758

4 13912

5 14491

　ある仕事をAが1人で行うと終わるのに6日かかり、Cが1人で行うと18日かかる。この仕事をA、B、Cの3人で行うと仕事が全て終わるのに3日かかった。同じ量の仕事をCが1人で6日行った後、B、Cの2人で仕事にとりかかったとすると、2人で仕事を始めてから全て終わるまでにかかる日数として、最も妥当なのはどれか。ただし、3人の仕事のペースは常に一定であるものとする。

1　4日

2　5日

3　6日

4　7日

5　8日

3つの工場A、B、Cで、ある製品を4：3：2の割合で製造している。工場A、B、Cの各工場が製造した製品に含まれる不良品の割合はそれぞれ、8％、5％、6％であった。これら3つの工場で製造された製品の中から無作為に取り出した製品が不良品であるとき、それがC工場の製品である確率として、最も妥当なのはどれか。

1 $\dfrac{10}{59}$

2 $\dfrac{11}{59}$

3 $\dfrac{12}{59}$

4 $\dfrac{13}{59}$

5 $\dfrac{14}{59}$

下図のような、底面の直径が10cm、高さが$10\sqrt{2}$cmの直円すいがある。底面の円周上の点Aから側面に1周線を引いたとき、その最短の長さとして、最も妥当なのはどれか。

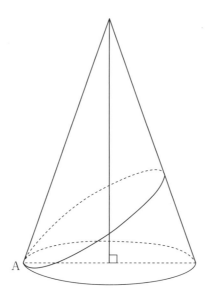

1 $10\sqrt{2}$cm

2 $10\sqrt{3}$cm

3 15cm

4 $15\sqrt{3}$cm

5 $15\sqrt{2}$cm

次の表は、我が国の公民館数、職員数、延べ利用者数を示したものである。この表からいえることとして、最も妥当なのはどれか。

公民館数、職員数及び利用者数

年次	公民館数（単位：館）	職員数（単位：人）				延べ利用者数（単位：人）	
		専任	兼任	非常勤	指定管理者	団体利用	個人利用
2011年	14,681	8,611	9,689	24,654	3,387	171,556,157	17,969,816
2015年	14,171	7,566	9,096	24,380	4,100	161,869,866	18,753,303
2018年	13,632	7,251	8,563	22,624	4,546	154,620,591	15,845,621

1 公民館1館あたりのすべての職員数は、2011年と2018年のいずれも3人を超えている。

2 2018年は、2011年より公民館数が10％以上減っている。

3 2011年に対する2015年の兼任職員数の減少率は、2011年に対する2015年の専任職員数の減少率より大きい。

4 2011年の非常勤職員数を100とした場合、2018年の非常勤職員数は90未満である。

5 2011年に対する2018年の団体利用者数の減少率は、2011年に対する2018年の個人利用者数の減少率より大きい。

次の表は我が国における白菜の収穫量主要5県と全国の作付面積、収穫量に関するものである。この表からいえるア～ウの記述の正誤の組合せとして、最も妥当なのはどれか。

白菜の収穫量主要5県と全国の作付面積、収穫量

都道府県	作付面積 (ヘクタール)	収穫量（トン）	
		令和3年	平成28年
茨城県	3,380	250,300	242,400
長野県	2,850	228,000	229,300
群馬県	464	29,500	28,500
埼玉県	486	24,600	22,900
鹿児島県	401	23,900	22,000
全　　国	16,500	899,900	888,700

ア　作付面積当たりの収穫量は、主要5県のすべてが、平成28年と令和3年の両年とも全国平均よりも多い。

イ　全国の収穫量における主要5県の合計収穫量の割合は、平成28年と令和3年の両年とも65%を超えている。

ウ　平成28年に対する令和3年の収穫量の増加率は、長野県以外の4県が全国の収穫量の増加率を上回っている。

	ア	イ	ウ
1	正	正	誤
2	正	誤	正
3	誤	正	正
4	誤	正	誤
5	誤	誤	正

2024年度第1回　解答解説

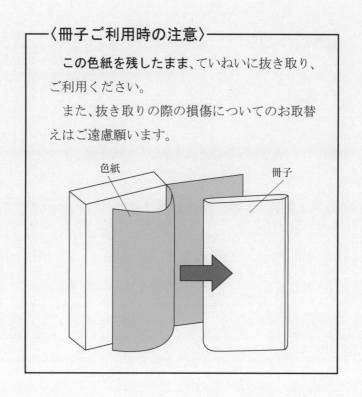

〈冊子ご利用時の注意〉

　この色紙を残したまま、ていねいに抜き取り、ご利用ください。

　また、抜き取りの際の損傷についてのお取替えはご遠慮願います。

色紙

冊子

TAC出版

教養試験　解答解説

正解　3

1　✕　「私人間でも直接適用され」、「許されないと判示した」という部分が妥当でない。判例は間接適用説を採用しているので、思想・良心の自由は私人間で直接適用されず、私法の一般条項（民法1条、90条、709条等）を通じて間接的に適用される。また、企業者が特定の思想、信条を有する者をそのゆえをもって雇い入れることを拒んでも、それを当然に違法とすることはできないとした判例がある（最大判昭48.12.12、三菱樹脂事件）。

2　✕　「出版の差し止めは認められない」という部分が妥当でない。憲法21条1項は表現の自由を規定しており、表現の自由は民主主義を支える重要な権利である。もっとも、出版物について事前（出版前の）差止め（最大判昭61.6.11、北方ジャーナル事件）及び出版後の差止め（最判平14.9.24、石に泳ぐ魚事件）を認めた判例があるので、出版の差し止めが必ずしも認められないわけではない。

3　〇　判例により妥当である。判例は、憲法が、表現の自由につき、広くこれを保障する旨の一般的規定を21条1項に置きながら、別に検閲の禁止について21条2項に特別の規定を設けたのは、検閲がその性質上表現の自由に対する最も厳しい制約となるものであることにかんがみたものであるとして、検閲については、公共の福祉を理由とする例外の許容（憲法12条、13条参照）をも認めない趣旨を明らかにしたもの（絶対的禁止）と解すべきであるとしている（最大判昭59.12.12、税関検査訴訟）。

4　✕　「いずれも社会権とは無関係である」という部分が妥当でない。憲法23条は学問の自由を保障しており、憲法26条1項は教育を受ける権利を保障している。そして、学問の自由は自由権に分類されるのに対し、教育を受ける権利は社会権に分類されている。

5　✕　「入国の自由がある」という部分が妥当でない。判例は、憲法第3章による基本的人権の保障は、権利の性質上日本国民のみをその対象としていると解されるものを除き、わが国に在留する外国人に対しても等しく及ぶとしている（最大判昭53.10.4、マクリーン事件）。もっとも、入国の自由については、権利の性質上、外国人には保障されないとしている（最大判昭32.6.19）。

正解　2

1　✕　「いずれも25歳以上である」という部分が妥当でない。地方公共団体の長（以下、首長と称する）と議会の議員の被選挙権について、市町村長と議会の議員は年齢満25歳以上であるが（地方自治法19条1項、3項）、都道府県知事は年齢満30歳以上である（同法19条2項）。なお、議会の議員の被選挙権については、議会の議員の選挙権を有していることも必要である（同法19条1項）。

2　〇　条文により妥当である。地方公共団体の議会は、首長に対して不信任の議決をすることができ、その議決要件は議員の3分の2以上が出席し、その4分の3以上が賛成することである（地方自治法178条1項前段、3項）。そして、首長は、不信任の議決がなされた場合には、その通知を受けた日から10日以内に議会を解散することができる（同法178条1項後段）。

3　✕　「国による代執行は認められていない」という部分が妥当でない。法定受託事務とは、本来国又は都道府県が処理すべき事務であるが、国民の利便性の観点から地方公共団体が処理するものとして法律又はこれに基づく政令に特に定めのあるものをいう（地方自治法2条9項）。法定受託事務は、本来的には国又は都道府県が処理すべき事務であるから、法定受託事務の処理が法令に違

反しているなどの要件をみたす場合、国又は都道府県は、是正の指示（同法245条の7）だけでなく、代執行をすることも認められている（同法245条の8）。

4 ✕ 「3分の1以上」という部分が妥当でない。有権者は、その総数の50分の1以上の者の連署をもって、その代表者から首長に対し、条例の制定又は改廃の請求をすることができる（地方自治法12条1項、74条）。なお、議会の解散（同法13条1項）、議会の議員や首長などの解職（同法13条2項）の請求については、原則として、有権者の3分の1以上の者の連署が必要となる（同法76条、80条、81条、86条）。

5 ✕ 「請求先はいずれも選挙管理委員会である」という部分が妥当でない。有権者は、議会の議員、首長、副知事もしくは副市長村長の解職を請求することができる（地方自治法13条2項）。この場合、議会の議員と首長については選挙管理委員会が（同法80条、81条）、副知事及び副市長村長については首長が（同法86条）、その請求先となる。

No.3	正解　1	TAC生の正答率　19%

1 ○ ASEAN＋3は、1997年に始まったアジア通貨・経済危機を契機に、ASEAN10か国に日本・中国・韓国を加えた首脳が会合に招待された形で開始した。

2 ✕ BRICSとは、ブラジル、ロシア、インド、中国、南アフリカの頭文字をとったものであり、イランが誤り。また、2024年1月に新たに加盟したのは、エジプト、イラン、エチオピア、サウジアラビア、アラブ首長国連邦（UAE）の5か国である。

3 ✕ EUは、経済通貨同盟、共通外交・安全保障政策、警察・刑事司法協力等のより幅広い分野での協力を進める政治・経済統合体であり、1999年に単一通貨ユーロが導入されたが、デンマーク、スウェーデンなどでは導入されていない。

4 ✕ G20（金融・世界経済に関する首脳会議）には、G7に参加している7か国とEUに加えて、ブラジル、ロシア、インド、中国、南アフリカのBRICS諸国などが参加している。

5 ✕ 1949年に当時ソ連を中心とする東側陣営に対抗するためにNATOが設立され、1955年に東側陣営はワルシャワ条約機構を設立したが、冷戦終結後、ワルシャワ条約機構は解散している。

No.4	正解　2	TAC生の正答率　56%

A 「イギリス」が該当する。香港は1840～42年のアヘン戦争によってイギリス領になってから150年以上にわたってイギリスの植民地であった。

B 「ポルトガル」が該当する。香港返還について中国とイギリスの間で交渉が始まると、19世紀に清朝から割譲されポルトガル領となっていたマカオについても交渉が行われ、返還が決定した。

C 「50」が該当する。両地域は中国の一部になるものの、特別行政区と位置付けられ、返還後50年は「外交と国防問題以外では高い自治性を維持する」ことになった。

D 「一国二制度」が該当する。一つの国の中で、二つの制度が併存して実施されることを一国二制度という。具体的には、中国の社会主義と、特別行政区における資本主義の二つの制度が併存する

状態を指す。

E 　「香港」が該当する。香港では、2014年に行政長官の選挙をめぐって、雨傘革命と呼ばれる反政府デモが起こった。2019年には犯罪容疑者の中国本土への引き渡しを可能にする逃亡犯条例の改正案に反対する大規模なデモが起こり、このような動きに対して中国政府は、2020年に香港国家安全維持法を制定した。

以上の組合せにより、**2**が正解となる。

No.5　　**正解　5**　　　　　　TAC生の正答率　**53%**

1　✕　デモンストレーション効果と依存効果の説明が逆となっている。前者は他者の消費によって自身の消費が刺激される効果であり、後者は宣伝や広告によって消費欲求が促される効果である。いずれも消費者の自律的な行動を妨げる効果と言える。

2　✕　国レベルで設けられているのは消費生活センターではなく、国民生活センターである（消費生活センターは地方公共団体に設けられる）。また、消費者行政を一元化するために2009年に設置されたのは消費者庁であるため、後半の記述も誤りとなる。

3　✕　リコール制度ではなく、クーリング・オフ制度である。訪問販売等や電話勧誘販売などに関し、一定期間内であれば消費者が無条件で契約を取り消すことができる制度である。

4　✕　選択肢の内容は「消費者団体訴訟制度」と呼ばれる（クーリング・オフについては**3**の解説の通り）。同制度では都道府県知事ではなく内閣総理大臣が認定した適格消費者団体が個々の消費者に代わって訴訟を提起することができる。

5　○　2018年の民法改正により成人年齢が18歳に引き下げられたため、18歳や19歳の者は未成年者取消権は行使できなくなっている。

No.6　　**正解　5**　　　　　　TAC生の正答率　**45%**

1　✕　戦時統制の一環として食糧管理制度が開始されたのは1942年である。同制度は戦後の食糧難もあり続けられたが、1960年代以降は次第に実態との乖離が激しくなり、1995年に食糧管理法は廃止された。

2　✕　2000年以降、我が国のカロリー(供給熱量)ベースの総合食料自給率は40%以下の水準となっている。なお、選択肢の記述のように50%以上となっていたのは昭和63年までである。

3　✕　我が国においてコメは1999年より関税化されている。関税化はGATTウルグアイ・ラウンドにおいて提唱されたものであり、日本は猶予期間を設けた後にコメの関税化を受け入れることとなった。

4　✕　第1次（生産）・第2次（加工）・第3次（流通・販売）産業の一体化は4次産業化ではなく6次産業化と呼ばれる。数字を乗算した際の積が6となる（1×2×3＝6）のが由来とされている。

5　○　特に食品トレーサビリティとも呼ばれる。食品を取り扱った際の記録を残し保存することで問題のある食品の由来が分かり（遡及）、その後どこに行ったかを調べることができる（追跡）。

　2023年の日本の名目GDPは、前年より5.7%（A：増え、過去最高額）であったが、米ドル換算では（B：ドイツ）に抜かれて世界4位に後退した。その理由の一つに歴史的な（C：円安）がある。

1　✕　グリーンボンド（環境債）とは、グリーンプロジェクトに要する資金調達のため企業や自治体などが発行する債券を指す用語である。

2　✕　SDGs債とは、国連の定める「持続可能な開発目標」（SDGs）に貢献する目的で発行される債券を指す用語である。グリーンボンド（環境債）やソーシャルボンド（社会貢献債）などもこれに含まれる。

3　✕　環境関連（エコ）ファンドとは、環境関連で優良な取組を行っている企業に向けて行う投資信託を指す用語である。こうした投資を行う環境意識の高い投資家はグリーンインベスター（緑の投資家）と呼ばれている。

4　○　2023年に制定・施行されたGX推進法に基づき、GXに必要な民間投資の呼び水とするため、使途を特定した国債（GX経済移行債）を発行することとなった。

5　✕　サムライ債（円建外債）とは、海外の主体が、日本国内市場において、円建てで発行する債券を指す用語である。なお、海外の発行体が日本国内で外貨建てで発行する債券は、ショーグン債と呼ばれる。

1　✕　7割以上を占めるのは中高年層ではなく、20歳代〜30歳代の若年層である。2013年以降はこの年齢層で7割〜8割となる状況が続いている。なお、近年は30歳代で検挙人員の減少が見られるが、それと対照的に20歳代では増加していった結果、20歳代が大麻事犯の中心となっている。

2　✕　改正法では大麻の不正な所持や施用への罰則として、罰金刑だけでなく懲役刑も科されている（なお、不正な所持には改正前より懲役刑が科されていた）。

3　✕　改正法では大麻草を原料とした医薬品の施用が認められるようになった。また、大麻草の栽培それ自体は従来と同様に禁止されていない。

4　✕　いわゆる「大麻グミ」に対する規制は法改正（改正大麻取締法案）ではなく、厚生労働省の省令によって行われている。

5　○　なお、出題時点（2024年4月）では改正法が施行前であり、これが正解となるが、2024年中には改正法が施行され、使用罪が新設される予定である。

No.10　　正解　1　　　　　　　　　TAC生の正答率　20%

1 ○　承久の乱の結果、北条家による武家政権はさらに確立していくこととなった。

2 ×　後鳥羽上皇が追討の院宣を発したのは、北条早雲ではなく、北条義時に対してである。北条早雲は戦国時代の武将である。

3 ×　後鳥羽上皇が連携をはかっていたのは、将軍源公暁ではなく、源実朝である。公暁は実朝を暗殺した人物であり、実朝が暗殺された後、朝廷と幕府の関係は不安定になった。

4 ×　佐渡島に流されたのは、白河上皇ではなく、順徳上皇である。白河上皇は平安時代に院政を開始した人物である。

5 ×　京都守護にかわっておかれたのは、鎮西探題ではなく六波羅探題である。六波羅探題には、二度と承久の乱のような朝廷の反乱が起こらないよう京都の朝廷を監視し、また、西国の武士たちの討幕などの動きを取り締まる目的があった。鎮西探題は、元寇の後、北条貞時によって設置された。

No.11　　正解　4　　　　　　　　　TAC生の正答率　36%

1 ×　実施機関として発足したのは、経済安定部ではなく持株会社整理委員会（1946年8月発足）である。同委員会が株式の譲渡を受け一般に売り出すことで、持株会社を頂点とする支配は解体されることとなった。経済安定部は1946年に経済の安定・復興のために設置された行政機関である。

2 ×　学校教育法と教育基本法の記述が逆である。義務教育9年間や男女共学などの原則をうたったものが教育基本法であり、同基本法の理念を具体化し、6・3・3・4制の新学制を制定したものが学校教育法である。

3 ×　労働基準法と労働組合法の記述が逆である。ちなみに、労働組合法制定の翌年1946年には労働関係調整法が制定されており、これら3法はまとめて労働三法と呼ばれる。

4 ○　第二次農地改革では、地主の小作地所有について制限が設けられ小作料の支払いは現物ではなく金納とされた。またこの改革は農地委員会（内訳は地主・自作・小作が3：2：5の割合）により実行された。この結果、50％近くだった小作地率は10％台まで低下した。

5 ×　過度経済力集中排除法と独占禁止法の記述が逆である。ちなみに、過度経済力集中排除法による巨大企業の分割は、占領政策の転換により徹底されなかった。

No.12　　正解　5　　　　　　　　　TAC生の正答率　33%

1 ×　黄河流域はアワやヒエが栽培される畑作地域、長江流域はコメが栽培される稲作地域であるため、選択肢の記述は黄河流域と長江流域が逆である。また竜山文化は紀元前4000年代でなく、紀元前3000～2000年である。

2 ×　邑と呼ばれる都市国家の連合体は、渭水流域ではなく、黄河流域に発達したものである。また、現在確認される最古の王朝は殷である。

3　×　周は長江流域ではなく、渭水流域でおこった。また、周王が有力者たちに領地（封土）を与えて統治したことは封建であり、冊封ではない。さらに、天命を受けた周王は「君子」ではなく「天子」と称された。

4　×　春秋時代に勢力の衰えた周王に代わって諸国を束ねたのは覇者と呼ばれた有力諸侯である。したがって、選択肢の記述の「卿」と「晋王」が誤り。

5　○　代表的な諸子百家としては、儒家（孔子・孟子・荀子）、墨家（墨子）、道家（老子・荘子）などが挙げられる。

No.13　　正解　4　　TAC生の正答率　32%

1　×　マジャール人は、南ドイツのレヒフェルトでゼクセン家のオットー1世に大敗している（レヒフェルトの戦い）。したがって、ユーグ＝カペーが誤り。また、マジャール人が建国したのはブルガリア帝国ではなく、ハンガリー王国である。

2　×　ヴァイキングとしておそれられたのは、スカンディナビア半島やユトランド半島に居住していたデーン人（ノルマン人）である。したがって、アイスランドやグリーンランドが誤り。また、彼らがヨーロッパ各地に襲来したのは6世紀後半からではなく8世紀末以降である。

3　×　ロロが率いるノルマン人一派が築いたのは、ブルゴーニュ公国ではなくノルマンディー公国である。

4　○　1016年、イングランド王となったクヌート（カヌート）は、クヌーズとも表記される。彼は北海帝国（イングランド、デンマーク、ノルウェー）を支配した。

5　×　リューリク率いるルーシが建国したのは、ノヴゴロド国とキエフ公国である。したがって、モスクワ大公国は誤り。また、ウラディミル1世はキエフ公国の大公である。

No.14　　正解　3　　TAC生の正答率　43%

1　×　ホワイ川とチンリン山脈を結ぶ線より北側は年降水量が少なく小麦などの畑作地域、南側は稲作地域である。この線は年降水量1000mm程度とほぼ一致している。

2　×　カレーズとカスピ海が誤り。イランにある地下水路式の灌漑施設はカナートと呼ばれる。カレーズはアフガニスタンでの呼び名である。また、カナートは、地下水を水源としている。

3　○　混合農業の分布地域はドイツ、フランスなどの中部ヨーロッパ地域やアメリカ北東部などである。

4　×　「地中海沿岸にのみ」が誤り。地中海式農業は地中海沿岸のみならず、アメリカのカリフォルニア地方や、チリ中部、アフリカ南西部、オーストラリア南部などでも見られる農業形態である。

5　×　プランテーション農業は植民地支配から独立後も続いている。モノカルチャーで栽培された商品作物は独立後も発展途上国の経済を支える役割を担っている。

No.15　正解　1

生の正答率　66%

1 ○　時間距離以外にも、物理距離、経済距離や感覚距離という概念が存在する。

2 ✕　ハブ空港とは、旅客機を乗り継ぎ、別の国や地方郡市に行くための拠点空港のことである。自転車の車輪の中心にある車軸（ハブ）に見立ててこのように呼ばれている。

3 ✕　LCC（格安航空会社）は、国内線のみならず、海外からも我が国に就航している。

4 ✕　スエズ運河は水平式運河であるが、パナマ運河はロック式（閘門式）運河である。

5 ✕　デジタルデバイドとは、インターネット等の利用可能性に関する国内地域格差を指す「地域間デジタルデバイド」、身体的・社会的条件（性別、年齢、学歴の有無等）の相違に伴う利用格差を指す「個人間・集団間デジタルデバイド」、国際間格差を指す「国際間デジタルデバイド」などがあり、個人間の格差だけを指すものではない。

No.16　正解　2

TAC生の正答率　23%

1 ✕　日本で天台宗の教えを広めたのは空海ではなく最澄である。最澄により比叡山延暦寺が開かれた。「一切衆生悉有仏性」は天台宗に限ったものではなく、仏教全体の教えである。

2 ○　源信、『往生要集』、浄土信仰に関わる説明で判断するとよい。

3 ✕　法然が開いたのは浄土真宗ではなく、浄土宗である。また浄土宗で唱えるのは「南無妙法蓮華経」ではなく「南無阿弥陀仏」である。

4 ✕　日蓮が『立正安国論』を著したことは妥当だが、「南無阿弥陀仏」ではなく「南無妙法蓮華経」を繰り返し唱えることを修行とした。

5 ✕　曹洞宗を伝えたのが道元であり、臨済宗を伝えたのが栄西である。「日常生活すべてを修行ととらえた」のは曹洞宗の道元の思想である。

No.17　正解　4

TAC生の正答率　45%

1 ✕　『保元物語』は源義経の物語ではなく、崇徳上皇側と後白河天皇側が争った保元の乱を描いた物語である。判官物とは義経を扱った謡曲や物語類を指す。

2 ✕　『平家物語』は和文体と漢文訓読体に当時の口語を混ぜた和漢混交文で描かれている。

3 ✕　『曽我物語』は曽我十郎・五郎の兄弟が父の仇討ちを果たす物語である。藤原氏を描いた歴史物語の最初の作品は『栄華物語』である。

4 ○

5 ✕　『大鏡』は「四鏡」の最後ではなく最初の作品である。2人の老人の対話という点は『大鏡』の説明として妥当である。なお「四鏡」は『大鏡』、『今鏡』、『水鏡』、『増鏡』の順である。

8

正解　5

1 ×　「鵜の目鷹の目」とは、注意深くものを探そうとすることを表すことわざである。鵜や鷹が獲物を探す様子を表す。

2 ×　「紺屋の白袴」は、他者のことで忙しく、自分にかける時間がないことを表すことわざである。紺屋とは染物屋のことであり、染物屋が自分のものを染められず白い袴を履いている様子に由来する。

3 ×　「虫がいい」とは、自分の都合ばかりで相手のことを考えないことを表す。

4 ×　「情けは人の為ならず」とは、人に対して情けをかけてよい行いをすれば、巡り巡って自分に返ってくることを表すことわざである。

5 ○　川の向こうで、こちら側に燃え移るおそれがない火事の様子を表すことわざである。

No.19 **正解　2**

1 ×　「コンソーシアム」とは共同事業体という意味で、企業や個人など複数からなる団体のことを指す。「情報内容」を言い換えたものとしては「コンテンツ」が挙げられる。

2 ○

3 ×　「トレンド」とは流行、潮流という意味である。「拠点」を言い換えたものとしては「ベース」が挙げられる。

4 ×　「パブリックコメント」とは公衆の意見、またその意見公募手続きという意味である。「世論形成者」を言い換えたものとしては「オピニオンリーダー」が挙げられる。

5 ×　「マネジメント」とは経営管理、組織運営という意味である。「共同制作」を言い換えたものとしては「コラボレーション」が挙げられる。

No.20 **正解　4**

与えられた条件より、$x = t - 2 \cdots$①、$y = 2t - 5 \cdots$②となる。①より、$t = x + 2$となり、これを②に代入すると、$y = 2(x + 2) - 5 \Leftrightarrow y = 2x - 1$となる。

よって、正解は**4**である。

No.21 **正解　2**

ファラデーの法則より、ファラデー定数[C/mol]をFとすると、流れた電気量[C]は、$q = It$、流れた電子の物質量[mol]は$n = \dfrac{It}{F}$であるので、5分22秒 = 322秒より、$n = \dfrac{3.0[\mathrm{A}] \times 322[\mathrm{s}]}{9.65 \times 10^4 [\mathrm{C/mol}]} \fallingdotseq 10^{-2}$ [mol]となる。

陰極では、$Cu^{2+} + 2e \rightarrow Cu$（電子2 molでCu 1 molが析出）という反応が起こっているので、析出した銅の質量は、原子量が63.5と電子量に対して半分であることを考慮し、

$$63.5[\text{g/mol}] \times 10^{-2}[\text{mol}] \times \frac{1}{2} = 0.3175 \fallingdotseq 0.318[\text{g}]$$

より、正解は**2**となる。

No.22　正解　4　　TAC生の正答率 13%

1　×　相似器官に関する記述である。なお痕跡器官とは、クジラやヘビの後肢の名残の骨のような、現在でははたらきを失った器官である。

2　×　自然選択（自然淘汰）に関する記述である。なお環境変異とは、遺伝しない変異である。

3　×　性選択に関する記述である。なお共進化とは、生物種どうしが互いの自然選択に影響を及ぼしあうことである。

4　○

5　×　遺伝子突然変異は、塩基の置換・欠失・挿入などであり、重複・逆位・転座は染色体突然変異の例である。

No.23　正解　4　　TAC生の正答率 27%

25℃の空気の露点が15℃であるので、25－15＝10より、高さ1000m地点において露点に達する。ここから残り2000mは湿潤断熱減率で気温が下がるので、3000mに達したときの気温は0.5×20＝10より5℃である。この空気塊が3000mを乾燥断熱減率で気温上昇していくので、＋30で35℃となる。よって正解は**4**である。

No.24　正解　2　　TAC生の正答率 9%

簡単に訳してみると「バスで空いている席がなかったので、立ち続けなければならなかった」となりそうなことがわかる。その訳に合わせて考えると「Because there was no vacant seat on the bus, I had to keep standing.（BecauseはAsでもよい）」となるが、例文には「Because」がない。ここで選択肢を見て「There is …」の分詞構文について問われていることに気付けるとよい。分詞構文にするには接続詞を削除し、動詞を現在分詞にすればよい。例文は既に接続詞がない状態なので、空欄には「being」を当てはめればよい。

No.25　正解　5　　TAC生の正答率 38%

1　×　「in」でなく「by」が妥当である。「by」は差を表し、「私は5分の差でバスに乗り損ねた」という意味になる。

2　×　「by」でなく「with」が妥当である。「with」は手段・道具を表し、「彼女はスプーンでアイスクリームを食べた」という意味になる。

3　×　「for」でなく「during」が妥当である。「during」の後ろには今回の「his stay in the hospital」のように特定の出来事を表す名詞（名詞句）が続く。「彼は入院中に多くの本を読んだ」

という意味になる。「for」の後ろには「ten minutes」、「one week」のように具体的な期間を表す語句が続く。

4 ✕ 「on」でなく「in」が妥当である。「in」は物体が空間内にあることを表すときに用いる。今回の場合、「川の中で泳ぐ」という状況なので「in」を用いる。「私たちは昨日川に泳ぎに行った」という意味になる。「on」は物体がテーブルや床などの面に接触している状態のときに用いる。

5 〇 「丘の上に三日月があった」という意味になる。「above」は「（接触せず、基準となるものがあり、その）上に」ということを表す。

No.26 正解 1

1 〇 第3段落の内容と合致する。

2 ✕ 「黒人と白人で構成される」という点が明らかに誤り。第2段落末尾には、黒人や白人だけでなく、すべての人種に向けて演説したことが述べられている。

3 ✕ 「マハトマ・ガンディーはキング博士の熱烈な崇拝者として」という点が明らかに誤り。第1段落末尾には、「マハトマ・ガンディーの熱烈な崇拝者として、キング博士は非暴力的な行動主義を貫いた」と述べられている。

4 ✕ 「翌年に制定した」という点が明らかに誤り。第3段落末尾には「この祝日は1983年に法文化され、1986年から祝い始めた」と述べられている。

5 ✕ 「誕生日を…毎年祝っている」という点が明らかに誤り。最終段落では「キング博士の実際の誕生日は1月15日であるが、マーティン・ルーサー・キング・ジュニアの日は毎年1月の第3月曜日に祝われる」と述べられている。

［訳　文］
　マーティン・ルーサー・キング・ジュニア博士は、アメリカで最もよく愛され、深く尊敬されている著名人の1人である。彼はアフリカ系アメリカ人のバプテスト牧師で、1950年代から1960年代の公民権運動の精神的指導者であった。キング博士は人間の平等を一心に信じ、アフリカ系アメリカ人の権利のために、そして、アメリカで抑圧されているすべての人のために、平和的な抗議を通じて闘った。マハトマ・ガンディーの熱烈な崇拝者として、キング博士はもっぱら非暴力的な行動主義を貫いた。
　マーティン・ルーサー・キング・ジュニアは、非常に感動的な演説者でもあった。彼が演説する時、人びとの目に涙を浮かばせ、行動に向かわせ、さらには国全体の意識を変えることもできた。彼の最も有名な演説は「私には夢がある」で、1963年にワシントンD.C.のリンカーン記念堂で行われた。彼は、黒人や白人だけでなく、全ての人種を含む25万人以上の集まりに向けて演説した。
　1968年にキング博士が暗殺されたのは、アメリカにとって最も悲しい瞬間の一つだったろう。しかし、彼は公民権運動の殉教者となり、そして彼の生涯は、平等を求める闘いと努力のさらなる力強いシンボルとなった。彼の死後すぐに、彼の支持者たちは、彼を称える祝日の制定に向けて働きはじめた。祝日は毎年のキング博士の誕生日とし、キング博士の功績と、彼が求めて闘ったすべての価値と原則—平等、自由、尊敬、希望、共同体の理念を—国中で祝う機会とすることが考えられた。この祝日は1983年に法文化され、1986年から祝い始めた。

キング博士の実際の誕生日は1月15日であるが、マーティン・ルーサー・キング・ジュニアの日は毎年1月の第3月曜日に祝われる。その理由は、週の真ん中に休みを取るのではなく、全国の労働者に3連休を与えるためである。

［語　句］

oppress：抑圧する　　assassinate：暗殺する　　three-day weekend：3連休

No.27　　正解　4　　　　　TAC生の正答率　39%

1　×　「他の人にうらやましがられた」が明らかに誤り。第1段落末尾には「私は正しい文法で話そうとしたので先生には気に入られたが、私は他の人がうらやましかった」と述べられている。

2　×　文法の知識の違いについては述べていない。第2段落冒頭では「彼らの問題（文法）と私の問題（知っていることを生かすことができない）は違っていた」とあり、私と他の人々の抱えている問題が違っていたと述べている。

3　×　「日本人の多く」という点が明らかに誤り。第2段落で「人は誰でも言語を学ぶ能力を持ってい」ると述べており、日本人だけに限定しているわけではない。

4　○　第3段落「Japanese society ...」の内容と合致する。

5　×　「日本語で会話した」が明らかに誤り。日本語ではなく、英語で会話をする際に、勇気を振り絞り話したことが最終段落で述べられている。

［訳　文］

　東京からアメリカのアリゾナ州フェニックスの近くにある小さな町に引っ越した時、近くのコミュニティ・カレッジで英語のネイティブスピーカーではない仲間と一緒に英語を学び始めた。ブロークンイングリッシュであっても、皆が英語を話せたことに私は驚いた。私は正しい文法で話そうとしたので先生には気に入られたが、私は他の人がうらやましかった。

　明らかに、彼らの問題（文法）と私の問題（知っていることを生かすことができない）は違っていた。しかし、人は誰でも言語を学ぶ能力を持っていて、私のクラスメイトは、英語を話すのに、母国語を話すスキルを生かしているように思えた。なぜ私には、同じことができなかったのか？　日本人には文法と語彙のしっかりした基礎がありながら、なぜ英語を話すのが難しいのか？

　仕事やそれ以外の機会を通じてアメリカで私が出会った日本人の多くは、私と同じ見解を持っていた。だから私は、誰もが持っている生来の言語能力を超えた何か、つまり日本文化が何らかの形で私たちを妨げているという結論に達した。大きな要因の一つは、私たちが聞くことを重視することである。日本の社会では我々はよい聞き手になることを勧められるが、よい話し手になることは必須ではない。日本の聞く文化は、「一を聞いて十を知る」のことわざによく表れている。

　「鳴くアヒルは撃たれる（雉も鳴かずば撃たれまい）」は、余計なことを言って災いを招かないほうがよいという意味のことわざである。

　しかし私のアリゾナの英語の授業では、メキシコ、ラテン・アメリカ、他のアジア諸国から来た生徒が、ためらうことなく気軽に話していた。彼らは英語を話すことを気楽に考えているようであった。しかし私が話そうとする時、崖から遥か下の水に飛び込むかのように勇気を奮い起こして、会話に飛び込まなければならなかった。もちろん、英語を話すことに対して、同じような、リラックスした姿

勢を身につけたかったが、リラックスしようとすればするほど緊張してしまった。英話に対する私の
クラスメイトの姿勢は、彼らの母国語に対する姿勢が基盤となっていて、話したいときに語すのが自
然なように思えた。

[語　句]
envy：羨む　　innate：先天的な　　possess：持っている

No.28　　**正解　4**　　　TAC生の正答率　26%

1　✕　「予定通りのスケジュールで登りきることができるか」という部分が誤り。第2段落第2文
には「本人の予想が甘く…」とあり、予定通りでも甘いスケジュールではよくないことが読み取れ
るため、これが「登山の実力」とはいえない。

2　✕　「進んで挑みかかる精神力」、「逆境を乗り越える体力」という部分が誤り。困難な事態に対
処することが「登山の実力」であることは第2段落から読み取れるものの、「進んで挑みかかる」
のは無謀であり、言いすぎである。

3　✕　「普通の登山者に邪魔をされないような」という部分が誤り。本文冒頭にある通り、"普通の"
登山者についてしか述べていない文章である。

4　○　登山のあり方について述べている第2段落の内容に当てはまっている。それをまとめたのが
この選択肢の内容である。

5　✕　「事前の予想や準備によってあらゆるアクシデントを避け」という部分が誤り。第2段落後
半では「予想や通常状態と現実に大きな差異が生じることがあり」と述べられている。予想や準備
をすることが「登山の実力」ではないことがわかる。

No.29　　**正解　2**　　　TAC生の正答率　88%

　まずペアにしやすいのは因果関係を示す表現である。Dには「なぜ…だろうか」とあり、Fは「そ
れは…からだ」と答えている。この表現からD→Fというペアを作ることができる。
　次にヒントになるのが、A「たとえば…」である。Aでは「余分にエサを食べなくてはならない」
と述べているので、これが何の例なのか考えるとよい。Cに「余分なエネルギーが掛かる」とあるた
め、Aはエネルギーの元になるエサの必要性を示す例であることがわかる。そのためC→Aとなる。
　またEでは「それは無駄である」と指示語が用いられている。何が無駄なのか考えるとAの「余分
にエサを食べなくてはならない」ことだとわかる。そのためA→Eというペアも作ることができる。
　以上より、これらのペアが含まれるのは**2**である。

No.30　　**正解　5**　　　TAC生の正答率　93%

1　✕　「静止視力」が明らかに誤り。猫の視力で人類の10倍もの能力があるのは「動体視力」である。

2　✕　「小さいモノを見ることが得意」という点が明らかに誤り。猫の視力は0.4～0.3程度しかない
ことが第4段落で述べられている。猫がネズミを捕らえることができるのは、「動きを止めた猫の

姿は目には映らず、油断をした瞬間に捕まってしまう」、「猫は狩りの名人なので、わざと動きを止めてネズミを仕留めているのかもしれません」と本文では示されている。

3 × 「驚異的な身体のバネを利用することによって」という点が明らかに誤り。ネズミの捕らえ方については**2**の解説に示した通りであり、身体のバネを利用したものではない。

4 × 「遠くのモノは見えにくい」という点が明らかに誤り。猫は近くの静止したものが見えにくいということが、本文では繰り返し述べられている。

5 ○ 本文全体で説明している内容である。

No.31 正解 **3** TAC生の正答率 **94%**

1 × 選択肢後半の内容が本文に全く書かれていないため誤り。また「古代ギリシアの時代には」も言い過ぎである。「汝自身を知れ」という箴言が伝えていることが「自分の位置や役割を自覚」することだと述べられているだけである。

2 × 「初めの手がかり」、「より深い自分の内側の探求を始めることができる」ということは本文で述べられていない。

3 ○ 第4段落「このように…」以降の内容がまとめられており、この文章が伝える自己と他者について述べた選択肢である。

4 × 「冷静な判断力こそが求められる」とは述べていないので誤り。他者と自分を知ることについては述べられているが、判断力の必要性については読み取れない。

5 × 選択肢の内容が本文に見当たらないため誤り。古代と現代の相違点については述べていない。

No.32 正解 **1** TAC生の正答率 **93%**

1 ○ 本文のテーマと最終段落の内容に合致し、これが要旨だといえる。

2 × 選択肢後半の内容が誤り。「社内での影響力を上げ、重要な役職を得る近道」とは本文で述べていない。

3 × 選択肢後半の内容が誤り。「有能な人材を多く充てるよう社内人事を改正するべきである」とは本文で述べていない。

4 × 選択肢全体が誤り。「細かな社内業務であっても決断には重大な責任が伴う」とは述べていないし、「納得がいくまでじっくり考えるべき」とも述べていない。どちらかというと、決めるのに手間取らない方がよいと述べている文章である。

5 × 選択肢前半の内容が明らかに誤り。「考えがまとまらないのは判断力や決断力がないから」ではなく、「選ぶ条件が複雑なため」だと第4段落で述べられている。

1　✕　「古代ギリシャの四元素から始まっており」が明らかに誤り。四元素の考え方について、第2段落末尾では「物質を粒の集まりと見ているわけではないので、実際の考え方は遠くかけ離れています」と述べているため、四元素から始まったとは言えない。

2　✕　「異端であり、迫害を受けた」という部分が明らかに誤り。本文末尾では「いくら主張しても証拠がありません」と述べているだけで、迫害を受けたかどうかについては読み取れない。

3　○　本文全体をまとめた選択肢である。

4　✕　「古代ギリシャから20世紀までの長い間に徐々に人々になじみ」が明らかに誤り。第1段落末尾に「19世紀になっても、原子の存在を下手に主張すると袋叩きにされかねず」とあるので、徐々に人々になじんだとは言えない。

5　✕　「誰もいなかった」が明らかに誤り。第3段落第3文で「一部の人は、最終的にこれ以上分割できない粒子に行き着くと信じていた」と述べられている。

　最少人数を求めるので、線分図を用いて考えていく。その際、「3科目とも平均点以上の学生」の最少人数を求めたいので、各科目の平均点以上の学生を表す線分がなるべく重ならないように描くとよい。

　まず、「英語が平均点以上の学生33名」と「数学が平均点以上の学生28名」を表す2つの線分を、「全体40名」を表す線分の中で動かして、なるべく重ならないように左右に寄せて描く（図1）。

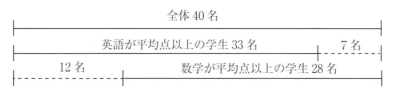

図1

　次に、ここに「国語が平均点以上の学生21名」を表す線分を、なるべく重ならないように描く。まず、英語が平均点未満の学生7名の部分に「国語が平均点以上の学生」を表す線分の一部を描き、数学が平均点未満の学生12名の部分に「国語が平均点以上の学生」を表す線分の一部を描くと、21−7−12＝2[名]分の線分が残る。この2名の線分をどこに描いても「英語と数学がともに平均点以上の学生」と重なる（図2）。

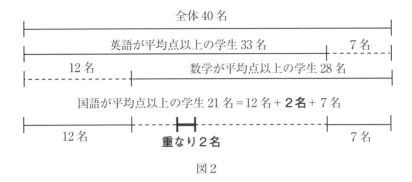

図2

よって、「3科目とも平均点以上の学生」の最少人数は2名であり、正解は**1**である。

丸テーブルの周りに向かって上・左・右の3つの席を作り、それぞれの席に対して職業、年齢、出身地、居住地を書き入れていく。

まず、24歳の男性を左の席に固定し、条件アを反映させると、図1のようになる。

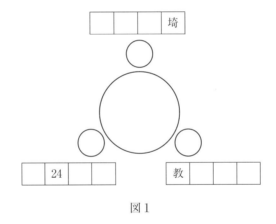

図1

条件イより、銀行員は上または左の席に座っているので、場合分けして考える。

(ⅰ)　銀行員が上の席に座っている場合

条件イを反映させると、残りの職業と居住地はそれぞれ弁護士と神奈川県であるから、図2のようになる。次に、条件ウより、北海道出身は上の席となり、条件ウを反映させると、残りの新潟県出身は左の席となる（図3）。

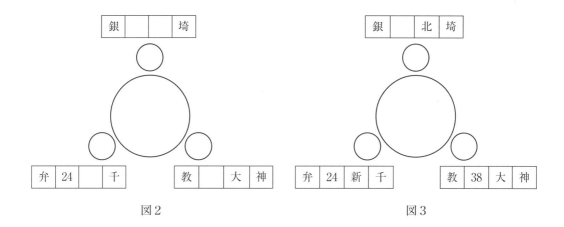

図2 　　　　　　　　　　　　　　　　　図3

(ii) 銀行員が左の席に座っている場合

　条件イを反映させると、残りの職業と居住地はそれぞれ弁護士と神奈川県であるから、図4のようになる。次に、条件ウより、北海道出身は右の席となるが、左の席には24歳が座っているので、北海道出身の左隣には38歳が座ることができず、矛盾する（図5）。

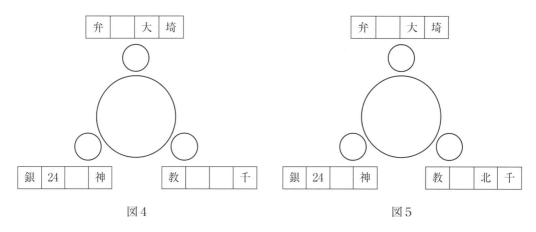

図4 　　　　　　　　　　　　　　　　　図5

　よって、図3より正解は**3**である。

No.36　　正解　2

　ア〜オの発言に1つだけ正しい発言があり、唯一の肯定文であるエの発言に着目する。

　エの発言が正しいとすると、オの発言も正しくなり、正しいことを述べたものが1つだけであることに矛盾する。よって、エの発言は誤りであり、Cは法学部または経済学部であることがわかる。

　Cが法学部とすると、ア、オの発言が正しくなり、正しいことを述べたものが1つだけであることに矛盾する。よって、Cは経済学部である。

　Cが経済学部であると、次の①と②の場合がある。

	A	B	C
①	理	法	経
②	法	理	経

①のとき、ア～ウの発言のすべてが正しくなり、正しいことを述べたものが１つだけであることに矛盾するが、②のときは、イの発言のみが正しくなり、すべての条件に矛盾しない。

よって、②より正解は**2**である。

　１色の箸の組合せが20膳そろわない場合の取り出す箸の最大本数は、３色の箸をそれぞれ39本ずつ、合計39＋39＋39＝117［本］取り出した場合である。逆に考えると、117本取り出しても運が悪ければ、いずれの色の箸も20膳そろわないことになる。ここからもう１本取り出せば、いずれかの色の箸が40本取り出せて20膳そろうことになる。したがって、１色の箸が確実に20膳そろうときの取り出す箸の（最少）本数は118本である。

　よって、正解は**4**である。

　平文を推測する。「イヌ」を表す暗号文は「（西１，０），（西２，０），（東１，北１）」の３単位であり、「ネコ」を表す暗号文は「（西１，南１），（０，０），（東１，北２）」の３単位であるので、それぞれの暗号文はアルファベット（英語）表記の「ＤＯＧ」、「ＣＡＴ」に対応していると推測できる。また各単位は、４方位の座標で表されているので、座標の格子点を考える。

　アルファベットと単位が左から順に対応していると考えると、「Ｄ」＝（西１，０）、「Ｏ」＝（西２，０）、「Ｇ」＝（東１，北１）、「Ｃ」＝（西１，南１）、「Ａ」＝（０，０）、「Ｔ」＝（東１，北２）であるので、アルファベットの格子点は図１のようになる。

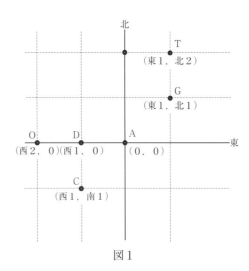

図１

　図１の各アルファベットの位置から、アルファベットは原点（０，０）からいったん南に向かい、時計回りにうずを巻くように矢印順で格子点にA、B、C、…が振り当てられていると考えることが

できる。

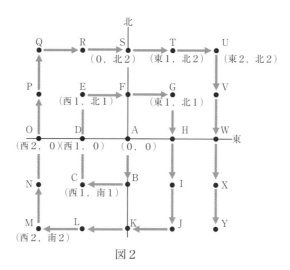

図2

　この暗号で「（西1，南2），（西2，0），（東2，北2），（0，北2），（西1，北1）」が対応する
アルファベットは「ＭＯＵＳＥ」であり、これが表すものは「ネズミ」である。
　よって、正解は**1**である。

No.39　　**正解　5**　　　　　　　　　　TAC生の正答率 **44%**

　順序表を書いて考える。以下では、先着は後着より上位とし、「先着＞後着」と表す。
　条件イの後半より、Bは2位である（表1）。

表1	1	2	3	4	5	6
		B				

　また、条件ア、ウより、A＞（E，F）＞Dであり、条件イの前半よりB＞Cとなる。ただし、（E，
F）のEとFの順序は現時点では不明である。
　Aが3位以下とすると、（E，F）、D、Cの4人も3位以下となり、3～6位に入りきれず矛盾す
る。よって、Aは1位となる（表2）。

表2	1	2	3	4	5	6
	A	B				

　Cの順位は3～6位の4通りあり、それぞれのCの順位において（E，F）＞Dを入れると、6人
の順序は、次の①～⑧の場合がある（表3）。

表3	1	2	3	4	5	6
①	A	B	C	E	F	D
②	A	B	C	F	E	D
③	A	B	E	C	F	D
④	A	B	F	C	E	D
⑤	A	B	E	F	C	D
⑥	A	B	F	E	C	D
⑦	A	B	E	F	D	C
⑧	A	B	F	E	D	C

表3をもとに、6人の順序が1つに確定する条件を検討する。

1 ✕ Aが一番早く到着しても、①～⑧のすべてが成り立ち、6人の順序が1つには確定しない。

2 ✕ Bの次にEが到着しても、③、⑤、⑦の場合が成り立ち、6人の順序が1つには確定しない。

3 ✕ Cが一番遅く到着しても、⑦、⑧の場合が成り立ち、6人の順序が1つには確定しない。

4 ✕ Dが4番目に到着しても、①～⑧のすべてにおいて成り立たない。

5 ◯ EがFの次の次に到着すると、④のみ成り立つので、6人の順序が1つに確定する。

No.40　　正解　3　　　　　TAC生の正答率　42%

この表記法がN進法のものであるとする。また、N進法による表記法と通常の10進法の表記法が混在する場合、N進法による表記法の方には(N)を右下に添えて表すものとする。

「45＋34＝123」の両辺の一の位に着目すると、左辺の「5＋4」が右辺の「3」になっているが、10進法であれば右辺は繰り上がらず、5＋4＝9の「9」がそのまま「9」として右辺の一の位に置かれる。「9」でなく右辺が「3」になっているのは、N進法により繰り上がりが生じたことによる。

10進法であれば、10で繰り上がるので、N進法であればNで繰り上がる。9＝6＋3より、6で繰り上がっているので、N＝6、つまり、この表記法は6進法であることがわかる。

6進法表記を10進法に直して考えると、$45_{(6)} = 6^1 \times 4 + 5 = 29$、$34_{(6)} = 6^1 \times 3 + 4 = 22$より、6進法で表された「45×34」は10進法では、29×22＝638である。これを6進法に直すと、下のはしご算より、矢印に沿って読み取って、$2542_{(6)}$となる。

$$
\begin{array}{r}
6\,)\,638 \\
6\,)\,106 \quad \cdots 2 \\
6\,)\ \ 17 \quad \cdots 4 \\
2 \quad \cdots 5
\end{array}
$$

よって、正解は**3**である。

正方形の辺どうしをつなげて、5つの正方形を並べたときの形を、横に並ぶ正方形の個数で場合分けして考える。

（i）正方形が横に5つ並ぶとき

図1のように1通りある。

図1

（ii）正方形が横に4つ並ぶとき

残り1つの正方形は、4つの正方形に対して、上側または下側に並ぶが、回転させたり裏返して同じになるものは同一の図形であるので、どちらか一方に並べばよい。よって、図2のように2通りある。

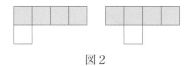

図2

（iii）正方形が横に3つ並ぶとき

残りの2つの正方形は、3つの正方形に対して、上側または下側の一方だけに2つ並ぶ、または、両方に1つずつ並ぶので、図3のように8通りある。

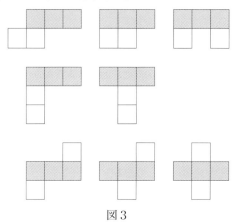

図3

（iv）正方形が横に2つ並ぶとき

残りの3つの正方形は、2つの正方形に対して、上側と下側の両方に1つと2つ並ぶので、図4のように1通りある。このとき、縦・横に正方形が3つ並ばないようにする。

図4

以上より、$1+2+8+1=12$であるので、正解は**2**である。

正方形をABCDとし、はね返る位置を1回目、2回目、3回目、4回目、…に対してそれぞれT_1、T_2、T_3、T_4、…とする。下の図のように、はね返るたびに点Pの軌道を反転させず、正方形自体を反射面（正方形の辺）に対し反転させると、入射角と反射角（図の●どうしと×どうし）は等しいので、軌道は直線（太線）になる。

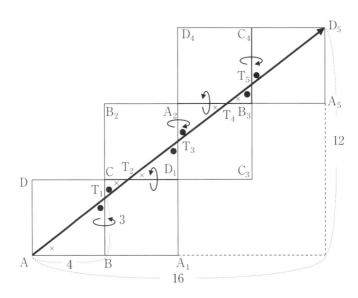

Aから出たこの直線は、右に4、上に3の割合で傾き、高さに着目すれば正方形の高さ4と直線の上昇率3の最小公倍数が12より、初めて正方形の頂点を通過するのは、図のように右に16、上に12進んだ点D_5である。この間5回はね返っているので、正解は**3**である。

任意の頂点からすべての辺を1度ずつ通って再び初めの頂点に戻る経路が存在する正多面体とは、奇点が0個の一筆書きできる正多面体のことである。

各正多面体の頂点に集まる辺の数は次のようになる。

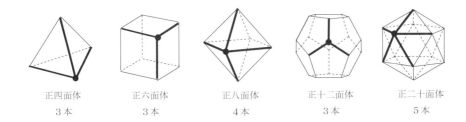

正四面体	正六面体	正八面体	正十二面体	正二十面体
3本	3本	4本	3本	5本

この中で、正八面体のみ頂点が全て偶点、つまり奇点が0個であるので、一筆書きできる正多面体である。

よって、正解は**3**である。

実際に点Pの軌跡を作図して考える。

初めの位置から辺の長さが1の正方形を滑らず転がす。このとき、正方形の右下の頂点が回転中心となり、半径1の円弧を描く（図1）。次に、図1の破線で描いた正方形の右下の頂点が回転中心となり、円弧を描く。このときの半径は、正方形の対角線であるので、長さは$\sqrt{2}$である（図2）。続いて、図2の破線で描いた正方形の左下の頂点が回転中心となり、半径1の円弧を描く（図3）。

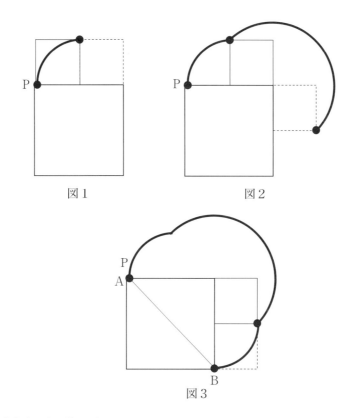

図1　　　　　　　　　　図2

図3

この時点で、消去法より正解は**2**である。

なお、図3では、点Pはスタートの位置Aから反対側Bに来ており、図形の対称性を考慮すれば、この先でAに戻るまでにPの描く軌跡は対角線ABに対して線対称になる。

105から207までの整数のうち、7で割り切れないものの和は、105＋106＋…＋206＋207の全体の和から7で割り切れるものの和を引いて求める。

まず、全体の和を求める。初項が105、末項が207で、項数は207−104＝103の等差数列の和より、$\dfrac{(105＋207)\times 103}{2}＝156\times 103＝16068$である。

次に、7で割り切れるものの和を求める。7で割り切れるものは、7の倍数である。105は7×15で

あるので、7×1 を1番目の7の倍数とすると、105は15番目の7の倍数である。同様にして、207は$7 \times 29 + 4$ であるから7の倍数ではなく、207に近い207より小さい7の倍数は$7 \times 29 = 203$で、29番目の7の倍数である。よって、7の倍数は等差数列であるので、初項105、末項203で、項数は$29 - 14 = 15$の和より、$\dfrac{(105 + 203) \times 15}{2} = 154 \times 15 = 2310$である。

　以上より、105から207までの整数のうち、7で割り切れないものの和は$16068 - 2310 = 13758$である。

　よって、正解は**3**である。

No.46　正解　1　　　　　　　TAC生の正答率　50%

　仕事の全体量を1とする。Aが1人で行うと終わるのに6日かかるので、Aは1日当たり$\dfrac{1}{6}$の仕事量を行い、Cが1人で行うと終わるのに18日かかるので、Cは1日当たり$\dfrac{1}{18}$の仕事量を行う。A、B、Cの3人で行うと仕事が全て終わるのに3日かかったので、1日当たり3人で合わせて$\dfrac{1}{3}$の仕事量を行う。したがって、Bの1日当たりに行う仕事量は$\dfrac{1}{3} - \dfrac{1}{6} - \dfrac{1}{18} = \dfrac{1}{9}$である。

　同じ量の仕事をCが1人で6日行うと$\dfrac{1}{18} \times 6 = \dfrac{1}{3}$の仕事量が終わり、その後、残りの$1 - \dfrac{1}{3} = \dfrac{2}{3}$の仕事をBとCの2人で行うことになる。

　したがって、2人で仕事を始めてから全て終わるまでにかかる日数をx[日]とおくと、$\left(\dfrac{1}{18} + \dfrac{1}{9}\right) \times x = \dfrac{2}{3}$が成り立ち、解くと、$x = 4$[日]となる。

　よって、正解は**1**である。

No.47　正解　3　　　　　　　TAC生の正答率　55%

　3つの工場で製造された製品全体を900個として考える。Aで製造された製品は$900 \times \dfrac{4}{4 + 3 + 2} = 400$[個]であり、この中の不良品は$400 \times 0.08 = 32$[個]である。同様にして、Bで製造された製品は$900 \times \dfrac{3}{4 + 3 + 2} = 300$[個]であり、この中の不良品は$300 \times 0.05 = 15$[個]、Cで製造された製品は$900 - (400 + 300) = 200$[個]であり、この中の不良品は$200 \times 0.06 = 12$[個]である。

　3つの工場で製造された製品の中から無作為に取り出した製品が、不良品である確率は$\dfrac{32 + 15 + 12}{900} = \dfrac{59}{900}$（…①）、Cで製造された不良品である確率は$\dfrac{12}{900}$（…②）である。

　よって、①のとき②であることを考えるので、求める確率は、$\dfrac{②}{①}$より、$\dfrac{\frac{12}{900}}{\frac{59}{900}} = \dfrac{12}{59}$であるから、

正解は**3**である。

　単位cmを省略して説明する。立体の表面上にある2点を結ぶ最短の長さは、展開図上の2点を直線で結んだ線分の長さに等しい。よって、図1のように、この円錐の頂点をB、底面の円の中心をOとして、線分ABで側面を切り開くと、展開図は、側面はおうぎ形、そして底面は円となる。円弧の他方の端をA′とおくと、最短の長さはAA′となる（図2）。

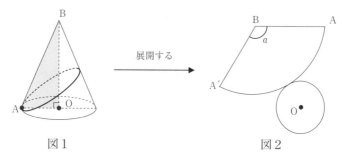

図1　　　　　　　　　　展開する　　　　　　　　　図2

　図1より、円錐の母線ABの長さは、直角三角形ABOに三平方の定理を用いることで求めることができる。よって、$AB = \sqrt{5^2 + (10\sqrt{2})^2} = 15$ となり、母線ABは、展開図では、おうぎ形の半径になるので、おうぎ形の半径は15である。また、図2より、底面の円周と側面のおうぎ形の弧長は等しいので、おうぎ形の中心角をαとおくと、$2\pi \times 5 = 2\pi \times 15 \times \dfrac{\alpha}{360}$ が成り立つ。これを解くと、$\alpha = 120°$ となる（図3）。

　二等辺三角形ABA′に着目する。BからAA′に中線を引き、交点をCとおくと、△ABCは内角が30°、60°、90°の直角三角形となる（図4）。よって、$AB : AC = 2 : \sqrt{3}$ より、$15 : AC = 2 : \sqrt{3}$ が成り立つ。これを解くと、$AC = \dfrac{15\sqrt{3}}{2}$ となる。

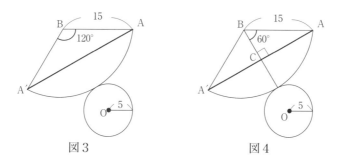

図3　　　　　　　　　　　　　　　　図4

　$AA′ = 2 \times AC$ より、$AA′ = \dfrac{15\sqrt{3}}{2} \times 2 = 15\sqrt{3}$ であるから、正解は**4**である。

1　○　公民館1館あたりのすべての職員数が3人を超えているということは、すべての職員数が公民館数の3倍を超えていることと同じである。2011年のすべての職員数は8,611 + 9,689 + 24,654 + 3,387 = 46,341であり、公民館数の3倍は14,681 × 3 = 44,043であるから、2011年のすべての職員数は公民館数の3倍を超えている。2018年のすべての職員数は7,251 + 8,563 + 22,624 + 4,546 = 42,984であり、公民館数の3倍は13,632 × 3 = 40,896であるから、2018年のすべての職員数も公民館数の3倍を

超えている。よって、2011年と2018年は、公民館1館あたりのすべての職員数が3人を超えている。

2 ✕ 2011年から2018年の公民館数は14,681 − 13,632 = 1,049減少している。2011年の公民館数 14,681の10%は1,468.1であるから、10%も減少していない。よって、2018年は2011年より公民館数 が10%以上減っていない。

3 ✕ 2011年に対する2015年の減少率は $\dfrac{2011年に対する2015年の減少数}{2011年}$ で求めることができる。

兼任職員数の減少率は $\dfrac{9,689 − 9,096}{9,689} = \dfrac{593}{9,689}$、専任職員数の減少率は $\dfrac{8,611 − 7,566}{8,611} = \dfrac{1,045}{8,611}$ である。 この2つの分数を比べると、$\dfrac{1,045}{8,611}$ の方が、分子が大きく分母が小さいので、$\dfrac{593}{9,689} < \dfrac{1,045}{8,611}$ とな る。よって、兼任職員数の減少率は専任職員の減少率より大きくない。

4 ✕ 2011年の非常勤職員数を100とした場合、2018年の非常勤職員数が90未満であるということ は、2011年に対する2018年の非常勤職員数の減少率が10%より大きいことと同じである。2011年 から2018年の非常勤職員数は24,654 − 22,624 = 2,030減少している。2011年の非常勤職員数24,654の 10%は2,465.4であるから、10%も減少していない。よって、2011年に対する2018年の減少率は10% より大きくない。

5 ✕ 2011年に対する2018年の減少率は $\dfrac{2011年に対する2018年の減少数}{2011年}$ で求めることができ

る。団体利用者数の減少率は $\dfrac{171,556,157 − 154,620,591}{171,556,157} = \dfrac{16,935,566}{171,556,157}$ は分子が分母の10%（= 17,155,615.7）未満なので、2011年に対する2018年の団体利用者数の減少率は10%を下回る。個人利 用者数の減少率は $\dfrac{17,969,816 − 15,845,621}{17,969,816} = \dfrac{2,124,195}{17,969,816}$ は分子が分母の10%（= 1,796,981.6）を 超えるので、2011年に対する2018年の個人利用者数の減少率は10%を上回る。よって、団体利用者 数の減少率は、個人利用者数の減少率より大きくない。

No.50 **正解 5**

ア ✕ 平成28年の作付面積当たりの収穫量は、埼玉県が $\dfrac{22,900}{486}$ であり、全国平均が $\dfrac{888,700}{16,500}$ であ る。486 × 50 = 486 × 100 ÷ 2 = 24,300より、$\dfrac{22,900}{486}$ は50より小さいが、16,500 × 50 = 16,500 × 100 ÷ 2 = 825,000より $\dfrac{888,700}{16,500}$ は50より大きい。よって、作付面積当たりの収穫量が主要5県すべてで、平 成28年と令和3年の両年とも全国平均より多いとはいえない。

イ ✕ 平成28年について、主要5県の合計収穫量は、250,300 + 228,000 + 29,500 + 24,600 + 23,900 = 556,300である。一方、同年の全国の収穫量の65%は899,900 × 65%であるが、899,900 × 65% = 9,000,000 × 65% − 100 × 65% = 5,850,000 − 65であり、この値は556,300を上回る。よって、平成28年 は全国の収穫量における主要5県の合計収穫量が65%を超えていない。

ウ ○ 平成28年に対する令和3年の収穫量の増加率について、全国は888,700から899,900へ899,900

−888,700＝11,200の増加量より、増加率は$\dfrac{11,200}{888,700} \times 100$％であるが、分母の１％が8,887、２％が

17,774であるから11,200は１％と２％の間である。よって、平成28年に対する令和3年の収穫量の増加率は１％と２％の間の値である。長野県は平成28年に対し令和3年は減少しており、増加率は負の値を取る。したがって、長野県は全国より小さい。残り４県については、平成28年に対し令和3年は増加しており、増加率は正の値を取る。茨城県が242,400から250,300へ7,900増加し、242,400の２％が4,848であるから、増加率は２％を上回る。群馬県が28,500から29,500へ1,000増加し、28,500の２％が570であるから、増加率は２％を上回る。埼玉県が22,900から24,600へ1,700増加し、22,900の２％が458であるから、増加率は２％を上回る。鹿児島県が22,000から23,900へ1,900増加し、22,000の２％が440であるから、増加率は２％を上回る。よって、平成28年に対する令和3年の収穫量の増加率は、長野県以外の４県が全国の収穫量の増加率を上回っている。

よって、ア：「誤」、イ：「誤」、ウ：「正」となるから、正解は**5**である。